Pumed
Gainc
y Mabinogi

I Kelly a Brython

Pumed Gainc y Mabinogi

PEREDUR GLYN

Argraffiad cyntaf: 2022
© Hawlfraint Peredur Glyn a'r Lolfa Cyf., 2022

Cyhoeddwyd 'Yr Arswyd yn y Darlun' yn *Gwyllion*
a ffurf ar 'Y Llyfr Glas' ar wefan *Y Stamp* yn wreiddiol.
Diolch am eu caniatâd i'w hatgynhyrchu.

Cynllun y clawr: Tanwen Haf

Rhif Llyfr Rhyngwladol: 978 1 80099 192 7

Dymuna'r cyhoeddwyr gydnabod cymorth ariannol
Cyngor Llyfrau Cymru

Cyhoeddwyd ac argraffwyd yng Nghymru
ar bapur o goedwigoedd cynaliadwy gan
Y Lolfa Cyf., Talybont, Ceredigion SY24 5HE
e-bost ylolfa@ylolfa.com
gwefan www.ylolfa.com
ffôn 01970 832 304
ffacs 01970 832 782

Cynnwys

Rhagair

Mae'r gyfrol hon yn gylch o straeon arswyd sydd wedi eu gosod yn ein Cymru ni heddiw ond sydd yn cael eu hysbrydoli gan ddrychiolaethau chwedloniaeth ei gorffennol.

Er bod y prif gymeriad yn wahanol ymhob stori, ac er bod pob stori yn gyflawn ynddi ei hun a bod rhywun yn gallu eu darllen yn unigol ac mewn unrhyw drefn, maen nhw'n dod at ei gilydd i ddweud stori ehangach ac i dynnu llun o fyd a mytholeg fwy. Y ffordd ddelfrydol, felly, i ddarllen *Pumed Gainc y Mabinogi* ydy darllen o'r dechrau at y diwedd mewn trefn.

Mae'r straeon hyn yn disgrifio profiadau gwahanol unigolion anffodus o fyd sydd yn debyg iawn i'ch byd chi ond lle bo grymoedd brawychus yn gweithredu'n ddirgel heb i chi wybod hynny. Bydd darllenydd craff a diwyd yn gallu casglu cliwiau wrth ddarllen, yn gweld cysylltiadau rhwng gwahanol straeon, yn ymchwil i arwyddocâd enwau a theitlau – a bydd rhai pethau sydd yn annelwig tua dechrau'r llyfr yn dod yn fwy eglur, efallai, yn hwyrach ymlaen, neu wrth ailddarllen.

Darn wrth ddarn, efallai y gallwch *chi* ddarganfod beth ydy'r Bumed Gainc a pham ei bod mor beryglus – a datrys cyfrinachau eraill. Ydych chi'n meiddio darllen ymlaen…?

Peredur Glyn
Porthaethwy
Ebrill 2022

Y Llyfr Glas

ae hen, hen lawysgrif yn nyfnderoedd archifau'r brifysgol sydd heb ei chatalogio.

Ar gam y dois i ar ei thraws hi, wrth chwilio am ddogfennau hawliau tir fel ffafr ar gyfer cydweithiwr. Roedd y llyfr wedi ei guddio rhwng dwy gyfrol gyfraith ganoloesol. Llithrodd fy mys ar hap dros y meingefn a theimlais drydan cynnes sydyn a barodd i mi oedi. Doedd dim teitl i'w weld, ond roedd rhywbeth am y llyfr hwn a wnaeth i mi ei dynnu yn ofalus oddi ar y silff. Cyfrol fechan, gyda chlawr glas a oedd wedi cael ei dywyllu gan dreigl amser. Roedd y tudalennau'n hŷn na'r clawr, yn felwm brau, brown-felyn. Agorais y llyfr yn betrus.

Roedd natur od i'r llawysgrifen. Pob llythyren bitw yn ei lle a phob llinell yn ddestlus, ond roedd rhyw *frys* i'r ysgrifennu, fel pe bai'r awdur am i'r geiriau gyrraedd y dudalen cyn iddo eu hanghofio. Craffais, a dechreuais ddarllen.

Aeth fy ngheg yn sych wrth i mi weld y geiriau agoriadol: 'Lymma ceinc kentau y mapinogi...' – 'Dyma Gainc gyntaf...' Wrth i'm llygaid rasio i lawr y dudalen, deallais fod yma grair – testun llawer cynharach o Bedair Cainc y Mabinogi nag oedd yn hysbys! O'r ddegfed ganrif, efallai? Yn llawer hŷn na Llyfr Gwyn Rhydderch, heb os. Roedd yma ddarganfyddiad pwysig, enfawr, a newidiai drywydd ysgolheictod. Y Llyfr Glas! Pam felly ei fod wedi ei guddio ar silff dywyll?

'Don't read it,' meddai llais o'r tu ôl i mi; yna, 'plis peidiwch.'
Troais mewn braw. Safai archifydd yno: hen ddyn bychan
moel â sbectol gron. Roedd ei wyneb fel memrwn dros hen
asgwrn a'i lygaid yn llwytgoch.

Anadlais yn ddwfn cyn gofyn, 'Pam lai?'

Llwybreiddiodd y gŵr yn betrusgar tuag ataf i. Rhoddodd
law grychlyd dros dudalennau'r Llyfr Glas i'w cuddio oddi
wrthyf. 'Mae hwn yn rhy hen,' meddai'n floesg, y geiriau'n
dod yn anodd iddo, ei lygaid yn sodro i'm rhai i. 'Chymerodd
yr awdur ddim... ddim *gofal* wrth drosi'r chwedlau. Mae
angen niwl y canrifoedd i dynnu'r min oddi ar y cymeriadau,
welwch-chi, er mwyn nadu...'

Wfftiais o'n syth. 'Mae hwn o bwys mawr,' meddwn yn
bigog, 'ac mae angen ei olygu a'i gyhoeddi o.' Tynnais y llyfr
ataf a'i wasgu at fy mrest. Wn i ddim pam yr ymatebais felly.
Mi allwn i fod wedi holi'r archifydd am gefndir y llyfr, pam
nad ydy o ar unrhyw gatalog, a phwy oedd yr awdur. Ond yn
yr ennyd honno, teimlwn nad oedd dim yn fwy pwysig i mi na
chadw'r llyfr i mi fy hun.

Agorodd yr archifydd ei geg i ddweud mwy, ond yna aeth
yn fud. Llithrodd o'r stafell â'i wyneb yn llesg.

Anghofiais amdano yn syth. Yn llawn adrenalin, gwthiais
y geriach oddi ar y ddesg roeddwn wedi ei meddiannu yn y
gornel, a rhoi'r Llyfr Glas i lawr yn ofalus. Roedd y papur yn
fregus ond roedd ansawdd go lew arno, er gwaethaf ei oedran
amlwg. Wrth ddarllen, sylwais mai Hen Gymraeg oedd
iaith yr ysgrifen, a gwelwn gynseiliau'r ffurfiau gramadegol
ac ymadroddion hyfryd oedd yn gwbl gyfarwydd i mi o'r
llawysgrifau hwyrach o'r Pedair Cainc. Crynai fy mysedd ac
roeddwn yn ymwybodol o 'ngwefusau'n symud yn gyflym
wrth fwmial-ddehongli'r geiriau cyntefig. Darllenais yn

farus, hyd ddiwedd cainc Math fab Mathonwy, gyda gwên letchwith.

Yna troais y dudalen, a diflannodd fy ngwên. 'Lymma dechreu pumet ceinc i mapinogi am mal i teithwys pryteri i annufyn...'

Agorais fy llygaid. Roeddwn i ar fy nghefn ar lawr y stafell ddarllen. Roedd fy ngheg i'n sych fel papur ac roedd gen i gur yn fy mhen. Wnes i lewygu? Atseiniodd y geiriau arswydus amhosib hynny drwy 'mhen: 'Dyma ddechrau Pumed Gainc y Mabinogi, am fel y teithiodd Pryderi i Annwfn...'

Edrychais am y Llyfr Glas, fy nghalon yn dyrnu, ond doedd o ddim ar y ddesg lle roeddwn i wedi ei adael. Wedi chwilio'n hir, fe gefais hyd iddo yn ôl ar y silff...

Mae fy mreuddwydion bellach yn llawn o Bryderi: y brenin a deithiodd wedi angau i'r Arallfyd i ymladd Arawn Ben-Arian – ond sut y gwn i hynny? Nid oes cof gen i o ddarllen y tudalennau bregus, ac eto *mi wn i'r Bumed Gainc bob gair*, fel pe baen nhw'n eiriau yr ysgrifennais i fy hun. Ac mae rhyw ysfa ynof – ysfa i rannu'r chwedl, ond ar yr un pryd mae rhywbeth yn dweud wrtha i na ddylwn i ei rhannu.

'Mae hwn yn rhy hen,' meddai'r archifydd, ac yn wir: mae cysgodion cyntefig angof yn fy amgylchynu bob nos, yn fy nwyn i Gaer Siddi lle mae'r duwiau gynt yn gwatwar ffŵl ifanc sydd wedi tresbasu arnynt.

Plant Llŷr

Bob prynhawn Sul, dwi'n mynd i lawr at y môr i drio boddi eto.

Mae'r traeth yn wag fel arfer, a'r unig sŵn ydy'r tonnau'n mwytho'r graean. Dwi'n tynnu fy esgidiau, yn teimlo'r tywod o dan sodlau fy nhraed, ac yn anadlu'r heli drwy fy ffroenau. Yna dwi'n cerdded i mewn i'r môr ac yn sefyll yno, gan gau fy llygaid a meddwl am yr hyn sydd o dan yr wyneb.

Mae yna hen nerth yn y môr o hyd, hoel bysedd a sibrydion yr hen dduwiau sy'n gwthio a thynnu'r llanw. Y brenhinoedd a'r breninesau hynny o gyn cof oedd â'u teyrnasoedd y tu hwnt i'r tir hwn. Mae eu henwau wedi treiddio i fytholeg bellach. Ond *dwi'n* dal i gofio amdano *fo*; yn dal i sibrwd ei enw'n felys bob nos. Llŷr oedd enw'r Brythoniaid gynt arno fo. Mae ganddo fo enwau eraill, enwau sy'n cael eu sibrwd yng nghorneli tywyll, llaith y byd, ond Llŷr ydy o i mi.

Unwaith, pan oedd y byd yn iau a'r moroedd yn is, daeth ei blant i fyny ar bridd coch ein hynys, a gwneud eu cartrefi yma. Mi gymeron nhw ein cyndeidiau cyntefig ni o dan eu hadain, a dysgu eu dulliau i ni. A phan ddychwelodd teyrnas Llŷr Anfeidrol i'r gwaelodion yn ei thro, arhosodd rhai o'i blant yma...

Chwech oed oeddwn i pan foddais i. Ar y Sul hwnnw ar y traeth mi sleifiais i fymryn yn rhy bell oddi wrth y teulu, at ymyl y dŵr. Roeddwn i'n clywed sisial y dyfroedd, fel petai'r ewyn yn chwerthin. Mi gerddais i mewn at fy mhengliniau, y tonnau'n fy anwesu.

Yna mi welais i'r cylchoedd bach sgleiniog yn dawnsio oddi tanof fi – llygaid mawr yn wincian arnaf i fel lampau pefriog. Es i'n ddyfnach, at fy nghanol. Roedd cyrff yn nofio o'm cwmpas i erbyn hyn, cyrff disglair a sidan-esmwyth, ac roedd eu breichiau a'u coesau arian yn nadreddu drwy'r dyfroedd cynnes. Roedd wynebau'n gwenu arnaf, yn fy nenu i atyn nhw. Es i oddi tanodd.

All geiriau Cymraeg ddim disgrifio'u dinas yn y gwaelodion. Doedd pensaernïaeth eu temlau ddim fel adeiladau ar y tir, heb onglau sgwâr a cholofnau mathemategol berffaith, ond yn hytrach mewn siapiau a gogwyddau a lliwiau na welais i gynt nac wedyn, y tyrau'n troelli'n sbiralau cwrel a chrisial i bob cyfeiriad. Cartrefi yn eu dwsinau, yn eu cannoedd, yn llenwi fy nhrem, a'u goleuadau'n ffosffor. Ond tu hwnt i'r golau hwnnw, yn ddyfnach fyth, mi welwn i – na, mi deimlwn i – dywyllwch cyflawn, annynol, hynafol, yn corddi'n isel fel calon rhyw fôr-greadur anferthol.

Llanwodd y cwbl fy meddwl ifanc. Mi es i mor chwil nes oedd raid i 'nghymdeithion fy sadio: dyma'u bysedd main, llyfn yn gafael ynof fi a'm tywys i lawr tua'r dudew isod lle (sibrydon nhw) roedd *o'n* trigo. Roedden nhw'n chwerthin o'm cwmpas i, ac yn canu, a byrlymodd fy enaid â bodlonrwydd anesboniadwy, fel petai y lle rhyfeddol hwn rywsut yn gwbl gyfarwydd, ac mi oeddwn i *adref...*

Yna aeth popeth yn wyn, ac yn sydyn roedd tywod gwlyb o dan fy nghefn, yr awyr hallt yn fy wyneb, a dyrnau yn pwnio fy mol. Mi boerais heli, a pheswch. Yn fy nghwman, mi deimlais i fy hen chwaer yn gafael ynof fi yn dynn.

'Paid â phoeni,' meddai hi drosodd a throsodd, 'mi wyt ti

allan rŵan.' Mi edrychais i ar ei hwyneb, heb ddeall yn union pam roedd hi'n edrych arnaf i fel hynna. Aethon nhw â fi yn ôl i'r tŷ, i mi gael sychu. Mi gysgais i'n drwm y noson honno.

Maen nhw wedi mynd bellach. Fy rhieni, fy mrodyr, fy chwaer. Mae pa bynnag dduwiau sydd yn dal i giledrych ar ddynoliaeth wedi caniatáu blynyddoedd hir i mi ar y ddaear. Ond mae'r pridd yma'n rhy galed. Felly dwi'n mynd i'r traeth, bob prynhawn Sul, ac yn sefyll at fy nghanol yn y tonnau, ac yn gobeithio.

Ond dydy'r goleuadau islaw ddim i'w gweld, na'r cyrff arian yn nofio'r dyfroedd bas, a dydy fy hen chwaer ddim yn fy achub, nac yn syllu'n bryderus arnaf i efo'i llygaid mawrion, pefriog, nac yn fy nghofleidio'n dynn efo'i bysedd main, main.

Yn y Croen Hwn

ae'r hen groen hwn wedi dechrau pydru. Mae'r cymalau'n gwegian ac mae craciau'n dechrau ymddangos mewn llefydd mwy amlwg na'r arfer. Mae fy wyneb, ddim ots faint o golur dwi'n roi arno, yn mynd yn fwy hagr bob diwrnod, ac mae fy mreichiau a 'nwylo'n welw, welw: hawdd ydy gweld nad oes gwaed yn llifo drwy'r gwythiennau marwedig. Mae'n bryd i mi gael croen newydd.

Y corff nesaf fydd y degfed i fod yn gartref i mi ers i mi ffoi i Gymru. Mae rhai cyrff yn para'n hwy na'i gilydd. Roedd dyn ifanc o gyrion y Bala yn nyddiau olaf y bedwaredd ganrif ar bymtheg yn groen da a chryf i mi am bron i ddeugain mlynedd. Mi ddes i ar ei draws o – y fo go iawn, hynny ydy – ar waelod llechwedd ac yntau'n hanner marw. Mi fuasai o *wedi* marw, hefyd, mae'n siŵr, pe bawn i heb ei feddiannu. Trwsiais ei esgyrn a phwythais ei gnawd y gorau y gallwn i o'r tu mewn, ac wrth i'w ysbryd yntau fynd ar wasgar, cymrais ei le. Dwi'n cofio gweld wyneb ei fam – mam nad oeddwn i'n ei hadnabod – wrth gerdded yn ôl i mewn i'w ffermdy, yn wlith o ryddhad o 'ngweld i. Roedd hi'n fam dda i mi, ac os y gwelodd hi lygaid rhywun arall y tu mewn i rai ei mab yn yr oriau poenus olaf hynny, ddywedodd hi ddim, dim ond cyffwrdd fy moch yn fregus a rhoi gwên dila.

Heblaw am ambell damaid, dwi ddim yn cadw atgofion y cyrff dwi'n eu meddiannu, ond weithiau yn fy mreuddwydion

– neu'r peth agosaf i freuddwydio dwi'n ei brofi – dwi'n cael fflachiadau o orffennol pob un ohonyn nhw, yn flith-draphlith yn fy isymwybod, fel llanast o emosiynau. Yng nghanol hyn, dwi'n gweld drychiolaethau sydd efallai yn atgofion i *mi*, er nad ydw i'n siŵr bellach: finnau'n crwydro ar hyd coridorau tywyll di-ben-draw – waliau onglog yn tyrru o'm cwmpas – drewdod y ffwrneisi yn treiddio i lawr y twnnel...

Dwi'n eistedd ym mwth un o dafarndai Bangor Ucha rŵan, yn nyrsio gwydryn peint efo bysedd crynedig. Mae'r jiwcbocs yn canu cân werin-bop Gymraeg. Dwi ddim yn gyfarwydd â hi, a dwi'n rhoi fy mhen ar ongl am funud, er mwyn canolbwyntio ar y nodau a'r geiriau. Mi ddysgais i'r Gymraeg naw croen yn ôl, wrth gael te efo'r Fonesig Guest, a'r dyn bach lleol nerfus yn esbonio'i gramadeg i ni'n dau, yntau'n llawn ansicrwydd siaradwr brodorol o reolau ffurfiol iaith. Mae ieithoedd yn dod yn hawdd i mi, a dwi wedi dysgu sawl un yn fy nhro. *Sawl* un. Stop arall ar fy hirdaith oedd Cymru i fod. Lle i gadw 'mhen i lawr yn dilyn reiats Brenin Mob yn Llundain yn ôl yn '80. Roedd yna fyd mawr yn llawn darganfyddiadau yn aros amdanaf i tu hwnt i'r wlad fach hon. Ond rywsut, wedi cyrraedd, mi arhosais.

Mae tatŵ gwael o ddraig goch ar arddwrn y croen hwn. Dwi'n rhwbio fy mys drosto am eiliad gan synfyfyrio, cyn stopio'n syth pan dwi'n teimlo'r celloedd yn dechrau briwsioni. Dwi'n symud llawes fy nghôt fawr drosto i'w guddio.

Dwi'n aros am fy ffrind. Roedd Tegfryn yn gyfaill i'r corff hwn cyn i mi ei feddiannu, ac rhwng un peth a'r llall mi wnes i ei gadw fo fel cyfaill. Rydyn ni wedi gwneud llawer efo'n gilydd dros yr ugain mlynedd diwethaf. Mi yfon ni ormod yn Eisteddfod Meifod a diweddu trwy fynd i gysgu yn y garafán anghywir. Mi roeson ni graffiti ar hyd waliau siop Seisnig yn

Abergele un liw nos. Mi ganon ni 'Sosban Fach' ganwaith yn nhafarn y Glyndŵr yng Nghaerdydd yn ystod gêm rygbi, a chael sgarmes efo criw haerllug y tu allan wedyn.

Yn y gorffennol dwi wedi trio osgoi cael cyfeillion rhy agos. Mae angen gochel rhag y perygl iddyn nhw sylwi nad ydy'r corff hwn yn heneiddio – nid yn y ffordd arferol, beth bynnag – neu eu bod nhw'n gofyn pethau rhy fanwl am gyn-fywyd fy nghroen. Ond roedd rhywbeth am Tegfryn – rhywbeth am ei chwaeth wallgof am fywyd a rhywbeth am ei nwyd tuag at ei wlad – wnaeth i mi fod eisiau glynu wrtho.

Weithiau dwi'n dychmygu sut fuasai hi i *ddweud* wrth rywun. Ond mae ymennydd *person* yn beth syml, cyfyngedig, ac mae rhai pethau sy'n annirnadwy iddyn nhw. Mae'r hyn sydd tu hwnt i'w hamgyffred nhw yn tueddu i gael eu cyddwyso i mewn i syniadau haniaethol a niwlog, fel mytholeg, neu ofergoel, neu ddiwylliant, neu dduwiau. Y bocsys cymdeithasol artiffisial yma sydd yn caniatáu iddyn nhw weithredu o ddydd i ddydd yn ddedwydd yn eu cred mai dynoliaeth ydy canolbwynt pob bydysawd, ac nad oes dim tu hwnt i'w hatmosffer brau ond gwagle ac oerni.

Felly fydda i byth yn dweud. Byth yn esbonio. Dim ond ambell berson, yn eu heiliadau olaf, sydd yn cael gweld y gwirionedd, cyn i'r pypedwr gydio yng nghortyn ei bwped.

Mae'r barman yn digwydd dal fy sylw wrth iddo lanhau gwydryn, ac yn rhoi gwên sydyn. Dydw i ddim yn ddieithryn yma. Mae cynhesrwydd fan hyn na phrofais i lawer yn y gorffennol. Dwi'n gwenu'n ôl gan godi fy ngwydryn ato. Mae'n troi i ffwrdd, a dwi'n sicr mod i'n gweld yn ei lygaid fflach o simsanrwydd ac ansicrwydd – y fflach honno sydd wedi ymddangos yn llygaid llawer o'r bobl, dros fy hanes, sydd yn edrych arnaf i ac yn gweld rhywun sydd ddim yn union beth oedden nhw'n ei ddisgwyl. Maen nhw'n sylwi ar yr wyneb gwelw sydd wedi crychu dan fwgwd o golur, a'r ddwy lygad sydd wedi suddo yn eu cilfachau gyda phwysau canrifoedd ynddyn nhw. Ond, fel bob tro, mae eu hymennydd yn gwneud esgusodion, yn gwthio'r amheuon amhosib i'r neilltu, ac maen nhw'n mynd ymlaen â'u bywydau mewn anwybodaeth. Dwi'n troi fy wyneb oddi wrth y barman.

Daw Tegfryn i mewn. Mae'n rhoi *high-five* i rywun sy'n eistedd ar fwrdd wrth y drws. Mae'n nodio ataf i ac yn anelu'n syth am y bar. Dwi'n symud fy hun yn fy sedd i drio esmwytho. Mi fedraf i deimlo fy esgyrn yn clicio a'r cyhyrau'n gwegian, fel bag papur yn llawn nionod.

O fewn dau funud mae Tegfryn yn cyrraedd fy mwrdd. Dim ond ni'n dau sydd yma. Dydy'r dafarn ddim yn orlawn.

'Cymru am byth,' meddai Tegfryn – dyna ei gyfarchiad arferol – gan glincio ei wydryn yn erbyn fy un i.

'Cymru am byth,' medda fi fel ateb. Yna o nunlle dwi'n peswch, yr ymdrech o symudiad y geg, efallai, yn anfon sbasm drwof i. Mae Tegfryn yn gwgu, ond mae'n yfed ei gwrw yn lle gofyn beth sydd o'i le. Efallai ei fod o wedi arfer efo hyn bellach, er mai dim ond yn ddiweddar y mae'r croen hwn wedi bod mor fregus â hyn.

'Felly,' meddai Tegfryn maes o law. 'Sut ti'n cadw?'

Dwi'n codi un ysgwydd fel ymateb. 'Ddim yn rhy ddrwg.'

'Ti 'di gweld doctor am y tagu 'na?'

'Naddo, ddim eto. Mi neith basio.' Gwallgofrwydd fyddai gadael meddyg yn agos ataf i.

Saib. Dwi'n yfed. Mae'r gwydryn peint yn tincial ychydig wrth daro yn erbyn fy nannedd. Gyda chryn egni, dwi'n canolbwyntio ac yn tynhau llinynnau'r cyhyrau, ac mae'r crynu yn fy nwylo'n sadio. Dwi'n cymryd llond ceg o gwrw, wedyn llyncu. Dydy'r ddiod ddim yn blasu o ddim byd, ddim mewn gwirionedd. Nid yn y ffordd y buasai person yn ei flasu. Ond mae'r profiad yn anfon negeseuon i lawr nerfgelloedd yr ymennydd hwn ac yn rhoi rhyw wrid o fwynhad i fy atomau, fel y profiad o gyd-ganu, neu o orffen darllen nofel dda, neu o dorri drwy wyneb y môr wedi'r plymio.

Mae'r saib rhyngon ni fymryn yn rhy hir, ac mae dwy lygad foliog Tegfryn yn edrych arnaf i'n go ryfedd, fel petai o'n trio datrys rhyw broblem. Dwi'n ceisio llenwi'r seibiant drwy ofyn ei farn am y gêm Sgarlets y noson gynt, ac wedyn ei holi am rifyn diweddaraf *Barddas* (er gwaethaf ei edrychiad, mi aeth Tegfryn ar gwrs cynganeddu unwaith). Does yna'r un pwnc yn ennyn mwy na chwpwl o frawddegau ganddo fel ateb.

Yna yn sydyn mae'n rhoi ei beint i lawr ac yn gwyro tuag ataf i. Mae ei grys rygbi coch yn crychu wrth i'w fol wasgu yn erbyn ochr y bwrdd. 'Ga i ofyn cwestiwn i ti?'

'Wrth gwrs,' medda fi, er nad ydy Tegfryn fel rheol mor gwrtais.

'Pwy...?' mae'r cwestiwn yn cilio o'i wefusau. Mae'n tynhau ei geg, yna'n gofyn eto. 'Pwy ddudist ti oedd dy gariad cynta di?'

Mae'r cwestiwn yn annisgwyl. Ydy o wedi gofyn hyn o'r blaen? Beth dwi wedi ddweud wrtho? Beth dwi wedi ei ddweud wrth bobl eraill?

'Bethan,' medda fi ar ôl meddwl am ychydig. 'Oeddan ni'n ifanc.'

Mae Tegfryn yn pwyso'n ôl yn ei sedd. Eto mae'n edrych yn wahanol arnaf i. 'Ddudist ti unwaith mai Sioned oedd ei henw hi.'

Camgymeriad gen i. Anffodus. 'Ia, ti'n iawn. Sioned oedd gynta. Ond o'n i mond hefo hi am wythnos neu ddwy. Bethan ddaeth yn fuan wedyn.'

Mae Tegfryn yn yfed mwy. Dwi'n siŵr mod i'n ei weld yn shifftio ymhellach i ben ei sedd, at agendor y bwth. Mae o'n taro golwg dros ei ysgwydd at ddrws y dafarn, yna'n troi'n ôl. Yfed eto. Yna: 'Ti'n cofio'r tro cynta i ni fynd i gig Cymdeithas yr Iaith?'

'Iesgob Tegs, be ydy hyn?' medda fi, yn trio chwerthin. 'Dydy'r pyb cwis ddim tan wythnos nesa.'

Dydy Tegfryn ddim yn chwerthin. 'Ti'm yn cofio?'

Dwi'n edrych arno, wedyn yn troi i syllu drwy'r ffenest. Mae'r tywydd yn hyll heno. Glaw mân ar noson lwyd.

'Ti'n cofio gymaint â fi,' dwi'n ateb heb edrych arno. Doedd hwnna ddim yr ateb gorau. Roedd dweud celwyddau yn allu roedd yn rhaid i mi ei ddysgu, ond mi ddylwn i fod yn well arni erbyn hyn. Dwi wedi cael digon o ymarfer.

'Yndw. *Dwi'n* cofio. Ond dwi am i *ti* ddeud,' meddai Tegfryn. Mae ei lais yn oeraidd.

Dwi'n dal i edrych drwy wydr gwlyb y ffenest. Dwi'n meddwl am y troeon cynt pan y dechreuodd pobl ofyn cwestiynau anodd. Fel arfer, erbyn hyn, dwi'n trio meddiannu croenau na fydd pobl yn gweld eu colli. Mae dynolryw yn wachul yn y ffordd maen nhw'n diystyru llawer o aelodau eu hil, ac mae'n go hawdd cael hyd i gorff sydd heb ffrindiau, heb deulu, heb neb i'w colli na'u cofio. A phan ddaw'r amser i minnau basio i gorff newydd, mae'r hen groen yn troi'n llwch, yn dychwelyd i ryw ether nad ydw i, hyd yn oed, yn gwybod yn sicr ymhle.

Mae angen i mi symud ymlaen.

'Sori, Tegfryn,' dwi'n gweithio fy ngwefusau i ddweud.

'Dwi ddim yn teimlo'n rhy dda. Mae'n hwyr. Deud y gwir, dwi am fynd i ffwrdd am sbel.'

Mae Tegfryn yn llyfu ei wefusau sych. 'Lle'r ei di?'

Dwi'n codi fy ysgwyddau eto. Gwell peidio rhoi ateb pendant. Gwell gadael yn go handi. Dwi'n sefyll ac yn dechrau gwasgu'n hun allan o fainc y bwth. Dwi'n gadael y peint ar ei hanner ar y bwrdd.

'Hwyl i ti, Tegs. Wela i di o gwmpas.'

Ond mae braich Tegfryn yn dod allan fel giât i fy rhwystro. Dwi'n stopio cyn y medraf i adael y bwth. Dwi'n troi i syllu arno fo. Fy nhro i i edrych yn oeraidd rŵan.

Mae'r geiriau o enau Tegfryn yn dod yn anodd, a phan ddôn nhw maen nhw bron yn sibrydiad. 'Pwy *wyt* ti?' Mae sŵn y dafarn a'r jiwcbocs a'r yfwyr eraill i gyd yn niwlog ac yn hanner mud bellach. Dim ond llais Tegfryn sy'n eglur i mi.

Dwi'n chwilio am ateb y bydd o'n ei amgyffred. 'Ti'n gwybod pwy ydw i. Paid â bod yn wirion. Dwi'n Gymro fel chdi.'

Yn araf mae Tegfryn yn sefyll. Mae ei gorff cyfan yn y ffordd rŵan, ond does neb arall wedi sylwi. Mae Tegfryn yn dalach na'r croen hwn, ac yn gryfach er gwaetha'r floneg. 'Dwi ddim yn meddwl *bod* chdi.'

Dydw i ddim yn gallu teimlo ofn, nid fel y mae bodau dynol yn ei deimlo, ond mae gen i'r gallu i synhwyro perygl. Mae ffroenau Tegfryn wedi lledu ac mae diferion o chwys yn cramennu ar linell ei wallt; mae tymheredd ei gorff yn uchel; mae ei fedwla uwcharennol yn gweithio pymtheg i'r dwsin.

'Gad i fi fynd, plis Tegfryn.'

Mae Tegfryn yn oedi, ac yn edrych o'i gwmpas. Ansicrwydd. Dydy o ddim yn ddigon meddw nac yn ddigon gwirion i roi cweir i mi yng nghanol tafarn. Ac mae'n glir nad ydy o'n gwbwl siŵr o'i amheuon, neu o leiaf dydy ei ymennydd ddim yn gallu gwneud synnwyr ohonyn nhw.

Yna dwi'n gwneud penderfyniad. Heb air, dwi'n troi ar fy sawdl tuag at y lle chwech.

Dwi'n cerdded drwy'r drws. Mae chwa o garthion dynol a chemegau glanhau yn mynd i fyny trwyn fy nghroen. Mae'r toiledau'n wag. Â 'nghefn at y fynedfa, dwi'n clywed a theimlo'r drws yn agor a chau y tu ôl i mi. Mae Tegfryn wedi fy nilyn. Dwi'n troi i edrych arno.

Mae toiledau'r dafarn yn gyfyng, gyfyng. Dim lle i droi, bron. A dim preifatrwydd chwaith – mi allai rhywun ddod i mewn unrhyw eiliad.

Rydyn ni'n syllu ar ein gilydd am funud, fel dieithriaid. Yna mae'r geiriau yn dechrau carlamu o wefusau Tegfryn. Dydy o ddim yn codi ei lais, ond mae ffrantigrwydd yno er hynny.

'Dwi ddim yn gwybod pwy – neu *be* – wyt ti, ond ti ddim y ffrind o'n i'n nabod. Paid â meddwl bod fi heb sylwi. Pethau bach ydyn nhw. Gen ti symudiadau sy'n… anghywir. Ti'm yn cofio pethau. Pethau o ers talwm. Pethau ddaru ni neud efo'n gilydd wrth dyfu i fyny. Y ffordd mae dy gorff di'n edrych yn wahanol. Ti jest ddim yn… normal.' Mae'n gwthio ei law drwy ei wallt, sydd yn chwys domen bellach. 'Lle mae'r Cymro oedd arfer bod yn ffrind i fi?'

Dwi'n oedi. Mae fy mreichiau wrth fy ochr yn swrth. Dwi'n sylweddoli bod fy amrannau yn gwneud sŵn crebachu wrth iddyn nhw lithro i fyny ac i lawr peli fy llygaid.

'Nei di ddim dallt, Tegfryn,' medda fi yn araf, araf, fel athro yn dysgu plentyn, 'ac mae'n well i ti beidio busnesu. Mae 'na rywun… mae'n rhaid i mi ei ffeindio.' Mae amser yn brin.

'Na,' meddai Tegfryn. Mae'n sefyll rhyngof i a'r drws.

'Rhaid i ti ddeud wrtha i pwy wyt ti. Mae... Oes raid i fi ffonio'r heddlu? Neu...'

'Be fasa'r heddlu'n ei wneud?' medda fi. 'Does gen ti'm syniad be ti'n ddelio hefo fo. Gad fi fynd drwy'r drws 'na. Anghofia hyn – anghofia fi.' Geiriau annoeth, efallai. Ond mae'n rhaid iddo fo ddeall nad oes raid iddo fo ddeall.

Mae symudiad Tegfryn yn syndod o gyflym. Mae ei law dde'n codi a'i fysedd yn clymu o gwmpas fy ngwddw fel feis. Mae'n fy ngwthio yn erbyn y sinc yn galed. Mae sŵn tsieina'r sinc yn cracio wrth i mi daro yn ei erbyn – neu efallai sŵn yr esgyrn – ac mae Tegfryn yn codi uwch fy mhen, ei lygaid yn gawlach o lid a gorbryder.

Dydy Tegfryn ddim yn sylweddoli, ond wrth gydio mor dynn yn fy nghorn gwddw mae o'n atal yr ocsigen fynd i lawr pibell wynt fy nghroen. Dydy hynny ddim o bwys mawr – dydy'r pwped hwn ddim angen aer – ond mae ei drais yn debygol o gyflymu'r madru sydd eisoes ar waith. Mi allaf i deimlo'r cnawd yn dechrau dadelfennu. Dwi'n teimlo profiad sydd i bob pwrpas yn boen, ac mae'r gwefusau'n lledaenu ar draws y dannedd. Wrth i'r croen symud, mae'n cracio, ac mae holltau bach yn agor ar draws rhychau fy wyneb.

'Tegfryn...' dwi'n hisian, 'dwi'n dod o... rywle arall...'

'Ti ddim yn Gymro,' meddai Tegfryn eto dan ysgyrnygu, ond mae dagrau ar ei foch. 'Be bynnag wyt ti, o le bynnag ti'n dod, *dwyt ti ddim yn Gymro.*'

'Ond mi *ydw* i,' medda fi, ac yna dwi'n sylweddoli bod hynny'n wir, ac mae syndod yn fy llenwi, pob niwron yn tanio. *Dwi yn Gymro.* Ddim bwys mod i'n dod o le ac amser a realiti sydd tu hwnt i glem unrhyw adyn o Gymru fach. Ddim bwys mod i wedi troedio priddoedd cannoedd o wledydd y ddaear dros filenia cyn cyrraedd y pridd hwn. Ddim bwys mod i'n gwisgo'r croen yma, neu unrhyw groen arall. Bellach, mae'r iaith yn fy atomau, yr afonydd yn fy einioes, y ddraig yn fy nghrombil. Dwi'n dechrau wylo wrth ddeall.

Yna. Mae Tegfryn yn agor ei geg i sgrechian. Mae canhwyllau ei lygaid yn rhythu fel ffrwydradau o ofn, achos o'r diwedd, *yn y diwedd*, mae'n *gweld*, ond mae hi'n rhy hwyr. Mae'r croen sydd amdanaf yn agor, yn rhwygo, a dwi'n dianc drwy'r craciau. I'w atal rhag sgrechian mae fy mysedd llaith amhosib yn gwthio'n ddwfn i geg Tegfryn, a'i sgrech yn troi'n dagu gludiog. Mae ei ddwylo'n crafangu amdanaf mewn gwallgofrwydd, yn ceisio fy ngwthio i ffwrdd, ond dydy o ddim yn ddigon cryf rŵan. Mae'r llysnafedd oedd y tu mewn i'r hen groen hwn yn corddi a gwingo wrth ymgordeddu i'r awyr, ac mae dwsinau o dentaclau tryloyw y fi go-iawn yn cofleidio Tegfryn yn ei eiliadau olaf, gan ei dynnu i mewn ataf, i mewn...

Dwi'n gadael y lle chwech. Dwi'n sychu fy nwylo ar fy nhrowsus ac yn cerdded draw at y bwrdd. Dwi'n gorffen y peint, gan adael y llall yn hanner gwag. Wrth anelu at ddrws y dafarn dwi'n rhoi *high-five* i'r cyfaill wrth y drws, ac yn codi llaw yn ffarwél gyfeillgar i'r barman.

'Cymru am byth,' dwi'n galw ato dan wenu, cyn cerdded allan i dywyllwch gwlyb y nos.

Y Llu

Y mae pum cainc.

Mi ymddangosodd y neges ar fy ffôn i un noson. Neges destun oedd hi, oddi wrth rif doeddwn i ddim yn ei nabod. Doedd hi'n gwneud dim synnwyr i mi. Mi ddileais i'r neges a mynd yn ôl at wylio'r teledu.

Sawl diwrnod yn ddiweddarach, mi dderbyniais i neges arall debyg.

Y mae'r Bumed Gainc yn wir. Ni allant ei chuddio rhagom.

Od. Annifyr erbyn hyn. Mi flociais i'r anfonwr rhag iddyn nhw gyfathrebu efo fi eto.

Y penwythnos wedyn mi oeddwn i'n teithio ar y bws i'r siop, pan ddigwyddais i weld graffiti mewn paent glas ar safle bws ar gyrion y dref: Chwiliwch am y Bumed Gainc. Mi oeddwn i wedi synnu gweld graffiti mewn Cymraeg mor safonol! Aeth y bws yn ei flaen. Ond erbyn hyn mi oedd fy meddwl i'n dechrau rasio. Beth oedd y Bumed Gainc?

Yr unig 'geinciau' oeddwn i'n gwybod amdanyn nhw oedd y rhai yn y Mabinogi. Pedair Cainc mae pawb yn gwybod amdanyn nhw, wrth gwrs: straeon Pwyll, Branwen, Manawydan a Math. Dwi'n cofio eu darllen nhw yn yr ysgol, mewn cyfieithiad modern efo lluniau lliwgar. Ond pedair

Cainc sydd yna, ynde, meddaf i wrthof fy hun. Dim ond pedair.

Y noson honno, yn methu ag anghofio'r holl negeseuon rhyfedd, mi es i ar fy ffôn tra on i'n gorwedd yn y gwely a chwilio'r We am dermau fel <*y bumed gainc*>, <*5ed gainc*>, <*Mabinogi cainc 5*>, ac yn y blaen. Ond dim byd. Dim arlliw o sylw amdani yn unman ar y We.

Mi ddechreuais i deimlo oerni yn fy ngwddw a rhyw bigo caled tu ôl i'r llygaid. Dwi'n teimlo fel hynny pan fydd y gorbryder yn fy nharo. Rhois i fy ffôn i un ochr yn frysiog. Mi anadlais i'n ddwfn a chanolbwyntio ar yr anadlu. Doedd dim pwynt gwthio fy hun ymhellach i lawr y twnnel rhyfedd hwn heno. Mi driais i gysgu.

Yn ddwfn yn y nos, aeth sgrin y ffôn yn llachar. Neges. Yn hanner cysgu, mi ddarllenais i hi.

Yr wyt yn chwilio. Rydym ninnau yn chwilio hefyd. Tyred atom.

Yn sydyn mi oeddwn i'n gwbl effro. Roedd iaith hen ffasiwn y neges yr un fath â'r rhai cynt, ond doedd dim rhif ffôn ar gyfer yr anfonwr yma. *Unknown number.* Mi fedrwn i deimlo blaenau fy mysedd i'n mynd yn chwyslyd a phrin y meiddiwn i anadlu. Ar ôl cwpwl o eiliadau, daeth neges arall. Un gair: Gwahoddiad.

Gan anwybyddu'r gwres yn fy mrest, mi agorais i'r neges er mwyn ei darllen hi'n llawn. Heblaw am yr un gair hwnnw, doedd dim byd yn y neges heblaw am ddolen URL ar gyfer gwefan, y cyfeiriad yn gyfres o lythrennau a rhifau diystyr. Dydach chi ddim i fod i bwyso ar lincs nad ydach chi'n eu hadnabod, wrth gwrs – yn enwedig pan maen nhw'n dod gan rif anhysbys yng nghanol y nos! Ond er gwaethaf hynny, yn y foment honno y teimlad gefais i oedd mai clicio'r ddolen oedd y peth iawn i'w wneud. Y peth *gorau* i'w wneud.

Arweiniodd y linc fi at wefan. Gwefan ddigon di-fflach oedd hi, heb liwiau na graffeg ffansi. Ar y top oedd teitl: 'Y Llu'. Wrth sgrolio'n sydyn i lawr y dudalen, mi allwn i weld mai bwrdd negesu oedd hwn, efo gwahanol bobl yn postio pwnc trafod a phobl eraill yn medru ymateb a chreu edefyn sgwrs. Fforwm o ryw fath, felly.

Daeth teimlad chwithig drosta i am funud – mi oeddwn i wedi clywed am y *Dark Web*, math o is-We y tu hwnt i wybodaeth defnyddwyr cyffredin, lle'r oedd pob math o bethau ciami yn mynd ymlaen yn y cysgodion. Ai dyna beth oedd hwn – ond yn Gymraeg?

Yna, wrth gymryd golwg sydyn ar yr edefyn trafod diweddaraf, mi ddechreuais i gyffroi wrth weld beth oedd y bobl hyn yn ei drafod. Pumed Gainc y Mabinogi!

Yn gynnwrf i gyd, mi ddarllenais i fwy. Mi oedd hi'n ymddangos bod tua deuddeg o bobl wahanol yn postio negeseuon yma, pob un yn anhysbys – doedd dim cyfeiriadau ebyst na dim i'w gweld – ac yn ysgrifennu dan ffugenw: rhai yn llenyddol neu'n od, fel Cigfa1998, Lla55arLla35G neu Filius_Beli, ac eraill yn fwy di-nod, fel Dieithryn32, Pry_Llyfr a Dan.

Mi oedd y negeseuon yn sôn am brofiadau tebyg i fy rhai i: derbyn negeseuon dienw; gweld negeseuon ar waliau'r dref; un negesydd wedi gweld y geiriau rhyfedd yng nghefn papur bro; un arall yn taeru eu bod nhw wedi clywed rhywbeth am y Bumed Gainc ar ddiwedd bwletin newyddion ar y radio. Ond mi oedd pob neges wnes i ddarllen, p'run ai'n bytiau byr neu'n draethodau maith, yn dweud yn fwy neu lai yr un peth: mi oedd ganddyn nhw ddiddordeb mewn gwybod mwy am y Bumed Gainc, ond doedden nhw ddim wedi ei darllen hi eu hunain.

Ar ôl pori am ddwy awr, a'r nos yn dyfnhau y tu allan, yn crynu dipyn bach, ysgrifennais i fy neges gyntaf i ar y wefan.

Dwi wedi clywed am y Bumed Gainc. Sut fedrwn ni ddarganfod mwy amdani?

Daeth atebion, hyd yn oed yr adeg hon o'r nos, yn go sydyn. Mi oedd hi'n gynhyrfus medru trafod hyn gyda phobl eraill, ond yn fuan mi sylwais i nad oedd fawr o sylwedd i'r atebion. Beth, wedi'r cyfan, oedd gennyn nhw i'w ddweud? Mi oedden ni i gyd, hyd y gwelwn i, mor anwybodus â'n gilydd!

Yn y pen draw mae'n rhaid mod i wedi syrthio i gysgu, gan i mi ddeffro â'r haul yn sbecian drwy lenni'r stafell. Gorweddai fy ffôn i ar y llawr. Mi oedd fy nghymar i wedi gadael y gwely eisoes.

Wrth i'r wythnosau fynd yn eu blaen, mi oedden ni ar y Llu yn parhau i drafod. Mi oeddwn i'n postio sawl gwaith y diwrnod erbyn hyn. Er nad oedd gwybodaeth newydd gennyn ni, mi oedden ni (yng ngeiriau Dieithryn32) yn gymrodorion yn ein hanwybodaeth, a dyma ni'n dechrau ceisio dyfalu beth fuasai stori'r Bumed Gainc.

Mi oeddwn i wedi ailddarllen y Pedair Cainc erbyn hyn, gan brynu fersiwn gyfoes drwy siop ar-lein. Soniodd un o'r Llu – dyn oedd yn honni bod ganddo fo ddoethuriaeth mewn astudiaethau canoloesol ac yn aelod staff mewn prifysgol – mewn manylder am y ddamcaniaeth ysgolheigaidd o hanner cyntaf yr ugeinfed ganrif mai stori Pryderi oedd y Mabinogi yn wreiddiol, gan mai fo oedd yr unig gymeriad sy'n cael ei enwi ym mhob un o'r pedair stori. Hynny ydy, Pryderi oedd y *mab* yn *Mabinogi*. Dros y canrifoedd, fodd bynnag, mi achosodd natur y traddodiad llafar, yn ogystal â chamddealltwriaeth gan y rhai oedd wedi ysgrifennu ac ailysgrifennu'r Mabinogi, i ffocws y straeon newid ac i ystyr gwreiddiol y Ceinciau fynd yn niwlog. Dydy Pryderi ddim yn gymeriad o bwys yn unrhyw un o'r straeon bellach, heblaw am *Pwyll Pendefig Dyfed*, lle mae o'n fabi, ac yn *Manawydan fab Llŷr*, lle mae o'n gyfaill agos i'r prif gymeriad. Mae Pryderi, fel hen ddyn, yn marw yng nghainc *Math fab Mathonwy* drwy law y consuriwr Gwydion yn nyfroedd y Rhyd Felen. Os oedd o wedi marw yn y Bedwaredd Gainc, ac os mai amdano fo oedd y ceinciau i gyd yn wreiddiol, sut oedd pumed gainc yn medru bod amdano fo hefyd?

Mi fu cryn drafod am hyn, fel llanw a thrai, am rai wythnosau.

Un dydd, dyma Dan yn ysgrifennu:

Ystyriwch y posibilrwydd bod y Bumed Gainc efallai am ryw daith wedi marwolaeth? Yn yr hen chwedlau, diau nad angau ydyw'r diwedd.

Mi wnaethon ni gytuno bod hyn yn gwneud synnwyr, ond dim ond dyfalu oedd Dan, wrth gwrs, fel oedden ni i gyd.

Daeth aelodau'r Llu fel ffrindiau i mi, er nad oedden ni'n dysgu llawer o fanylion am ein gilydd. Rhoddodd ambell aelod gliw am lle oedden nhw'n dod ohono fo, neu am faint o addysg neu ymchwil bersonol oedd yn sail i'w gwybodaeth nhw am chwedloniaeth Gymraeg, ond rannai neb byth eu henwau go-iawn. Mi oedd cadw pethau'n gyfrinachol yn gyffrous, rhaid i mi ddweud.

Yna, ar un nos Wener pan oeddwn i'n gorffen paratoi

swper, ond yn cadw llygad ar wefan y Llu wrth wneud, dyma fi'n gweld pwnc trafod newydd yn cael ei bostio. Gan sychu fy nwylo'n gyflym a gwneud esgus i weddill y teulu, mi es i rywle tawel i ddarllen y neges yn ofalus.

Dan oedd wedi ei hysgrifennu hi.

Y mae copi gennyf i. Pwy sydd am ei ddarllen?

Teimlais wefr oedd yn rhywbeth rhwng trydan a galar, fel pryder a chariad yn cwffio efo'i gilydd tu mewn i mi. Mi oeddwn i'n crynu gymaint nes roeddwn i'n methu teipio am rai munudau. Mi oedd fy ymennydd i'n nofio. Chwyrlïodd delweddau a dyheadau a theimladau fel corwynt yn fy mhen i.

O'r diwedd, mi basiodd. Syllais i ar sgrin y ffôn. Mi welais mod i wedi ateb Dan heb i mi hyd yn oed sylwi.

Fi. Dwi angen ei ddarllen.

Ailedrychais i ar y gair hwnnw oeddwn i wedi ei deipio. *Angen.*

Mi oedd rhywun yn curo'n ddiamynedd ar ddrws y stafell. Rhois y ffôn yn fy mhoced a pharatoi fy hun, cyn mynd i lawr yn ôl i'r gegin ar gyfer swper, er nad oedd chwant bwyta arnaf i.

Yn y gwely'r noson honno, mi welais i fod Dan wedi postio neges yn fy ateb i.

Wrth gwrs. A wyt ti ar gael yfory? Dyma'r cyfeiriad.

Rhoddodd gyfeiriad a oedd mewn pentref bach ryw ddeugain milltir i ffwrdd o lle dwi'n byw, rywle yng nghesail y mynyddoedd.

Dim ond rhith-gwsg gefais i'r noson honno, lle'r oeddwn i'n symud i mewn ac allan o ffantasïau a hanner breuddwydion. Cwynodd fy nghymar i'r bore wedyn mod i wedi bod yn troi a throsi, er mod i'n meddwl i mi fod yn gwbl lonydd drwy'r nos.

Y prynhawn hwnnw mi wnes i esgus i'r teulu a dal bws i'r pentref wnaeth Dan sôn amdano. Dim ond dau fws y dydd oedd yn mynd yno, a fi oedd yr unig berson gamodd allan i hen adfail yr orsaf. Gyrrodd y bws i ffwrdd ar frys.

Mi ddilynais i gyfarwyddiadau Dan, gan fynd oddi ar brif stryd y pentref ac i lawr cyfres o strydoedd tywyll troellog, nes i mi gyrraedd lôn gul oedd efo rhesi o dai unig, gwag yr olwg arni hi. Dyma'r lle. Doedd neb ar y palmentydd heblaw fi. Crawciodd ambell dderyn yn rhywle. Mi oedd yr awyr yn llwyd a'r haul yn cuddio.

Ddim tŷ oedd y cyfeiriad roddodd Dan, ond rhyw hen neuadd fach un-llawr. Neuadd gymunedol oedd hi unwaith, efallai, neu festri capel; doedd dim posib dweud. Mi oedd yr adeilad mewn dipyn o oed ac yn mynd â'i ben iddo, ond doedd y ffenestri ddim wedi'u torri ac mi oedd yr hen ddrws glas-gwelw yn dal ar ei golfachau.

Am wn i y dylwn i fod wedi bod yn betrus, yn wyliadwrus. Ond yn yr ennyd honno, wrth ddal fy nghôt yn dynnach o 'nghwmpas i, wnes i ddim oedi. Mi gurais i ar y drws ac aros.

Dyrnodd fy nghalon i: unwaith, ddwywaith, eto, eto. Yna – agorodd y drws heb sŵn.

Yno i 'nghyfarch i oedd dyn wnaeth gyflwyno ei hun fel Dan. Yn ei ganol oed cynnar oedd o, â'i wallt heb fritho, yn gwisgo dillad syml ond smart. Mi oedd o'n dal iawn – y fi yn gorfod edrych i fyny i gyfarfod ei lygaid o. Mi roddodd o law ar fy ysgwydd a gwenu wrth i ni sefyll ar y rhiniog, fel petai o'n falch o 'ngweld i, a chodi'r llaw arall i ddangos y ffordd i fynd. Es i mewn.

Gan sgwrsio'n arwynebol, mi gerddon ni i'r brif stafell. Mi oedd yna chwithdod naturiol, ond nid annymunol, rhyngddon ni. Mi oedd o'n edrych yn wahanol i beth oeddwn i'n ddisgwyl, medda fi. Atebodd o mod innau yn iau nag oedd o'n ddisgwyl. Dyma ni'n dau yn gwenu, eisoes yn dechrau ymlacio.

Neuadd fach oer a llychlyd oedd hi, efo ambell hen gadair yma ac acw. Mi eisteddon ni'n dau mewn cadeiriau ychydig droedfeddi ar wahân. Tawelwch am dipyn.

'Felly,' medda fi, 'ti 'di ei ddarllen o?'

Nodiodd Dan, ei lygaid gwyrdd yn llachar. Mi o'n i'n teimlo fy hun bron yn nofio ynddyn nhw. 'Y mae'n hen, hen lyfr,' medda fo, 'ac yr oedd yn ddrud i'w brynu.' Mi oedd ei lais o'n foethus, yn gysurus, efo rhyw dinc annisgwyl iddo fo. Cymraeg ail iaith, o bosib, ond eto yn hen ffasiwn braidd, fel iaith rhywun oedd wedi dysgu o Feibl William Morgan.

'Wnaeth rhywun arall ateb dy edefyn di?' gofynnais i.

Ysgwydodd Dan ei ben, ei wên o fymryn yn drist. 'Nid ydyw pawb mor ddewr â thi.'

Yna estynnodd at gefn ei gadair a chodi hen sgrepan, fel o nunlle. Allan o'r bag dyma fo'n tynnu pecyn oedd wedi ei lapio mewn papur brown. Rhoddodd y parsel yn dyner ar ei lin a thynnu'r papur oedd amdano fo. Mi wnaeth o hynny'n araf, bron yn serchus. Pan ddadlapiodd Dan yr haen olaf o bapur, mi welais i'r llyfr.

Llyfr bach oedd yno: cyfrol eithriadol o hen, fel ddywedodd Dan, mewn clawr glas tywyll – clawr bratiog a budr, efo creithiau a rhwygiadau ar ei draws. Mi oedd tudalennau melyn crebachlyd yn ymwthio'n flêr rhwng y cloriau.

Estynnodd Dan y llyfr ataf i. 'Dyma ti. Y mae'r Pum Cainc

ynddo. Dyma'r gwirionedd nad oes ymron neb arall sydd heddiw yn fyw wedi ei weld.' Mi oedd ei lygaid fel sêr ar donnau.

Mi gymrais i'r gyfrol ganddo fo – ddim yn betrus ond yn awchus – a'i rhoi hi ar y gadair wrth fy ymyl i. Gan lyfu fy ngwefusau, mi agorais i'r llyfr ar y dudalen gyntaf.

Llawysgrifen fach iawn welais i, mewn arddull mor anarferol nes waeth iddi hi fod mewn iaith wahanol. Daeth chwa o siom drosta i. Doeddwn i ddim ar unrhyw bwynt wedi ystyried buasai hwn mewn rhyw hen Gymraeg, a finnau'n methu darllen Cymraeg Canol hyd yn oed! Beth oeddwn i wedi ei ddisgwyl?

Ond mi deimlais i law Dan ar fy ysgwydd i eto. Ymlaciais i'n syth. 'Na phoener.' Llais Dan yn gynnes yn fy nghlust. 'Y mae'r ieithwedd yn gymhleth, yn sicr. Ond tro dithau i'r Bumed Gainc, ym mhle y mae'r darn papur yn nodi ei dechrau, a daw popeth yn glir, gobeithio'

Mi oedd stribed melyn wedi cael ei roi rhwng dwy dudalen tua'r cefn, fel marciwr. Mi droais i'n ofalus at y dudalen honno, y memrwn yn clecian. 'Diolch,' medda fi, fy nghorn gwddw i'n sych.

Mi oedd y llythrennau ar y dudalen hon yn wahanol i'r lleill: yn llai taclus, yn fwy... angerddol. Craffais i ar y geiriau cyntaf. Anadl Dan bron ar fy ngwar. Y geiriau. Wrth edrych yn agos, yn agosach, mi oedd y geiriau fel petaen nhw'n nofio o flaen fy llygaid i, yn datod ac yn ailffurfio'u hunain i mewn i siapiau a llythrennau oeddwn i rŵan yn medru eu dehongli. 'Dyma... ddechrau... Pumed Gainc... y Mabinogi...'

Mi ddarllenais i hi. Gorffennais i hi. Caeais y llyfr.

Mi oeddwn i'n gwybod rŵan. Yn gwybod y chwedl, yn gwybod beth wnaeth Pryderi, yn gwybod am gŵn coch y llyn a'u cyfarthiad ingol, ac am bwy enillodd y llafn hud yn y pen draw. Ond mi oeddwn i'n gwybod am fwy na hynny hefyd. Gwybod mwy na ddylwn i, gwybod o le daethon nhw, *gwybod am beth wnaethon nhw.* Mi allwn i deimlo dagrau ar fy mochau, dagrau gwlyb ar ben dagrau sych.

'Wyt,' meddai Dan, fel petai o'n ateb fy meddyliau i, 'yr ydwyt yn gwybod yn awr. Ac wele, yr ydwyt yn deall!' Codais fy llygaid i ato fo, a theimlo arswyd wnaeth i bob cyhyr yn fy nghorff i droi'n garreg. Achos rŵan, yn lle'r dyn tal canol oed â'r llygaid gwyrdd oedd wedi galw ei hun yn Dan, mi welais i ffigwr.

Mae fy nghof i'n niwlog – fy ymennydd, hwyrach, wedi gwrthod prosesu'n union yr hyn a welais i. Mi oedd y creadur o fy mlaen i fel cysgod a gwawr yn yr un fan, yn sugno'r golau o'r stafell ac yn bwyta'r tywyllwch, ac eto ei siâp o'n eglur fel ochr cleddyf.

'Mab Llŷr Fawr ydwyf,' meddai'r creadur a oedd gynt yn Dan, gan ddiasbedain yn fy mhenglog i, 'ac oherwydd dy fod yn gwybod, yn wir, ni fyddi'n gweled y rhith ychwaneg, canys bydd y llen yn cyfodi ac yn dangos i tithau yr hyn na wêl y gwehilion. A thrwot y gwnaiff fy nerth ledaenu. Trwot y down un cam yn nes at ei ddyrchafu Ef o'r dyfnderoedd. Tydi a ddarllenaist, a thydi a fyddi'n borth—'

Mi ges i'r argraff o ddwy law lwyd anferth yn estyn allan amdanaf i, ac o ruthr gwynt cryf ac oglau halen môr. Roeddwn i'n sgrechian, sgrechian, sgrechian.

Symudais i'n reddfol. Syrthiodd y llyfr glas yn glatsh ar y llawr oddi ar fy nglin, ambell dudalen yn rhwygo a mynd ar wasgar, ac ar hynny mi rewodd Mab Llŷr – jest am eiliad. Yn yr eiliad honno, taflais fy hun oddi wrtho fo, fy nghadair i'n chwalu, a hyrddiodd fy nghoesau fi drwy ddrysau'r neuadd ar ras.

Teimlais – yn fwy na chlywed – sgrech yn hollti'r aer. Yna daeth ffrwydrad fel mellten y tu ôl i mi a sŵn arallfydol fel tswnami. Crynodd popeth, ond feiddiais i ddim edrych dros fy ysgwydd. Rhedais allan i'r stryd a pharhau i ruthro fel rhywun gwallgof heibio i'r tai tywyll, allan o'r pentref, i ffwrdd, i ffwrdd.

Erbyn i mi stopio mewn clwstwr o goed ar gyrion y pentref, mi oedd gen i bigyn yn fy ochr ac mi oedd fy nhrwyn i'n gwaedu. Anadlais i'n ddwfn a chanolbwyntio ar yr anadlu.

Mi oedd hi'n dechrau nosi erbyn hyn, a finnau'n swp o chwys. Rywsut, llwyddais i gael hyd i'r dewrder oedd angen i fynd yn ôl at y neuadd. Mi oedd raid i mi *weld*. Mewn hanner llewyg, mi driais i ail-ddilyn fy nhaith flaenorol i. Ond, wrth fynd o un stryd fach dywyll i'r nesaf, allwn i ddim yn fy myw gael hyd i'r lôn gul efo'r neuadd arni.

Mi oedais i yn sgwâr digalon y pentref a gwrando. Doedd dim sŵn seirenau, na sgrechiadau, na rhuthr ton fel y sain a glywais i wrth i Fab Llŷr drio fy nal i yn y neuadd. Dim ond distawrwydd y gwyll ac ambell frân mewn canghennau pell yn croesawu'r nos.

Daliais y bws olaf adref. Doedd neb yn y cerbyd heblaw amdanaf i a'r gyrrwr.

Dydw i ddim wedi dweud wrth fy nheulu. Fasen nhw ddim yn deall. Mae fy nghymar i'n dweud mod i'n bell rŵan ac mae fy mhlant i'n dweud mod i'n bihafio'n od. Mae fy nghydweithwyr i'n ciledrych arnaf i wrth i mi eistedd ar ben fy hun, heb ymuno yn eu sgyrsiau nhw. Mae fy mywyd i'n wacach rywsut, a finnau wedi gobeithio y buasai o'n llawnach.

Es i ddim i wefan Y Llu fyth wedyn, a ches i yr un neges gan neb oddi arni hi wedyn chwaith.

Ond dwi'n sicr nad dychmygu na breuddwydio wnes i, achos dwi'n gwybod bod fy mhrofiad i yn y neuadd ac o ddarllen y Bumed Gainc wedi digwydd. Achos, fel ddywedodd y creadur hwnnw oedd yn gysgod a gwawr ar yr un pryd, dwi'n medru *gweld* rŵan, yn gweld heibio i'r llen, fel lliwiau amhosib sy'n ailbeintio'r byd mewn arswyd. Er cymaint dwi'n ysu am anghofio ac am fedru ailbrofi cynhesrwydd anwybodaeth – dwi'n gweld pwy a beth sy'n llechu yn y cysgodion ac ar y rhimyn brau sydd rhwng realiti a'r byd ydach chi'n byw ynddo fo. A dwi'n deall y gwirionedd amdanyn *nhw*: y rhai sydd efo'u henwau chwedlonol ar gof a thafod pawb sy'n siarad Cymraeg, ond sy'n dal i gerdded yn ein plith, yn malio dim am eich ffawd ddibwys chi.

Yr Alaw

Dim ond saith nodyn sydd i'r alaw. *Do'-ti-ti-la, ffa-la-la.* Saith nodyn, gyda'r pedwerydd nodyn fymryn yn hwy na'r lleill a gyda saib fach ar ei ôl. Byddai'n swnio'n ddi-nod i chi, ond dwi'n gwybod gwir ystyr yr alaw honno – a phwy mae'n ei wahodd i'n byd ni.

Pan oeddwn i'n tyfu i fyny yn y cwm, roeddwn i'n clywed yr alaw yn cael ei chwibanu, weithiau, i lawr o'r llechweddau. Yn blentyn roeddwn i'n tybio mai smyglwyr oedd yn anfon negeseuon at ei gilydd ar draws y dyffryn, neu bod ysbrydion torcalonnus yn udo eu rhybuddion atom. Ond y gwynt ydy o: y gwynt o'r dwyrain yn chwythu ac yn seinio'r alaw, oedd prin yn fwy nag atsain erbyn iddi fy nghyrraedd i. *Do'-ti-ti-la, ffa-la-la.*

Nid dyna'r nodau union. Mae ambell nodyn yn fflatiach na hynny, a dydy hi ddim yn alaw soniarus fel y byddech chi'n eu clywed yng nghaneuon y Cymry. Mae min cyllell iddi, fel rhyw gyntefigrwydd cynddilyfol.

Dechreuais fynd am dro i fyny'r bryniau gymaint ag y gallwn i, er mwyn ceisio cael hyd i darddiad yr alaw. Roedd rhediad y nodau yn rhy gyson i fod yn ddamwain: rhaid bod rhywbeth oedd yn peri'r gwynt i ganu fel hynny.

Yn berson ifanc yn chwilio'r llechweddau serth am wyddwn-i-ddim-beth, teimlwn fel petawn i'n clywed y nodau bob ryw ychydig wythnosau, ond doedd yr alaw ddim yn *iawn* bob tro.

Byddai herc i'r rhythm, rywsut, neu nodyn ar goll.

Dim ond unwaith y flwyddyn mae'r nodau'n asu'n berffaith i ganu'r alaw fel y cofiwn hi fel plentyn.

Ar Galan Mai.

Do'-ti-ti-la, ffa-la-la.

Cefais hyd i'r hen gastell pan oeddwn i tua deunaw. Doeddwn i erioed wedi ei weld na chlywed amdano o'r blaen, er nad oedd mwy na rhyw ddwy filltir i fyny'r topiau o'r pentref. Murddun o dŵr oedd o, dim mwy, ond roedd un wal grom yn dal i sefyll, gyda hollt drwyddi oedd yn creu agoriad at ogof o gysgod y tu hwnt. Gorweddai meini yn drwsgl o gwmpas: cerrig oedd wedi hen syrthio yma ac acw. Roedd coed drain du yn corlannu'r adfail, ond roedd bwlch lle chwythai'r gwynt drwyddyn nhw, drwy adfeilion y tŵr a thu hwnt at y cwm islaw. Dyna oedd tarddiad yr alaw. Rhywsut roedd y creigiau wedi dymchwel a syrthio i'r fath drefn nes bod yr awel yn llithro rhyngddyn nhw a thrwy dyllau a chraciau ynddyn nhw, gan greu offeryn cerddorol o'r adeilad angof.

Unwaith y flwyddyn, ar Galan Mai, byddai'r gwynt yn chwythu i'r union gyfeiriad cywir i ganu'r alaw oedd wedi fy nilyn erioed: *do'-ti-ti-la, ffa-la-la.*

Dwi'n cofio eistedd yno yn y bore bach llwyd ar Glamai, ymysg y meini seiclopeaidd tywyll, yn gwrando ar y nodau yn canu o'm cwmpas, yn rhynnu. Mae hi'n alaw anghynnes, yn corddi fy stumog i. Bryd hynny y teimlais i, am y tro cyntaf, y synnwyr od, annisgrifiadwy – ond cyfarwydd i mi bellach – fod y golau fel pe bai'n plygu o fy amgylch i, sain y gwynt yn blasu'n sur ar fy nhafod, a gwres y bore yn sibrwd yn fy nghlustiau…

Dwi wedi ymchwilio i'r alaw. Roedd yn fy atgoffa i o rywbeth: atgof, ond nid atgof y gallwn i roi fy mys arno. Yn y pen draw – ar ôl blynyddoedd lawer o deithio ar draws y byd yn chwilio a holi – darganfyddais fod hon yn gân yr oedd pobl wedi bod yn ymwybodol ohoni ers milenia. Mae ei nodau wedi eu naddu ar lechen a gafodd ei darganfod yn Delffi yng Ngwlad Groeg, un o'r caneuon cynharaf sydd yn hysbys. Pan glywais i'r hen bibydd yn ei dyddyn ar lechweddi Parnasws yn canu'r nodau ar ei ffliwt am y tro cyntaf, teimlais gryndod arswydus yn fy esgyrn a oedd fel petawn i'n estyn yn ôl dros y canrifoedd, a'r golau yn y stafell yn ffrydio yn arogleuon a blasau. *Do'-ti-ti-la, ffa-la-la.* Ond roedd y pibydd yn canu'r nodau *iawn*, yn enharmoneg gyntefig ei gyndeidiau.

Fel emyn i Apollo y byddai'r hen Roegwyr yn adnabod yr alaw. Bellach, os ydyn nhw'n ei chanu o gwbl, mae'r nodau'n lanach ac yn hapusach – nid fel y canodd y pibydd nhw nac fel y chwythai'r gwynt nhw yn yr adfail. Ond pwy oedd Apollo? Dim ond enw arall am un sydd wedi cael miloedd o wahanol enwau dros yr oesoedd: duw'r haul, y grym sydd yn goleuo'r awyr.

Roedd enw iddo gan yr hen Frythoniaid: *Belenomaros.* Cyn iddyn nhw gofleidio Cristnogaeth, dyma nhw'n cofleidio'r wawr – pam arall bod y geiriau *gogledd* a *de* yn tarddu o'r geiriau Brythoneg am y llaw chwith a'r llaw dde, oni bai bod y Cymry a addolai'r haul yn dal eu breichiau ar led wrth syllu tua'r dwyrain gyda'r bore? *Belenomaros* yn yr hen iaith, neu, i Gymry'r Oesoedd Canol a anghofiodd am yr haul ac a greodd gymeriadau cig a gwaed ar gyfer eu straeon a'u ffug-hanesion, *Beli Mawr.*

Mae gan Beli Mawr addolwyr hyd heddiw. Bellach maen nhw'n cadw eu hunain yn ddirgel. Dros dreigl y canrifoedd maen nhw wedi canu'r alaw, y dôn y canodd Beli hi i'r ddaear oesau aneirif yn ôl, ac yn raddol mae deunydd y bydysawd wedi teneuo a breuo, ac mae'r golau a'r blasau a'r seiniau yn treiddio i'n realaeth ni yn amlach nag y bu. Wn i ddim am wir natur Beli Mawr – os y gŵyr unrhyw un – ond dwi'n teimlo yn fy enaid nad oes daioni yn yr hyn mae'n gwneud i ni deimlo: ni, y rhai sydd wedi clywed ei emyn.

Mae ganddon ni fabi rŵan. Mae'n dal yn beth ifanc. Rhy ifanc i glustiau bychain allu gwerthfawrogi arswyd y nodau cyntefig – diolch byth. Ond buan y daw'r amser pan fydd yr alaw yn dod i geisio hudo fy mhlentyn hefyd. Ac allaf i ddim caniatáu hynny.

Weithiau, dwi'n gweld cysgodion yn y cwm. Siapiau pobl yn llwybreiddio i fyny'r bryniau tuag at y man dirgel lle mae'r hen dŵr yn sefyll. Ar ddiwedd Ebrill, ar drothwy mis Mai, dyna pryd dwi'n eu gweld nhw. Does neb arall yn talu sylw, ond mi ydw i.

Fory mi fyddaf i'n dringo'r llechwedd a mynd at yr adfail, gan obeithio y byddaf ar fy mhen fy hun yno. Mi fyddaf i'n aros am yr awel, yn cau fy llygaid ac yn ceisio anwybyddu'r golau a'r egni sydd yn corddi yn y lle, yn ceisio ymwthio ei hun i mewn i waelod fy mod. Yna, wrth i'r gwynt chwythu ac wrth i'r gân ddechrau, mi wthiaf un o'r meini drosodd, gan chwalu'r alaw a rhwystro Beli Mawr rhag dod drwodd am un diwrnod arall.

Hwyrach y bydd rhywun yn mynd yno wedyn i osod y garreg yn ôl yn ei lle – rhywun sydd â'u blys ar beri i'r alaw lenwi'r byd. Ond, er mwyn fy nheulu, mi fyddaf i'n parhau i ddychwelyd yno hyd ddiwedd fy mywyd, er mwyn atal y saith hen nodyn hynny rhag cyrraedd fy nghwm. *Do'-ti-ti-la, ffa-la-la...*

Arswyd y Maen

Mae un o gerrig yr orsedd yn wahanol i'r lleill.

Yn y maes ar gyrion y dref, lle mae'r meini unig yn sefyll mewn cylch, dwi o hyd wedi cael yr argraff bod un ohonyn nhw ddim yn ffitio. Mae'n fwy ac yn hynotach ac yn hŷn, dwi'n siŵr o hynny, ac eto mae rhyw lyfnder a sglein ryfedd iddo hefyd. Bob tro dwi'n pasio ac yn edrych ar y cae hwnnw, dwi'n cael rhyw deimlad anghynnes nad ydw i'n medru ei esbonio.

Mi soniais i am hyn wrth fy nhad unwaith. Mi oedd o'n dod o'r ardal, ond roedd o'n taeru bod y cerrig yn llai na chanrif oed. Rhyw eisteddfod o'r oes Edwardaidd a fynnodd godi gorsedd o feini ar gyfer eu beirdd, meddai o.

'Does dim *oed* iddyn nhw, wsti. Symbol ydy o. Ymdrech ar greu traddodiad.' Doedd Dad ddim yn hoff o eisteddfodau.

Ond dwi'n anghytuno. Mae'r maen hwn yn wahanol. Pan oedden ni'n blant mi fydden ni'n mynd i'r cae ar ôl yr ysgol ac yn lolian o gwmpas y cerrig, gan ennyn dicter yr henaduriaid lleol am ein bod ni'n amharchu diwylliant yr ardal. Mi fydden ni'n yfed neu'n smocio o olwg yr oedolion, ac roedd ambell un direidus yn crafu graffiti ar y meini. Ond pan geisiodd un hogyn sgrafellu ei enw ar y maen *hwnnw,* torrodd llafn ei gyllell yn ei hanner. Chwarddodd y plant eraill arno yn ddilornus, ond mi deimlais i yn annisgwyl o simsan. Syllais ar y garreg, ond wrth gwrs dim ond carreg oedd hi. Hen faen di-liw, tua wyth troedfedd o daldra, ei waelod yn ddwfn yn y pridd a'r glaswellt yn tyfu o'i gwmpas.

Es i ddim i'r orsedd mor aml efo'r lleill wedi hynny.

Hyd yn oed yn oedolyn, roedd rhywbeth yn fy anesmwytho am yr orsedd. Mi adawais i'r dref, mynd i'r brifysgol, mynd i weithio yn y brifddinas am rai blynyddoedd, cyn dychwelyd oherwydd fy swydd. Roedd fy rhieni a ffrindiau wedi hen fynd erbyn hynny. Felly, wrth symud yn ôl i fro fy mebyd, dyma basio cae'r orsedd am y tro cyntaf ers dros ddegawd.

Wrth gwrs, doedd dim fel petai wedi newid, heblaw bod y glaswellt a'r cysgodion yn hwy. Roedd y maen hwnnw'n dal i sefyll yno, a'm llygaid yn cael eu hatynnu ato cyn y lleill. Cyn i mi sylweddoli, roeddwn i wedi parcio'r car ac wedi dechrau cerdded i lawr y llethr at y cylch o gerrig. Safais ychydig gamau oddi wrth y maen.

Wn i ddim beth oeddwn i'n ddisgwyl. Ond theimlais i ddim byd – dim cyffro, dim ofn, dim anesmwythder. Dim ond ffwlbri a dychymyg glaslencyndod oedd wedi achosi'r holl deimladau gynt. Lot o ffws am hen garreg lwyd.

Cerddais o'i chwmpas a dychwelodd yr atgofion. Roedd pob llinell a siâp ar y maen yn eglur yn fy nghof – hyd yn oed wrth gau fy llygaid, roedd yn dal yno. Fymryn yn betrus, cyffyrddais â'r garreg. Oer. Sych. Cyfarwydd.

Wedi fy nghysuro, mi es i'n ôl i'r car ac i'r tŷ – bwthyn bach braf ar gyrion y dref. Digwydd bod roedd ffenest fy stafell wely yn edrych i'r gorllewin dros faes yr orsedd. Chwarddais wrth sylwi ar y cyd-ddigwyddiad.

Aeth sawl wythnos heibio. Roeddwn i'n mynd dros ddarn o waith poenus gyda'r nos, pan symudodd düwch sydyn ar draws fy ffenest. Roedd y llenni wedi cau, ond mi welais i'r cysgod yr un fath.

Gyda chwilfrydedd ac ofn, codais a chwipio'r llen ar agor.

Dim byd ond y nos, gyda'r lleuad yn fain fel pladur uwchben y mynydd.

Gwelais faes yr orsedd. Roedd golau'r lleuad yn treiglo dros y meini, yn taflu cysgodion llwyd, oer dros y glaswellt. Edrychais ar y cerrig, ac yna oedodd curiad fy nghalon.

Roedd un maen ar goll.

Agorais y llenni led y pen, datod cliced y ffenest, a phwyso allan i'r nos. Mae'n *rhaid* mai dychmygu oeddwn i, a bod y maen *hwnnw* ddim ond mewn cysgod. Neu fy mod i'n breuddwydio. Ond na – syllais a syllais, ond roeddwn i'n gwbl sicr bod llecyn gwag lle'r arferai'r maen gwahanol sefyll.

Syrthiais yn ôl ar y gwely. Roedd fy anadl yn gyflym ac yn anodd. Mi ddylwn i fod wedi mynd yn ôl i gysgu, ond roedd llais isel yn fy mhen yn ymbil arnaf i ddarganfod mwy. Gyda'm dwylo'n crynu a'm gwefusau'n sych, gwisgais.

Estynnais fflachlamp o'r cwpwrdd cefn a gyrrais yn y car i lawr i'r cae. Mi allwn i fod wedi cerdded, wrth gwrs, ond roedd y nos yn codi cymaint o iasau newydd arnaf i heno nes i mi fynnu cysur y goleuadau a chwyrnu'r injan. Ond wrth eistedd yno yn syllu ar y cylch gorsedd anghyflawn rhyw hanner can troedfedd tu hwnt i ffenest flaen y car, teimlais anesmwythder na theimlais i ers i mi fod yn blentyn.

Yn araf, araf, camais allan o'r car a thuag at y meini. Crynai'r lamp yn fy llaw, ei golau gwyn yn hercio ar draws yr hen gerrig llonydd.

Gam wrth gam, cerddais at y man gwag lle bu'r maen hwnnw. Gosodais y fflachlamp ar y glaswellt. Cododd pob blewyn ar fy ngwar ac ysgwydodd fy nghalon yn fy mrest. *Roedd rhywbeth yno.*

Cyrcydais er mwyn cael golwg well. Roedd glaswellt marwaidd mewn cylch, wedi ei wasgu gan y maen a fu yma, ond roedd y glaswellt yn amgylchynu rhywbeth cwbl annisgwyl: disg o garreg lefn, tua thair troedfedd ar ei draws. Yng ngolau'r lamp doedd hi ddim yn eglur pa liw oedd y disg, ond roedd o wedi ei wneud o graig oleuach na'r maen a fuasai ar ei ben. Craffais – yna rhewais. Daeth dŵr i fy llygaid a gallwn deimlo fy ngwefusau'n rhygnu ar draws fy nannedd. *Roedd ysgrifen ar y disg.*

Ceisiais ddarllen yr ysgrifen, a oedd yn rhedeg mewn cylch o gwmpas ochrau'r disg, ond doedd o ddim mewn iaith oedd yn hysbys i mi. Yn sicr nid Cymraeg oedd hon, ac roeddwn i'n weddol siŵr nad Lladin oedd hi chwaith. Roeddwn i'n ymwybodol bod hen wyddor gan y Gwyddelod oedd yn dyddio o'r cyfnod cyn Cristnogaeth, Ogam, a oedd yn gyfres o linellau oedd yn wyddor eu cyndeidiau. Ond doedd hon ddim yn edrych fel Ogam chwaith – oedd, roedd crafiadau onglog a syth yma, a'r ysgrifen wedi ei naddu'n gywrain i mewn i'r garreg, ond roedd siapiau eraill hefyd: cylchoedd, sbiralau, trionglau a dotiau. Yn amlwg rhyw iaith oedd hon, ond pa iaith? Ac iaith pwy?

Yn ofalus iawn, estynnais fy llaw i gyffwrdd â'r disg carreg. Roedd yn gynnes. Ddim yn boeth, ond yn gynnes fel côl wedi i gath eistedd arni. Roedd yn esmwyth iawn hefyd, yn llyfnach nag unrhyw graig naturiol i mi ei chyffwrdd erioed. Fel diemwnt neu rew.

Safais yn benysgafn. Beth bynnag oedd y disg hwn, roedd

gen i ormod o chwilfrydedd bellach i'w anwybyddu a mynd yn ôl i'r gwely. Roedd rhaid i mi ddarganfod mwy.

Gosodais fy fflachlamp o'r neilltu fel bod ei golau'n sgleinio ar draws y disg, yna es ar fy ngliniau yn y glaswellt wrth ei ymyl. Estynnais fy nghyllell boced a dechrau rhedeg ei llafn rownd ochr y disg lle gorweddai yn y pridd, er mwyn ceisio gweld pa mor ddwfn yr âi carreg y disg. Symudai'r gyllell yr hen bridd caled o'r ffordd yn raddol, ond roedd hi'n orchwyl hir, anodd.

Ar ôl bron i awr roeddwn i'n chwys domen, ond roeddwn i o'r diwedd wedi llwyddo i glirio ymaith digon o'r pridd i weld mwy o'r disg. Ond roedd y sylweddoliad yn waeth, bron, na pheidio â gwybod.

Caead oedd y disg. Doedd o ddim ond rhyw chwe modfedd o drwch, ac roedd yn eistedd ar ben craig arall, craig lawer mwy a orweddai o dan wyneb y pridd, wedi ei chuddio gan y glaswellt. Gallwn redeg fy mys ar hyd crac tenau oedd yn gwahanu'r disg oddi wrth y graig a orweddai oddi tanodd. Roedd hi'n ymddangos fod y disg, felly, yn atal mynediad at rywbeth – neu rywle – tu mewn i'r graig ac o dan y ddaear.

Erbyn hyn roedd hi'n un o'r gloch y bore – roedd bysedd fy watsh yn goleuo'r amser fel ffosffor ar fy ngarddwrn – ond parheais i weithio. Awr arall, dwyawr. Roedd y llafur yn helpu i sadio fy nerfau. Crafais gyda'r gyllell fach ac yna palais gyda fy mysedd nes bod y pridd o gwmpas y disg wedi ei glirio. Yna, llithrais y llafn i'r crac rhwng y disg a'r graig oddi tanodd. Gwthiais.

Torrodd y gyllell yn syth. Teimlais yn dwp – wrth gwrs nad oedd cyllell boced yn mynd i symud carreg drom! Dychwelais i'r car a nôl trosol roeddwn i'n ei gadw yno ar gyfer fy ngwaith. Yn ôl wrth y disg, gwthiais y trosol fodfedd wrth fodfedd i mewn i'r crac. O'r diwedd, teimlais y disg yn symud, a daeth swn rhwyg araf, ddofn, fel anadl olaf hen gi, wrth i un graig rygnu yn erbyn un arall. Gwthiais, tynnais, gwthiais – ac o'r diwedd roeddwn i wedi llwyddo i lusgo'r disg i'r neilltu.

Edrychais i lawr. Roedd twll yno. Twll crwn, perffaith grwn, mathemategol grwn, a oedd yn ymestyn i ddyfnder du ulw islaw.

Safais yno yn syllu am amser hir. Roedd y lleuad wedi diflannu. Dim ond fi a fy fflachlamp oedd yma, a goleuadau'r car gerllaw – doeddwn i heb hyd yn oed ddiffodd yr injan.

Wn i ddim ai penderfyniad neu reddf a barodd i mi gamu i mewn i'r twll. Gollyngais y trosol i'r glaswellt wrth geg y twll. Gafaelais yn y fflachlamp yn fy llaw chwith, gan adael fy llaw dde yn wag i 'ngalluogi i fynd i lawr i'r dudew islaw. Heb wybod a oedd gris neu blatfform yno, chwifiais fy nhroed o gwmpas yn ddall nes cyffwrdd mewn rhywbeth solet. Gwthiais arno gyda blaen fy esgid, nes sicrhau y byddai'n dal fy mhwysau. Dringais i lawr.

Dangosodd golau'r fflachlamp mod i mewn ogof fach, tua deg troedfedd ar draws, gyda waliau crwn, llyfn – fel nad ogof naturiol mohoni. Roedd marciau ar y waliau, yn yr iaith anghyfarwydd honno eto. Ond doedd dim byd arall yn yr ogof – heblaw twll arall yn y llawr ar un ochr, yn arwain i lawr eto.

Taflais olau'r lamp i lawr y twll. Roedd grisiau o fath yma. Nid grisiau fel y rhai yn ein cartrefi, ond yn debycach i ramp oedd yn troelli i lawr, gyda rhychau bach cyson ar wyneb y ramp, bob un tua modfedd oddi wrth ei gilydd. Roedd y grisiau'n gostwng o'r golwg i'r dyfnderoedd mewn sbiral. Roedd y twll hwn tua'r un lled â'r disg uwchben. Camais i lawr a rhoi fy nhroed ar y ramp. Roedd fy esgid yn gafael yn dda yn y rhychau carreg – oedd yn sych, ond heb unrhyw lwch – ac wrth gamu yn araf i lawr y llethr troellog, ceisiais beidio â meddwl pam nad oedd grisiau arferol yma.

Am ba mor hir y cerddais i lawr y grisiau rhyfedd hynny? Hyd yn oed heddiw does gen i ddim syniad. Teimlai fel oriau, ond efallai ei fod yn ddyddiau. Ond roedd batri'r lamp yn dal i weithio, ei golau'n llai llachar i lawr fan hyn rywsut, felly efallai mai dim ond munudau oedd hi.

O'r diwedd mi ddes i at waelod y ramp. Roedd hi'n fyglyd yma, ac roedd y gwres annisgwyl a deimlais ar y disg hwnnw yma hefyd. Ond roedd hi'n hollol dywyll. Doedd dim fflam yma i gynhesu dim. Hwyrach mai dyma sut roedd crombil y ddaear yn teimlo.

Roeddwn i mewn stafell fawr. Dwi'n dweud stafell gan mai crefft llaw oedd yn gyfrifol am yr hyn a welwn. Wrth i'm llygaid gynefino gyda golau gwyn y fflachlamp, sylweddolais fod coridorau llydan yn arwain o'r stafell hon i bob cyfeiriad – tuag at stafelloedd eraill tebyg, tybiwn. Safai waliau pared o graig lefn gan wahanu'r stafelloedd a'r coridorau, rhai ohonyn nhw yn syth fel llafn ac eraill wedi crymu'n gelfydd fel bwtresi cadeirlan. Arweiniai grisiau bychain rhychog rhwng gwahanol lefelau'r lloriau a rhedai llwybrau eang rhwng y parwydydd, o dan fwâu agored tua deng troedfedd o daldra. Roedd y nenfwd yn wahanol uchder mewn gwahanol lefydd, hyd at ugain troedfedd neu fwy uwch fy mhen. Drwy'r pyrth yn y parwydydd roeddwn i'n medru gweld bod y llwybrau agored yn ymestyn yn bell i ddyfnderoedd rhyw fath o fetropolis wedi ei naddu o'r graig. Roedd y lle yn anferth – ac ni fedrwn weld pen draw iddo, os oedd pen draw o gwbl.

Dechreuais gerdded. Roeddwn i'n symud golau'r fflachlamp yn araf o un ochr i'r llall wrth i mi fynd, yn hanner disgwyl gweld rhywbeth, clywed rhywbeth, ond doedd dim byd yma heblaw fi a'r sŵn roeddwn i'n ei greu: sŵn fy nghalon yn corddi rhwng fy asennau a sŵn fy esgidiau'n swnllyd yn erbyn yr hen feini.

Ie, hen. Doeddwn i ddim yn deall beth a welwn i, ond roeddwn i'n ymwybodol bod yr stafelloedd hyn yn hynafol iawn. Bu bron i mi ochneidio'n uchel wrth i mi sylweddoli mai fi efallai oedd y person cyntaf i fod yma ers canrifoedd. Neu yn fwy na hynny. Doedd dim arlliw o unrhyw beth byw yma, heblaw amdanaf i. Ond roedd *rhywun* wedi gadael ei olion yma: wedi eu naddu i mewn i'r garreg ar hyd y waliau a'r lloriau i gyd roedd rhesi a rhesi o'r iaith anhysbys honno a welais ar y disg ar dop y grisiau. Roedd y symbolau anghyfarwydd yn fach ac yn gywrain ac yn rhedeg yn ddi-dor. Edrychent yn fwy fel côd cyfrifiadurol neu hafaliadau mathemategol nag iaith arferol, ond doedden nhw'n golygu dim i mi y naill ffordd na'r llall.

Gwaith pwy oedd hwn? Rhuthrai'r posibiliadau drwy fy meddwl. Roeddwn i wedi clywed yn fy ngwersi hanes yn yr ysgol am lwythi'r Celtiaid ers talwm, ddau fileniwm yn ôl a mwy, cyn cyfnod y Rhufeiniaid, ond doedd dim am hanes yr hen Frythoniaid yn cyd-fynd â'r hyn a welwn i yma. Beth am y bobl oedd ym Mhrydain cyn dyfodiaid y Celtiaid? Y llwythau a adeiladodd Gôr y Cewri a Skara Brae a Bryn Celli Ddu – a oedd ganddyn nhw y grefft i wneud hyn? Neu oedd y siambrau hyn yn fwy cyntefig fyth: yn waith trigolion gwreiddiol yr ynys – pwy bynnag oedd y rheiny? Wrth i mi gamu yn araf yn fy mlaen, cefais yr argraff chwithig bod rhywbeth annynol am y lle hwn.

Cyrhaeddais stafell fawr gyda phlatfform yng nghanol y llawr, a gris isel yn arwain i fyny ato. Roedd y platfform yn chwech-ochrog a thua deugain troedfedd ar ei draws. Roedd yn fflat ar y top, fwy neu lai, ond roedd rhai siapiau carreg yn codi o'r llawr mewn clwstwr yng nghanol y platfform. Camais yn agosach i edrych. Roedden nhw'n silindrau llydan o graig sgleiniog oedd yn lliw gwahanol i garreg y platfform: chwech silindr i gyd. Doedd dim caeadau i'r silindrau, felly roedden nhw'n edrych fel potiau â'u cegau ar led.

Cyrcydais wrth un o'r potiau a syllu i mewn. Roedd yn wag. Er mai dim ond dwy droedfedd o daldra oedd y silindr wrth edrych arno o ochr y platfform, nawr gallwn weld bod gwaelod y pot yn estyn tua chwe throedfedd yn ddyfnach i mewn i'r ddaear, fel pydew, ond doedd dim tu mewn iddo heblaw am fy nghysgod. Symudais at silindr arall. Roedd hwnnw yn wag hefyd. Mi es i at y trydydd silindr.

Mae'r cip cyntaf hwnnw o beth welais i yn y pot wedi ei serio ar gefn fy llygaid o hyd – rhyw siâp annisgrifiadwy, tywyll yn sgwatio yn ei waelod. Cymerais ddau gam yn ôl mewn braw. Oedd rhywbeth *byw* y tu mewn i'r silindr?

Cripiais yn ôl at y pot ac edrych i mewn iddo, yn fwy petrus y tro hwn. Nawr gallwn weld nad rhyw greadur oedd yma, ond... mwd? Doeddwn i ddim yn gallu estyn yn ddigon pell i mewn i'r silindr i'w gyffwrdd, a doeddwn i ddim yn ddigon dewr i ollwng fy hun i mewn iddo, ond gallwn weld nawr mai pentwr o ddeunydd crai tywyll oedd yma, fel pridd – er nad pridd mohono, ond *rhywbeth* arall – wedi ei wasgu at ei gilydd, fel tywod ar gyfer creu castell, neu does ar gyfer bara. Os nad tric y fflachlamp oedd wrthi, edrychai'r clai fel ei fod yn newid ei liw o lwyd i las i wyrdd o flaen fy llygaid, ac roedd rhyw esmwythder od iddo, fel pe bai'n hylif ac yn solid ar yr un pryd.

Sylwais ar rywbeth arall. Roedd marciau gwan ar ochrau

mewnol y silindrau. Llinellau hir gwynion yn y graig. Ond doedd y rhain ddim fel yr ysgrifen gywrain a bwriadol roeddwn i wedi ei gweld ar y waliau ynghynt. Roedden nhw'n debycach i grafiadau, fel pe bai cyllyll aflonydd wedi difrodi'r garreg. Wrth chwilio ymhellach, gwelais fod marciau tebyg ar du mewn yr holl silindrau.

Yn yr ennyd honno cefais fflach o ddarlun yn fy meddwl o'r trigolion gwreiddiol o hen oes angof, yn llafurio i lawr yma, yn creu rhywbeth yn y silindrau – rhywbeth byw...

Yna crynodd golau fy fflachlamp a phylodd am eiliad, cyn ailddeffro. Daliodd fy ngwynt yn fy ngwddw – roedd y batri'n dechrau marw. Os y collwn i'r golau, ni ffeindiwn i fyth fy ffordd allan o'r ddrysfa danddaearol hon. Roedd hi'n amser gadael.

Trois ar fy sawdl a rhedeg yn ôl y ffordd y dois i, at y grisiau a arweiniai'n ôl i'r wyneb. Ond yn fy mrys gwallgof, baglais ychydig lathenni i ffwrdd o waelod y grisiau, a theimlo ergyd o boen yn saethu drwy fy ffêr.

Eisteddais am ennyd a mwytho fy anaf, ond roedd golau'r fflachlamp yn dal i wanhau a gwingo. Doedd dim amser i oedi. Yn crensian fy nannedd rhag y boen, dechreuais ddringo'r ramp droellog yn ôl tua'r awyr.

Bu farw golau fy lamp tua phum munud yn ddiweddarach, a minnau heb fod yn agos at dop y grisiau, ac felly roeddwn i bellach yn dringo mewn tywyllwch llwyr, fy ffêr yn llosgi. Roeddwn i'n griddfan ac efallai yn crio erbyn hynny, a'r grisiau'n troelli, troelli, y boen yn fy nhroed yn gwaethygu, a'r düwch yn cau amdanaf, fel tasai yn fy llyncu.

Rywsut, rywbryd, llwyddais i gyrraedd y brig. Safais yn y stafell fach islaw'r agoriad, fy nwylo ar fy ngliniau, yn llarpio aer. Roeddwn i wedi gollwng y fflachlamp yn fy ngorffwyll wrth i mi lusgo fy hun i fyny'r grisiau – ond dim ots am hynny. Roedd fy nghar gerllaw.

Drwy'r bwlch crwn yn y graig uwchben, lle bu'r disg, roeddwn i'n gallu gweld awyr y nos ac, ymhell uwchben, un seren ddu-las yn wincio arnaf. Teimlais ryddhad. Roedd ofn gen i y buasai'r disg wedi llithro'n ôl i'w le rywsut, ac y byddwn i wedi bod yn sownd yma am byth. Ond doedd dim byd wedi newid.

Gyda chryn drafferth a phoen, dringais i fyny drwy'r twll ac allan i'r awyr iach, gan adael y grisiau a'r metropolis tanddaearol oddi tanaf.

Roedd hi'n braf cael anadlu aer go iawn eto. Llenwais fy ysgyfaint. Rhwbiais fy llygaid â'm llawes, a sylwais bod olion dagrau yno.

Dyna pryd y gwelais i bod rhywun yno gyda mi.

Dim *person*. O fy mlaen, yn y düwch, roedd creadur. Allaf i ddim dweud pa greadur, na hyd yn oed ei ddisgrifio'n llwyr. Roedd yn dal, saith neu wyth troedfedd o leiaf, ac roedd ganddo nifer o gymalau, p'run ai'n freichiau neu'n goesau. Roedd cysgodion mwy yn ymestyn yn llydan o bob ochr iddo, fel adenydd aflan, ac roedd pen o ryw fath ganddo – ond doedd dim llygaid na cheg yn yr wyneb echrydus. Roedd yn edrych fel cerflun oedd wedi ei naddu o farmor, ac eto yn symud yn esmwyth ar yr un pryd. Doedd dim un lliw amlwg i'w groen, dim ond tywyllwch llyfn oedd yn ymdonni fel cysgodion glas, llwyd, du. Cododd un o'i gymalau tuag ataf, a gwelais fod llafnau ar y pen, fel crafangau.

Sgrechiais. Heb rybudd, gwibiodd y creadur tuag ataf, prin yn cyffwrdd y ddaear. Teimlais ei fraich hir yn pendilio tuag at fy ngwyneb. Baglais yn ôl a syrthio dros y disg roeddwn i wedi ei symud o'r ffordd oriau ynghynt – a chwifiodd y crafangau anferth drwy'r awyr lle bues i'n sefyll.

Mi sgrialais i ffwrdd fel cranc, y creadur yn symud tuag ataf fel dŵr tywyll ar draws y glaswellt. Roeddwn i'n dal i sgrechian. Llifodd y creadur yn ei flaen yn ddidostur.

Cyffyrddodd fy llaw rywbeth caled, oer yn y glaswellt oddi tanaf. Fy nhrosol. Heb lawn sylweddoli beth roeddwn i'n ei wneud, mi hyrddiais i'r trosol at y creadur. Bownsiodd yr arf oddi ar ei gnawd amhosib fel pe bawn i wedi ei daflu at ochr mynydd.

Doedd y creadur ddim yn gwneud sŵn wrth symud, ond mi wyddwn i ei fod o'n bwriadu fy lladd. Chwipiodd fraich arall grafangog ymlaen, a'r tro hwn mi darodd fi, gan grafu sgrafelli poenus ar draws fy ysgwydd. Teimlais y gwaed yn ffrydio o'r anaf. Bagiais, yn ôl, yn ôl, i ffwrdd, i ffwrdd.

Tarodd fy nghefn yn erbyn rhywbeth. Fy nghar! Roedd y goleuadau wedi diffodd ond roedd y goriadau yn dal i fod yn y twll tanio. Lluchiais ddrws y gyrrwr ar agor ac ymbalfalu i'r sedd. Gyda'r creadur yn agosáu ac fel pe bai'n ymdoddi o gwmpas bonet y car, troais y goriad i danio'r injan.

Dim byd.

Wylais, gwaeddais, a throais y goriad eto. Dim byd. Wrth adael y goleuadau ymlaen, roedd y batri wedi marw. Troais, troais.

Gwelwn wyneb anferth di-liw'r creadur yn llenwi ffenest flaen y car. Doedd o ddim yn symud yn gyflym, nac yn wallgof, ond yn anochel. Ysgyrnygais, a throais y goriad unwaith yn rhagor.

Drwy wyrth, taniodd yr injan. Gorlifwyd y tywyllwch gan lampau blaen y car. Gwingodd y creadur a bagiodd ymaith, fel pe bai'r golau llachar yn annymunol iddo.

Gwasgais y pedal, trawais y lifer, a chwyrnodd y car am yn ôl. Sgrialodd yr olwynion yn y pridd gan daflu tywyrch o laswellt i'r awyr. Symudodd y creadur yn ei flaen ataf eto, a chefais gip o'i grafangau mawr yn ymestyn a'i adenydd yn ymledaenu, ond yna roeddwn i wedi cyrraedd y lôn, ac roeddwn i'n rasio ymaith.

Gyrrais yn gynt nag i mi yrru erioed o'r blaen, yn griddfan ac yn parablu i mi fy hun, nes i mi stopio sawl milltir i ffwrdd. Roedd gwawr welw yn gwrido dros ymylon y mynyddoedd. Edrychais o'm cwmpas ar y lôn droellog ac ar y llechweddau llonydd, ond doedd y creadur ddim i'w weld. Roedd y byd yn gwbl dawel.

Allaf i ddim cael hyd i'r dewrder i fynd yn ôl i faes yr orsedd. Yn wir, am sawl diwrnod ar ôl y noson honno, allwn i ddim hyd yn oed agor y llenni er mwyn edrych draw ar y cae. Yn y diwedd, ar ganol dydd a'r haul yn tywynnu, dyma fi'n gorfodi fy hun i rwygo'r llenni ar agor a syllu ar yr orsedd.

Roedd y cerrig i gyd yno, y maen *hwnnw* yn sefyll yn stond ar ben lle'r oedd y grisiau i'r ddinas danddaearol.

Ond dwi'n gwybod nad dychmygu wnes i. Mae gen i'r crafiadau i brofi hynny: llinellau hirion hyll ar draws fy ysgwydd sydd bellach wedi troi'n wyn, sef olion llafnau bysedd y creadur amhosib. Mae gen i hefyd yr ofn, yr hunllefau sy'n gorlifo yn fy mhen bob nos, a'r arswyd sy'n fy neffro – yr arswyd am y maen, y grisiau, y tywyllwch, yr wyddor anhysbys, y platfform, y dringo, y crafangau...

Yn fwy na hynny, mi wn i wrth edrych ar y maen hwnnw mod i wedi gweld rhywbeth tebyg iddo yn y neuaddau islaw

– neuaddau na allai bodau dynol fyth fod wedi eu crefftio.
Roedd olion y clai a welais yn y silindrau dyfnion hynny o'r
un natur yn union â chnawd amhosib y creadur a geisiodd fy
lladd – ac mae'r creithiau yn fy nghnawd yn debyg i'r crafiadau
oedd ar ochrau mewnol y silindrau. Mae'n glir i mi erbyn hyn
bod deallusrwydd tu hwnt i ddealltwriaeth wedi bod wrthi,
filenia aneirif yn ôl, yn creu amddiffynwyr i'w dinas o dan y
ddaear, i'w gwarchod hyd yn oed ar ôl iddyn nhw eu hunain
ymadael â'i chynteddau. Ac mae'r creadur, y maen byw hwn,
wedi bod yn sefyll ymysg cerrig yr orsedd byth ers hynny
yn cadw golwg diflino dros gaer ei hen feistri, yn amddiffyn
yr hen ffyrdd a'r cyfrinachau y mae dynoliaeth wedi eu hen
anghofio.

Y Gwyliwr ar y Tŵr

Pan ddarganfuon nhw gorff Mererid Puw, roedd hi wrth droed Craig-yr-Wylfa ymysg y graean hallt, wedi ei chlymu mewn gwymon o'i chorun i'w sawdl, fel anrheg ysgeler. Roedd y gwymon a'r planhigion môr eraill wedi nadreddu eu hunain o'i chwmpas fel rhaffau gwyrddion, ac yn gortyn crocbren rownd ei gwddw. Dim ond ei dwy lygad werdd farw a'i gwallt gwyn gwlyb oedd i'w gweld.

Yn ôl yr heddlu a'r crwner, lladd ei hun wnaeth hi, neu efallai mai damwain oedd e, a'r môr didostur – oedd yn arbennig o chwyrn o achos storm y noson honno – wedi cordeddu ei chorff mewn amdo erchyll. Ond fe wn i'r gwirionedd.

Doedd gan Mererid Puw ddim teulu byw nac unrhyw ffrindiau. Roeddwn i'n llawer iau na hi pan gyfarfuon ni am y tro cyntaf. A bod yn onest, doedd gen i ddim cyfeillion yn y pentref pan ddois i fyw yma chwaith – ddim rhai agos, beth bynnag – ac roedd hi'n anodd i mi wneud rhai. P'run ai o achos lliw fy nghroen neu acen fy Nghymraeg, roedd fel pe bai dwy lathen rhyngof i a phawb arall yma. Hwyrach mai dyna pam y dois i a Mererid yn ffrindiau.

Er mwyn cyfarfod pobl, ymunais â chymdeithas oedd yn mynd â bwyd i dai'r henoed a phobl fregus. Doedd neb arall yn fodlon mynd i dŷ Mererid Puw. Hen fwthyn oddi ar y stryd oedd e, ar chwydd yn y tir nes ei fod fymryn yn uwch na'r tai eraill. Roedd yn edrych mas dros Fae Ceredigion, gwynt y môr wedi hen ddifrodi'r paent ar y waliau hynafol. Roedd rhubanau bregus y ffydd y cefais fy magu ynddi yn fy hybu i helpu eraill, er gwaetha'r sibrydion am y ddynes 'anodd' hon. Felly un bore fe es i â bwyd draw at y tŷ oedd â'r enw Tŵr-yr-Heli.

Roedd Mererid yn hen ond yn gref. Doedd ganddi ddim problem symud o gwmpas, ac roedd hi'n gallu gweld a chlywed yn iawn, a siarad yn hyderus, os yn ddi-hiwmor. Ond roedd hi'n anfoddog iawn i adael ei chartref – meddai wrtha i ei bod hi wedi cael ei geni yn y tŷ hwn, a'i mam a'i mam-gu cyn hynny, a bod fiw iddi adael tonnau'r môr o'i golwg. Roedd hi'n siarad yn fain ac yn filain am drigolion y pentref weithiau, ac roedd hi'n sôn mewn geiriau cas am rai o'r bobl a ddaeth o fy mlaen i i i'w helpu yn y gorffennol. Roedd hi'n dueddol o wneud pethau byrbwyll ac od fel brasgamu mas o'r stafell ar ganol sgwrs neu symud yn sydyn at y ffenest a chwipio'r llenni ar agor, fel pe bai hi'n ofni bod rhywun yn llechu yno. Ond doedd neb byth yn dod ar gyfyl Tŵr-yr-Heli.

Wn i ddim pam oedd hi'n fy hoffi i, nac mewn gwirionedd pam roeddwn i'n ei hoffi hi.

'Noor,' meddai hi wrtha i unwaith, 'wyt ti'n lico'r môr?'

'Ydw,' meddwn i. Cefais fy nhynnu, gan ryw ysfa anodd i'w hesbonio, i ddod i fyw ar arfordir gorllewinol Cymru, ymhell o fro fy mebyd. Roeddwn i'n hoffi aroglau'r tonnau yn y bore, ac yn hoffi gwylio'r gwylanod o'r Prom. Ond doedd yr ateb hwnnw ddim fel petai'n plesio Mererid, rywsut.

Roeddwn i'n gwneud ambell job fach i Mererid yn ei thŷ pan oeddwn i'n ymweld. Buasai hi'n gallu gwneud y jobiau hynny'n berffaith dda ar ei phen ei hun, ond mae unigedd yn beth trwm i unrhyw un, ac roeddwn i'n hapus i gadw fy nwylo'n brysur.

Gofynnais iddi hi unwaith pam na fyddai hi'n mynd am dro, neu mynd am drip i Aberystwyth neu i'r mynyddoedd. Aeth hi'n welw. 'Mae'n rhaid i fi aros yma,' meddai, gan boeri bron, 'i wylio. Fi yw'r Gwyliwr.'

Hwnnw oedd y tro cyntaf y defnyddiodd hi'r label hwnnw amdani hi ei hun. Ar y pryd, feddyliais i ddim byd amdano. Geiriau hen fenyw â'i meddwl yn pallu. Ond ychydig wythnosau yn ddiweddarach dyma hi'n defnyddio'r gair eto. Bryd hynny roedd hi'n eistedd yn ei chadair siglo wrth y ffenest fawr yn y parlwr blaen a oedd yn syllu dros y Bae. Roeddwn i'n gafael mewn mẁg o de llugoer yn ochr arall y parlwr, ond doedd hi prin yn dangos ei bod hi'n ymwybodol mod i yno.

'Pwy a ŵyr pryd y dewn nhw 'to,' meddai, ei llais yn frau a thynn, ond nid mewn ateb i unrhyw beth a ddwedais i. 'O'r tonnau y daethon nhw. Mor bell yn ôl. Mae'r hanesion yn dweud y dawn nhw'n ôl ar y tir, ryw bryd. Felly mae angen gwylio. Gwylio. Fi yw'r Gwyliwr.'

'Pwy sydd yn mynd i ddod, Mererid?' gofynnais.

Trodd hi ataf i. Roedd ei llygaid yn fflachio fel stormydd. Bu bron i mi ollwng fy nhe. 'Y *nhw*,' meddai. 'Plant Cantre'r Gwaelod.'

Roeddwn i'n lled-gyfarwydd â'r stori. Fe ddysgon ni gerdd amdani mewn gwers Gymraeg un tro. 'Chi'n credu fod y stori'n wir, felly?' meddwn i. 'Bod hen ddinas ers talwm wedi suddo dan y dŵr?'

Crychodd Mererid ei gwefus. 'Dim "credu",' meddai yn ddwys. 'Dyna'r gwirionedd. Dyw clyche Cantre'r Gwaelod ddim wedi canu ers cantoedd. Aeth y tonne mawr dros ei murie.'

'A boddi pawb,' gorffennais. '"Trwy ofer esgeulustod y gwyliwr ar y tŵr".'

Aeth ei llygaid yn gul. 'Fe wnaeth y Gwyliwr ei gwaith yn iawn,' sibrydodd. 'Roedd grym 'da'r Gwyliwr dros y tonne, t'wel, yn y dyddie hynny. Yr hen Hud sy wedi pylu nawr. O, a foddodd pawb ddim.'

Gofynnodd i mi adael wedi hynny. Roedd hi'n oeraidd tuag ataf i am rai diwrnodau wedyn.

Yna, yn oriau mân un bore, ffoniodd fi. Hanner effro oeddwn i, ond roedd hi'n llwyr ar ddi-hun ar ochr arall y ffôn ac mewn panig llwyr.

'Noor, Noor!' griddfanodd, 'wi wedi eu gweld nhw. Maen nhw *yma*.'

'Gweld pwy?' meddwn i.

'Dere yma,' oedd yr unig beth arall gefais i ganddi.

Yn y bore llwyd eisteddais yn ei stafell flaen yn ceisio ei chysuro. Roedd pob llen ar gau heblaw yr un a edrychai dros y Bae. Ymysg y peswch a'r mwmian a'r griddfan, esboniodd Mererid wrtha i ei bod hi wedi gweld pum ffigwr ar y clogwyn yn ystod y nos, yn sefyll yn stond ond yn edrych at ei bwthyn. 'Wynebe gwyrddlwyd... eu gwalltie nhw'n wlyb... llyged mowrion ofnadw yn rhythu arna i, rhythu...'

'Ond roedd hi'n noson dywyll,' meddwn i wrthi, 'a does dim goleuade ar y clogwyn. Sut allech chi weld pethe felly? Breuddwydio oeddech chi.'

'Na.' Gafaelodd Mererid yn fy nghôt. 'Na. *Nhw*. Maen nhw wedi dod lan o Gantre'r Gwaelod 'to. Mae'n rhaid i ni amddiffyn rhagddyn nhw.'

Yn y man rhoddais foddion iddi hi i'w helpu i gysgu. Arhosais yno wrth ei hochr nes iddi ddeffro yn yr hwyrnos. Ond pan ddeffrodd hi a chofio beth ddigwyddodd, cynyddodd ei phenderfynoldeb.

'Mae'n rhaid amddiffyn,' meddai hi eto. 'Maen nhw yma yn

ein plith ni nawr. Wi wedi eu gweld nhw. Dyna yw 'ngwaith i, t'wel. Fy ngwaith i, fel oedd e'n waith fy mam o fy mlân i, a fy mam-gu, a'i mam hithe, yn ôl hyd at y Dechre.'

Drannoeth, mynnodd Mererid i mi fynd i'r llyfrgell yn y dref i gasglu deunydd ymchwil. Roedd hi'n sawl blwyddyn ers i mi wneud fy ngradd, ond roeddwn i'n weddol hyderus yn defnyddio'r llyfrgell a'r archifau o hyd. Ar gais Mererid cefais afael ar lyfrau a llyfrynnau amrywiol, rhai yn llychlyd ac anniben ac yn amlwg heb gael eu harchwilio gan ddefnyddwyr o'r blaen. Edrychodd y llyfrgellydd yn od arnaf i un diwrnod.

'Pam mae gynnoch chi gymaint o ddiddordeb yn y Bae?' gofynnodd. 'Ymchwil PhD ydy o?' Dywedais rhyw gelwydd wrtho, a dychwelyd at Mererid.

Fe ymchwilion ni gyda'n gilydd. Ar y cychwyn roeddwn i'n hapus i'w diddanu fel ffordd o gadw ei hymennydd hi'n weithgar. Beth bynnag, roedd hi'n ddiddorol darganfod mwy am hanes y Bae a'r traethau oedd ar ei hyd, a'r chwedloniaeth oedd yn plethu drwy'r cyfan. Ond fesul tipyn, cefais fy sugno i mewn i chwedlau Mererid. Dechreuodd adrodd hen hanesion wrtha i, weithiau yn eu cyflawnder a thro arall mewn pytiau annelwig fel brith-atgofion. Straeon am yr hen ddyddiau, pan oedd Aberystwyth yn ddim mwy na phentref pysgota, ac am y bobl a ddeuai i Dŵr-yr-Heli i siarad â'i mam a'i mam-gu. Dynion a menywod, hen ac ifanc, a rannodd eu credoau a'u hanesion gyda'r Mererid ifanc. Roedd gan hon deulu a chyfeillion, unwaith.

Ond adroddodd straeon eraill wrtha i hefyd. Chwedlau o'r gorffennol pell. Rhannau o'r Mabinogi a mytholeg debyg, ond nid yn union fel y cofiwn i nhw o'u darllen yn y Brifysgol. Adroddodd hanes Cantre'r Gwaelod 'fel mae'r celwydd yn y Llyfyr Du yn ei adrodd' a'r 'stori blant ramantaidd sy'n y gerdd ddiawl 'na', ond hefyd, pan fyddai'r nos yn cronni o'n cwmpas a'r golau o fwlb gwan y lamp yn crynu fel cannwyll, adroddai hi hanes 'Cantre'r Gwaelod go iawn' fel yr adroddai ei mam y stori iddi. Dyma stori, meddai Mererid, o eithafoedd hanes Prydain, o filoedd a miloedd o flynyddoedd yn ôl, pan oedd fforestydd yn flanced dros y Gorllewin a'r môr yn rhimyn llwyd ar orwel anwar.

'O'r môr y daethon nhw, i'r coedwigoedd,' sibrydodd Mererid. 'Fel ffrindie i ddechre. Yn dod â phŵer mawr, fel rhoddion i'r bobol oedd yma eisoes. Adeiladon nhw Gantre'r Gwaelod o brennau'r coed, yn ddinas lachar, fel na welodd neb erioed ei thebyg na chynt nac wedyn. Ond fe dyfon nhw'n rhy gryf, ac roedd pobol yn eu haddoli nhw, er na ddylen nhw ddim fod wedi gwneud hynny. Ac felly fe ddoth y tonne, a chwalu Cantre'r Gwaelod i'r dyfnderoedd. Ond chwalwyd mo'r Plant i gyd, ac mae'r môr yn ddwfwn, Noor. Felly mae'r Gwylwyr wedi parhau i edrych, ar hyd y canrifoedd. Ers talwm roedd y Gwylwyr yn gallu siarad â'r dŵr, dal y tywydd yn eu bysedd, troi'r tonne gyda gair – a gweld tu hwnt i'r llen ar fyd arall, ble mae breuddwydion a'n byd ni yn un. Ond does 'da fi mo'r pŵer hwnnw. Oedd e wedi cael ei anghofio, ganrifoedd cyn i mi gael fy ngeni, pan stopiodd pobol anwesu'r lledrith sydd yn y pridd.'

Roedden ni wedi bod yn casglu'r ymchwil at ei gilydd, gan bori drwy ffotocopïau o'r hen lawysgrifau y des o hyd iddyn nhw yng nghorneli tywyllaf y llyfrgell. Yn rhoi'r darnau at ei gilydd. Yn sylweddoli'n raddol.

Roedd enwau cyson yn dod i'r amlwg. Enwau pobl –

arglwyddi ac arglwyddesau yn y ffynonellau cynharaf, ond wedyn enwau pobl fwy cyffredin, enwau ffermwyr, enwau gweithwyr, enwau plant. Hen deuluoedd – y teuluoedd hynaf – yn deillio'n ôl i gyn-hanes yr ardal ac yn parhau hyd heddiw.

Yn y pen draw roedd tudalen yng nghefn fy llyfr nodiadau ac arni restr fer o enwau. Ffrwyth ein hymchwil.

Pump enw.

'Fel y pum ffigwr,' sibrydodd Mererid. 'Y bobol ar y rhestr hon yw y *Nhw*. O'n i'n anghywir, Noor. Nid wedi dod *nawr* maen nhw. *Maen nhw wastad wedi bod 'ma.*'

Gafaelais ynddi. Roedd dagrau yn ei llygaid. Roedd ei chroen yn oer ac yn llaith, yn diferu fel hen lechen wedi'r glaw.

'Beth alla i wneud?' gofynnais.

Agorodd Mererid ei gwefusau crynedig i ateb, ond yna oedodd. 'Nid nawr,' meddai yn llesg. 'Mae angen i mi feddwl. A chysgu.' Trodd ei llygaid ataf i. Roedden nhw'n wyrdd fel dyfnderoedd y môr. 'Dyw'r gwylio ddim yn stopio, Noor. Byth yn stopio.'

Es innau adref i gael cwsg, er cymaint roedd fy meddwl ar ras.

Bu storm y noson honno. Storm wyllt a siglai'r Bae.

Yn fy nhrwmgwsg wrth i mi orwedd yn fy ngwely yn yr atig, taerwn i mi freuddwydio am y tonnau'n hyrddio'u hunain yn erbyn fy ffenest, a'r gwydr bron â chracio, a'r gwynt yn rhuo rownd waliau fy stafell. Clywais sŵn lleisiau yn y pellter fel petaen nhw'n canu, ond ddim mewn unrhyw iaith nac ar unrhyw alaw yr oeddwn i'n eu hadnabod.

Yn fy mreuddwyd fe es i mas o'r tŷ a chael fy hun ar draeth

eang, eang. Roeddwn i'n cerdded ar hyd llwybr pren, syth, oedd yn arwain mas at y dŵr. Gallwn weld y môr mawr o fy mlaen i, ond waeth pa mor gyflym y cerddwn i, ni ddeuai'r lan yn agosach. Roedd coed bob ochr i mi, coed du o oedran annirnadwy, yn ymestyn tua'r nefoedd. Ymysg y coed roedd adeiladau: muriau mawr, tyrau tal ac amlonglog, a goleuadau gwyrddlas yn sgleinio o filoedd o ffenestri ynddyn nhw. Dawnsiai cysgodion ymysg boncyffion y coed. Symudai siapiau aneglur ar hyd y waliau uchel. Roedd sisial y lleisiau diarth yn llifo o'm cwmpas i o bob cwr: roeddwn i'n dechrau simsanu, ond bwriais yn fy mlaen ar hyd y llwybr pren.

Yna, yn fy mreuddwyd, sylweddolais nad oeddwn i ar fy mhen fy hun. Troais.

Roedd pedwar person yn sefyll ar y llwybr tu ôl i mi. Roedd eu gwalltiau yn wlyb ac roedd eu hwynebau'n welw a gwyrddlwyd. Roedd llygaid mawr pefriog ganddyn nhw ac roedden nhw'n syllu arnaf i. Roedd un yn fenyw a'r tri arall yn ddynion; roedd gan un o'r dynion wyneb hyll, cas, cam, a phan agorodd ei geg i siarad, ddaeth dim sŵn mas. Safodd y dyn yno fel delw fud a'i geg fawr fel O. Tu ôl i'r pedwar roedd golau bach llachar, llachar yn sgleinio ymhell i ffwrdd, yn uchel ar ben y clogwyn.

Cododd croen gŵydd ar fy mreichiau ac ar fy ngwar, ac aeth fy ngheg yn sych. Troais eto i symud i ffwrdd oddi wrthyn nhw, ond roedd pumed ffigwr yn fy ffordd nawr, yn sefyll rhyngof i a'r gorwel. Roedd y ffigwr hwn yn fwy na'r pedwar arall, yn ddwywaith mor dal â fi. Roedd ei wallt yn llwyd ac yn hir, ac roedd clogyn o wymon am ei ysgwyddau. Roedd coron oer ar ei dalcen. Fflachiai ei lygaid yn gandryll arnaf i wrth i mi syllu'n gegrwth lan arno.

'Hwn yw ein tir ni yn awr,' meddai, ei lais yn atseinio o bob cyfeiriad. 'Ewch chwi yn eich ôl neu ymgrymwch a thalwch wrogaeth.'

Roedd gwynt cryf wedi codi erbyn hyn, yn chwipio ar fy nillad. Plygai'r coed o'm cwmpas gan riddfan. Chwyrnodd y gwynt – roedd fel pe bai'r storm yn cau i mewn arnon ni, yn ein hamgylchynu.

Gwgodd y cawr arnaf i. 'Talwch wrogaeth,' taranodd eto.

Gallwn deimlo symud o'r tu ôl i mi: roedd y pedwar ffigwr arall yn nesáu tuag ataf, yn dechrau fy amgylchynu. Troais yn araf, y gwynt a'r glaw yn cau amdanon ni fel cell. Rhoddais un law ar fy hijab fel na châi ei ddwyn gan y storm. Gwelais y pum wyneb hagr yn syllu arnaf â'u llygaid anferth, gwag. Gwingodd wyneb y gŵr hyll, ac O ei geg yn lledaenu fel ogof ddu. Roedd yn fwy nag allwn ei ddioddef – gallwn deimlo fy meddwl yn dechrau chwalu.

Ond, yn sydyn, ar len fy nghof daeth delwedd o Mererid yn eistedd yn ei ffenest yn edrych mas dros y Bae â'r olwg benderfynol, oesol yna ar ei hwyneb.

Blaswn ddŵr heli ar fy ngwefus. Teimlwn gorwynt yn rhedeg drwy fy mysedd a mellten yn fy nghalon.

Yng nghanol sŵn y dymestl, cefais hyd i fy llais. 'Wi ddim am fynd yn ôl,' gwaeddais arnyn nhw, gan deimlo trydan yn saethu drwy fy ngwythiennau. Trodd fy nwylo yn ddyrnau. 'Wi ddim am ymgrymu i chi!'

Cododd y cawr gwelw ei law yn araf a phwyntio ataf i â bys hir esgyrnog. 'Yna, elyn, cymryd ein tâl a wnawn, a hynny heb alanas.'

'Na!' bloeddiais, gan gymryd cam tuag ato.

Ffrwydrodd y storm o fy amgylch. Diflannodd y coed a'r tyrau a'r muriau a'r llwybr a'r pum ffigwr mewn colofn o ddŵr a mellt a gododd fel petai o'r tywod, neu a ddisgynnodd o'r nefoedd, ac roeddwn i'n ceisio sgrechian ond roedd fy ngheg yn llanw â heli. Clywais glychau torcalonnus yn canu'n wallgof yn y pellter, ond yna – dim byd ond diasbedain y môr.

Deffrois.

Drannoeth fe ges wybod fod Mererid Puw wedi marw yn y nos.

Rwy'n cofio llefain pan glywais i'r newyddion, ac rwy'n cofio'r ias a redodd i lawr fy asgwrn cefn. Roedd fel pe bai'r newyddion yn sioc, ond fel pe bawn i eisoes yn gwybod hefyd.

Datguddiodd y storm bethau eraill. Chwythwyd tywod a mawn o'r Bae gan ddatgelu olion coedwig gyntefig, boncyffion coed o gyn cof, a rhesi syth o olion pyst a distiau megis sail i ryw hen, hen lwybr pren oedd yn arwain mas at y gorwel gwelw. Fe es i i edrych arnyn nhw, a theimlo'r tywod gwlyb ar fy nghroen a synhwyro gwefr o'r gorffennol yn cydio ynof i.

Doedd dim ymchwiliad hirfaith i farwolaeth Mererid. Maen nhw'n dweud mai cerdded at y clogwyn yn y storm wnaeth hi, yn ei choban ac yn droednoeth, a naill ai llithro ar ddamwain neu ei thaflu ei hun dros yr ochr o'i gwirfodd. Ddaeth neb heblaw ei chyfreithiwr a finnau i'w hangladd.

Ddim ond y fi sy'n gwybod y gwir. Mae gen i lyfr nodiadau bach ac ynddo bump enw: enwau pobl o'r ardal leol, ac o lan a lawr yr arfordir i gyd, sydd yn hel eu hachau o'r môr – enwau'r Teuluoedd sydd wedi bod yn gweithredu yn gyfrinachol dros y canrifoedd er mwyn helpu Plant Cantre'r Gwaelod i ddod mas o'r dyfroedd ac at y tir unwaith eto. Fe wnaethon nhw gymryd eu tâl erchyll ac fe orffennodd gwyliadwriaeth

Mererid. Mae'r tonnau'n cronni ar ein glannau, ac mae fy nghyfaill wedi mynd.

Ond gadawodd Mererid Puw ewyllys ar ei hôl. Dim ond un enw oedd ynddo.

Er gwaethaf sarhad y cawr â'r clogyn gwymon, fe gaf i fy ngalanas amdani, bum gwaith drosodd, ac fe gadwaf i lenni'r ffenest fawr yn y parlwr blaen yn agored led y pen, fel bo gwynt hallt y gorllewin yn gallu llifo drwyddo ac i mewn i fy esgyrn. Bydd Gwyliwr yn Nhŵr-yr-Heli o hyd, ac, os bydd clychau'r gorffennol i'w clywed eto yn atsain o'r Bae, fe fyddaf i yno i'w distewi.

Rigantona

'Dwi am ddweud y stori yma wrthot ti eto heno, cariad. Hon ydy'r stori go iawn, ynde – ddim yr un mae'r llyfrau'n ddweud. Cau di dy lygaid rŵan a gwranda ar yr hanes yma. Mae'n hen stori o ers talwm-stalwm: stori am y ddynes ddewraf erioed.'

Un tro roedd brenhines o'r enw Epona yn byw yng Nghymru, yn y dyddiau cyn bod unrhyw un yn ei galw'n Gymru.

Roedd Epona yn ddynes glyfar a charedig. Roedd ei gwallt yn ddu fel y nos a'i llygaid yn ddisglair fel y wawr. Hi oedd marchog gorau'r wlad: yn wir, dywedai rhai mai hi oedd y cyntaf i farchogaeth ceffyl yn y byd. Roedd adar ac anifeiliaid y goedwig a'r mynyddoedd a'r paith yn gyfeillion iddi. Roedd pobl ei llwyth yn ei charu a'i pharchu gymaint nes iddyn nhw ei galw hi yn Rigantona, sef y Frenhines Fawr.

Mae'n rhaid i ti gofio bod hyn yn yr hen ddyddiau, pan oedd y Tylwyth Teg yn dal i droedio ein tir ni, a chyn iddyn nhw fynd yn ôl dros y môr, neu gloi eu hunain yn eu byd nhw, neu fynd i guddio yn ein plith.

Roedd Epona Rigantona yn cadw pobl ei llwyth hi ymhell o gyrraedd y Tylwyth Teg, achos, er gwaethaf eu prydferthwch a'u rhoddion caredig, er gwaethaf yr iaith a'r canu roedd y

Tylwyth wedi eu dysgu i bobl y tir, roedd galar yng nghalon Rigantona am y dyddiau gynt cyn i'r Tylwyth ddod o'r môr ac o'r pridd ac o'r awyr, fel y dywedodd ei mam a'i nain wrthi, er na chofiai Rigantona'r dyddiau hynny. Felly yn y bryniau a'r coedydd yr adeiladodd hi a'i phobl eu cestyll a'u trefi, ac mi gadwon nhw olwg wyliadwrus ar eu gororau gyda'u gwaywffyn a'u cleddyfau efydd.

Doedd gan Epona Rigantona ddim gŵr, er bod rhai o'i llwyth hi yn teimlo ei bod hi'n bwysig iddi hi gael plentyn i barhau ei llinach. Ond doedd hi ddim yn caru neb ddigon i gael plentyn gyda nhw. Dywedodd wrth ei llwyth na fyddai hi yn priodi oni bai bod Ffawd yn dangos rhywun digon cyfiawn a da i fod yn haeddiannol ohoni.

Roedd llawer o bobl wedi dod i neuadd Epona Rigantona dros y blynyddoedd, gan gynnig eu hunain iddi fel cymar, gan roi anrhegion ac anrhydeddau iddi er mwyn ceisio ei pherswadio, ond doedd Rigantona ddim yn teimlo serch tuag at yr un ohonyn nhw. Aeth amser maith heibio, ac arhosodd Epona Rigantona yn ddi-briod, ond doedd dim tristwch yn ei bron, achos roedd hi'n mwynhau gwarchod ei phobl a marchogaeth ar draws meysydd ei gwlad.

Un diwrnod o haf roedd Rigantona yn marchogaeth ar ei phen ei hun pan sylwodd ar rywun yn ei dilyn ar geffyl, eithaf pellter y tu ôl iddi hi. Gwisgai'r marchog gwfl oedd yn gorchuddio'i wyneb. Dilynodd y marchog hi, hyd yn oed pan y gyrrai ei cheffyl yn gyflymach. Teimlai Rigantona yn anghyfforddus achos roedd hi ymhell o'i chartref, a doedd dim gweision na morynion gyda hi, ond roedd gwaywffon ar ei chefn a dewrder yn ei chalon. Doedd Epona Rigantona ddim yn ofni na lladron nac ellyllon.

Dyma hi'n marchogaeth ymlaen dros fryniau a meysydd,

drwy goedwigoedd a nentydd, gyda'r marchog yn ei ddilyn o bell. Yn y diwedd dyma'r marchog yn galw arni gan ymbil iddi aros. Roedd y llais yn hudolus a chlir, fel haul drwy gwmwl, ac arhosodd Rigantona yn ei hunfan mewn syndod. Roedd galwad y marchog mor swynol nes iddi hi droi ac aros.

Wedi cyrraedd ati, ar ben bryn ac arno un berth fwyar, taflodd y marchog y cwfl o'i wyneb. Dyn oedd y marchog: gŵr ifanc cryf a chanddo wallt aur, gwên lawen a llygaid gleision. Meddyliodd Epona Rigantona ei fod yn olygus iawn; heb iddi allu esbonio'r peth, roedd hi'n cael yr argraff yn syth bod rhywbeth pur a chyfiawn amdano.

'Pam na fyddet ti wedi galw arnaf i yn gynharach? Mae'r gaseg druan wedi dechrau blino ers meitin,' meddai hithau yn chwareus, gan wenu.

Chwarddodd y dyn, ei chwarddiad yn ddisglair fel tonnau rhaeadr. Disgynnodd Rigantona mewn cariad ag o.

Wrth iddyn nhw gyfarfod, cyflwynodd o ei hun iddi hi. Does yr un stori yn cofio enw go iawn y dyn hwn na'r enw a roddodd yntau i Epona Rigantona chwaith, ond yr enw amdano yn y stori hon yw Tigernonos. Cafodd y llysenw, Y Brenin Mawr, gan bobl y wlad oherwydd, wedi iddo ef ac Epona Rigantona gael carwriaeth ffyrnig a dofn, cytunodd hithau i fod yn wraig iddo a chytunodd yntau i fod yn ŵr iddi. Felly aeth Tigernonos i fyw yn ei neuadd gyda hi ac i deyrnasu fel brenin wrth ei hochr.

Allai Rigantona ddim esbonio pam na sut roedd hi'n caru Tigernonos, ond allai hi fyth fod yn bell oddi wrtho. Roedd yn llawn bywyd ac asbri, yn gwneud iddi chwerthin a theimlo'n ddiogel. Roedd ganddo ddwylo cynnes, ac roedd ei feddwl yn gyflym a chraff. Bob tro y gofynnai Rigantona am ei gyngor, byddai Tigernonos yn hir ei bwyll cyn ateb – ond byddai'r ateb bob tro yn un doeth a theg.

Roedd llawenydd mawr ymysg eu pobl gan eu bod yn gobeithio y byddai'r undod hwn yn dod â phlentyn i'r ddau a dyfodol disglair i'r llwyth. Yn wir, ym mhen amser ganwyd baban i Rigantona: mab â llygaid llachar a gwallt a oedd yn felyn fel y gwenith a dyfai'n braf ym meysydd eu gwlad. Syrthiodd ei fam a'i dad mewn cariad ag o yn syth, a rhoddasant yr enw Gwegros arno, sy'n golygu gwenith. Dotiodd Epona Rigantona at ei mab bychan, ac er nad oedd hi'n dymuno plentyn cyn hynny, ar ôl ei eni nid oedd dim na wnâi hi drosto.

Toreithiol oedd cariad y llwyth tuag at y mab hefyd, a chan fod ei wallt fel yr aur ar waelod afon, rhoddasant iddo'r llysenw Maponos Ben Aur, a galwasant Modrona ar Epona Rigantona, am ei bod hi bellach yn Fam o bwys mawr. Ac fel y llanwodd y dref â chwerthin a sgrechian Gwegros Maponos, mwyfwy y tyfodd cariad pawb tuag ato.

Ar ôl i un troad cyfan o'r lleuad fynd heibio wedi genedigaeth Gwegros, daeth dieithryn i neuadd Rigantona a Tigernonos. Daeth dan gerdded ac ar ei ben ei hun; gwisgai fantell a chwfl i guddio ei wyneb. Pan ddaeth i mewn i'r adeilad, roedd Rigantona yn chwarae gyda Gwegros wrth y bwrdd bwyd, ac yntau'n cŵan yn fodlon; roedd Tigernonos yno hefyd, yn dotio at ei wraig a'i fab.

'Henffych,' meddai'r dieithryn, heb godi ei gwfl. 'Bore da i chi a llongyfarchiadau ar eni eich plentyn teg.'

'Henffych i tithau,' meddai Rigantona, 'ond pwy wyt ti sydd yn cuddio dy wyneb ac yn dod o bell?'

'Rydw i'n dod i dalu gwrogaeth i chi,' meddai'r dieithryn, 'a hefyd, fenyw, i ddod â galar i'th fywyd – oherwydd rydw i'n dod i gario dy fab yn ôl i'w wir gartref.'

Safodd Tigernonos yn syth, ei gleddyf yn ei law. Cododd Rigantona ei baban yn ei breichiau i'w warchod a chamu oddi wrth y dieithryn yn reddfol.

'Ein mab ni yw hwn,' meddai Rigantona yn gandryll, 'a hwn yw ei gartref.'

'Na, fenyw,' meddai'r dieithryn. 'Dy fab di yw, ond nid ei wir gartref yw hwn.'

Yna gostyngodd ei gwfl i ddangos ei wyneb. Roedd yn ddyn hardd, ei wallt yn arian fel llafn yn ngolau'r sêr a'i lygaid yn fflachio fel gwawr. Ond gwaeddodd Tigernonos mewn artaith, a syrthiodd ar ei liniau megis mewn perlewyg. Mawr oedd syndod a phenbleth Rigantona wrth weld ei gŵr fel hynny.

'Arwbianos yw fy enw,' meddai'r dieithryn, 'ac rydw i'n dod i ddweud wrthot bod dy ŵr priod wedi dy dwyllo. Er nad yw wedi dweud celwydd wrthot, nid yw chwaith wedi datgelu'r gwirionedd. Daw yntau, yr hwn a elwi di yn Tigernonos, o'm teyrnas i. Enw'r deyrnas honno yw Annwfn.'

Ni ddaeth geiriau i wefusau Rigantona mewn ateb i hyn. Â dagrau yn ei llygaid, ceisiodd siarad â'i gŵr, ond roedd hwnnw yn syllu ar y llawr ac yn wylo.

'Un o fy ngwŷr i yw'r "Tigernonos" hwn,' aeth Arwbianos yn ei flaen, 'a fi yw Pen Annwfn – ei frenin. Ni chafodd ef ganiatâd i ddod drwodd i'th fyd di, ond daeth er hynny, wedi ei swyno, ymddengys, gan dy ffurf a'th wedd. Ond ni ellir cuddio pethau fel hynny oddi wrthyf am hir. Ni all rhywun sydd yn blentyn i un o Annwfn fyw yma yn eich byd di-liw chi. Mae'n rhaid iddo ddod yn ôl gyda mi i'w le haeddiannol, lle y gall fyw gyda'i bobl.'

'Ond y fi yw ei fam,' meddai Rigantona. 'Rhaid iddo aros gyda mi.'

'Dywedais fy mod i'n dod â galar i'th fyd, fenyw, a hwn yw'r galar,' meddai Arwbianos â golwg drist ar ei wyneb. 'Ni all bod dynol ddod i drigo yn Annwfn, ac felly ni chei dithau ddod gyda ni. Daw dy ŵr yn ôl gyda mi, ac er y caiff fagu dy fab, caiff ei gosbi hefyd yn ôl ein cyfraith ni, oherwydd ei dramgwydd.'

'Na,' meddai Rigantona yn gynddeiriog, 'nid ydw i'n rhoi fy mhlentyn i ti. Hwn yw fy mab i, nid dy wrthrych di i'w feddiannu.'

Oedodd Arwbianos, gan edrych yn ddi-ofn ar y milwyr â'u gwawyffyn oedd wedi ei amgylchynu bellach â dicter yn eu llygaid. Yna ymgrymodd Arwbianos ei ben. 'Nid ydw i'n filain,' meddai, 'ac ni chaf fwynhad o ddod â'r newyddion hwn atat. Felly mi adawaf, a rhof un troad o'ch lleuad i chi, cyn y dychwelaf yma i gael eich hateb. Os y cytunwch, yna bydd Gwegros a Tigernonos yn dychwelyd gyda mi i Annwfn a bydd tangnefedd rhwng ein pobl am oes. Os y gwrthwynebwch, yna cofiwch fod grymoedd fy Nhylwyth y tu hwnt i'ch dirnadaeth chi – a byddai rhyfel rhyngom yn achos angau i ti a'th linach.'

Poerodd Rigantona ato, ond gadawodd iddo adael. Trodd ei dicter at Tigernonos, a oedd yn ymbil arni faddau iddo, ond parodd gorffwyll bytheiriol Rigantona iddo ymdawelu. Mynnodd Rigantona iddo adael ei neuadd, a gwnaeth Tigernonos hynny yn llawn tristwch. Wylodd Rigantona am saith diwrnod a saith noson, gan wrthod gadael Gwegros o'i golwg.

Ar ddiwedd yr wythnos, daeth Tigernonos yn ôl i'w hystafell a gofyn iddi am faddeuant eto. Wedi hir drafod ag o, derbyniodd hithau ei fod wedi cuddio'r gwirionedd oddi wrthi gan ei fod yn ei charu gymaint a chan ei fod yn casáu

Arwbianos – a chymaint yr oedd yn casáu Annwfn, cymaint yr oedd yn caru ei byd hi.

'Ni fynnaf,' meddai Tigernonos, 'ddychwelyd i Annwfn. Mynnaf aros yma gyda thi a gyda ein mab.'

Ochneidiodd Rigantona, yn ochenaid a oedd i'w chlywed dros y wlad. 'Os felly, ŵr, gad i ni ddechrau trafod, yn y bore, sut i drechu dy feistr Arwbianos, fel y gallaf dy gadw di a Gwegros yma ac ymhell o Annwfn.'

Cytunodd Tigernonos yn eiddgar.

Felly yn yr wythnosau a ganlyn, mawr oedd y trafod yn neuadd Rigantona ar sut i sicrhau nad oedd Gwegros yn cael ei gipio ymaith ar ben y mis. Roedd nifer fawr o bobl y llwyth yn cefnogi syniad Rigantona, sef i godi arfau a gwrthsefyll mintai Annwfn, oherwydd sarhad Arwbianos tuag atynt. Roedd pobl eraill yn cefnogi syniad Tigernonos, sef i wneud cyfamod ag Arwbianos a chynnig anrhegion iddo er mwyn sicrhau heddwch, fel y gallai gytuno i adael i Gwegros gael ei fagu lle y cafodd ei eni. Trist yw dweud hyn, ond rhannwyd y bobl rhwng y ddau, Tigernonos a Rigantona, ac achosodd hyn gecru a dicter.

Yn y diwedd, cododd Rigantona wialen aur, hen drysor ei phobl, a dweud: 'Mae'n rhaid i ni gael tangnefedd o fewn ein neuadd cyn y gallwn ddisgwyl cael tangnefedd y tu allan iddi. Gadewch i ni gael heddwch. Mae'n rhaid gwneud dewis. Fel eich pennaeth, mi wnaf i'r dewis. Mi wnawn wrthsefyll Arwbianos a'i fintai gyda phicelli a thariannau, cymaint oedd ei sarhad tuag atom. Ond wnawn ni ddim eu hymladd cyn i ni gynnig cyfamod iddo, sef i Gwegros a Tigernonos aros yma hyd ddiwedd eu hoes. Os na fydd yn derbyn hynny, yna fe ymosodwn, a bydded i ddewrder ein pobl dra-arglwyddiaethu.'

Cytunodd pawb i hyn, er na chytunodd pawb yn llawen.

Ar y noson cyn i Arwbianos ddychwelyd i gael ei ateb, pan oedd y lleuad bron yn llawn yn awyr y nos, roedd pobl y llwyth yn paratoi am drannoeth. Roedden nhw'n miniogi eu gwaywffyn, yn rhoi llinynnau ar eu bwâu, ac yn gwyngalchu eu tariannau a'u gwalltiau ar gyfer rhyfel. Gobeithiai'r rhan fwyaf am dangnefedd a heddwch, ond ysai rhai am dynnu gwaed.

Ond y bore wedyn, deffrodd Rigantona i weld bod gwaed ar ddillad ei gwely ac ar ei hwyneb – a doedd dim golwg o Gwegros yn ei hystafell. 'Ble mae fy mab?' sgrechiodd Rigantona yn llawn gwewyr. Doedd neb a allai ddweud wrthi, ac ni chofiai hi ddim byd wedi iddi roi'r baban i gysgu wrth ei hochr y noson gynt.

Mawr oedd syndod pawb a glywodd am y gyflafan. Chwiliodd y bobl yn ynfyd drwy'r dref, ond roedd Maponos Ben Aur wedi diflannu. Ar y dechrau roedd pobl y llwyth yn alarus ac yn cydymdeimlo â'r anaf roedd Rigantona wedi ei brofi, ond yn fuan dechreuodd rhai fynd yn ddrwgdybus ohoni. 'Pam roedd gwaed drosti, ond nid yn unman arall?' holent. 'Onid efallai mai *hi* sydd wedi dinistrio Gwegros er mwyn iddo fyth allu cael ei gymryd yn ôl i Annwfn? Onid oes gwallgofrwydd mewn rhai mamau?'

Bach oedd nifer y bobl a ddywedodd ac a feddyliodd hyn ar y cychwyn, ond mae sibrydion yn hedfan yn fwy sydyn na'r gwynt o'r môr, ac yn fuan roedd llawer o bobl y llwyth yn gofyn am esboniad gan Rigantona – a rhai yn gofyn am ddial arni.

Roedd Tigernonos yn ei ddagrau oherwydd diflaniad Gwegros, ond cytunodd ar gais ei bobl i holi Rigantona yn gyhoeddus i gael atebion. Roedd yntau, meddai Tigernonos, wedi bod ymaith yn hela yn gynnar yn y bore, gan adael ei wraig yn cysgu. Roedd eu baban yn cysgu'n braf ym mreichiau ei fam bryd hynny, meddai.

Yn ei thro, meddai Rigantona, a oedd wedi golchi'r gwaed oddi arni ond oedd yn welw â'i llygaid yn ddu: 'Fy mab yw fy myd. Ni fyddwn i'n peri unrhyw niwed iddo. Gwarth arnoch chi sydd yn meddwl y byddwn i. Pam fuaswn i'n difa'r plentyn y dywedwn i y byddwn i'n ymladd lluoedd Annwfn i'w amddiffyn? Rhaid i ni ganfod y sawl a'i cymerodd, a dial arnyn nhw, nid cecru ymysg ein gilydd.'

Cododd murmur ymysg y bobl – rhai yn cytuno â hi ac eraill yn troi fwyfwy yn ei herbyn. Drwy hyn oll, eisteddai Tigernonos yn dawel ac yn llym, gan wrando ar bob ochr. Roedd yn un o'r Tylwyth Teg, ac mi gredai pawb y byddai o'n driw i'r gwirionedd ac yn bur ei galon wrth farnu. Hir oedd ei bwyll wrth bwyso a mesur.

Yn y pen draw, tarodd ddagrau o'i lygaid ac meddai: 'Nid oes ateb boddhaol i hyn. Ni fydd dyfarniad a ddaw â fy mab yn ôl ataf. Ond nid oes tystiolaeth heblaw y gwaed a fu dros ddwylo a dillad gwely fy ngwraig. Felly mae'n rhaid, fy anwylyd, i ti dalu galanas am hyn. Rwyt ti'n alltud o'r wlad hon am un flwyddyn gyfan. Cei fynd ag un ceffyl gyda thi, ond ni chei ddychwelyd yma hyd nes y bydd troad cyfan o'r haul wedi bod.'

Llamodd Rigantona tuag ato ond fe'i daliwyd hi yn ôl gan rai o'i milwyr. 'Dos, fy anwylyd,' meddai Tigernonos yn drist, 'a gobeithio y byddi'n darganfod heddwch ynot ti dy hun tra byddi'n alltud.'

Wylodd rhai ond llawenhaodd eraill. Eisteddodd Tigernonos yn ôl yn ei orseddfainc heb ddweud dim yn rhagor.

Felly gadawodd Epona Rigantona ei neuadd ei hun, yn teimlo'n wag y tu mewn iddi. Dywedodd hwyl fawr wrth ei morynion agosaf, a oedd yn eu dagrau, ac addo y byddai hi'n dychwelyd o fewn blwyddyn i ailfeddiannu ei thref a'i llwyth.

Gan adael y fro lle y cafodd hi ei geni, marchogodd Epona Rigantona ar hyd tir ei gwlad a chroesi ei ffiniau, ei chaseg fyth yn blino. Doedd ganddi ddim gyda hi, dim ond y dillad ar ei chefn a gwaywffon. Roedd paladr y waywffon yn aur – yn wir, hon oedd gwialen aur brenhines ei llwyth: roedd Rigantona wedi ei chymryd heb i neb sylweddoli, ac roedd hi wedi rhoi esgyll miniog llachar ar ben y wialen fel ei bod bellach yn arf hynod. Disgleiriai hon fel y lleuad pan dywynnai'r haul ac fel yr haul pan sgleiniai'r lleuad.

Wedi sawl diwrnod o farchogaeth cyrhaeddodd Rigantona yr arfordir. Gwelodd y môr am y tro cyntaf yn ei bywyd. Rhyfeddodd pa mor las oedd y dyfroedd a sut roedd y gorwel yn ymestyn hyd eithafion yr awyr. Yn y dyddiau hynny, roedd dinasoedd niferus yn y tir isel oedd yng ngorllewin Cymru – ond sydd bellach i gyd o dan y dŵr – dinasoedd o risial a thyrau o gwrel yr oedd y Tylwyth Teg wedi eu hadeiladu oesoedd maith yn ôl, yn ôl y sôn. Osgôdd Rigantona y dinasoedd hynny, a marchogaeth ymlaen tua'r de.

Ar ei theithiau, siaradodd â'r anifeiliaid a welai, gan ddod yn gyfeillgar â nhw. Gydag amser dyma'r newyddion yn mynd ar led, o un anifail i'r llall, bod Epona Rigantona wedi cael ei thramgwyddo gan y Tylwyth Teg, a bod angen help arni. Aeth hi o bentref i bentref yn dweud ei stori, gan holi am newyddion am ei mab. Credai yn ei chalon nad oedd o wedi marw, ond bod rhyw dwyll wedi ei gymryd oddi wrthi. Yn wir, roedd hi'n siŵr mai cynllwyn gan Arwbianos oedd hwn. Mynnai ddial arno, ond ni allai wneud hynny ar ei phen ei hun.

Ond doedd yr un o frenhinoedd na breninesau eraill y byd eisiau rhoi cymorth iddi. Byddai rhai yn rhoi llety neu fwyd iddi am gyfnod, ac yn gwrando arni yn llawn cydymdeimlad, ond yn y pen draw doedden nhw ddim yn fodlon rhoi benthyg milwyr iddi er mwyn ymladd ag Annwfn. 'Ni all neb sefyll yn erbyn y Tylwyth Teg,' meddai un pennaeth wrthi. 'Mae'n well i ti dderbyn dy ffawd a dychwelyd at dy lwyth ymhen blwyddyn.'

Ni dderbyniai Rigantona hynny. Nid oedd hi am ildio. Ymlaen â hi, gan barhau i chwilio am ei Gwegros, ei phryder yn ymblethu â'r dicter yn ei bron.

Ar ddiwedd y chweched mis o'i halltudiaeth, gorffwysodd Epona Rigantona ar ben bryn oedd yn edrych allan dros y môr. Roedd coeden ar ben y bryn, ac eisteddodd Rigantona oddi tani i gael cysgod rhag haul cynnes y gwanwyn hwyr. Wrth iddi fachlud, daeth adar i ganu ar y brigau uwchben Rigantona. Roedd y tri aderyn hynny yn canu'r gân fwyaf soniarus a glywodd hi erioed, fel nodau telyn o'r hen ddyddiau. Roedd y gerddoriaeth yn llawen ac yn dorcalonnus ar yr un pryd. Wylodd ddagrau wrth i'r alaw ei hatgoffa o'r mab a gollodd.

Yna siaradodd un o'r adar wrthi. 'Paid ag wylo,' meddai, 'achos rydyn ni wedi clywed newyddion am Gwegros – a'i fod yn fyw.'

Bu bron i galon Epona Rigantona chwalu mewn llawenydd. Disgynnodd y tri aderyn ati ac esbonio'r cyfan, fel roedden nhw wedi ei glywed gan anifeiliaid y byd a oedd yn dal yn driw iddi. Medden nhw bod ffigwr wedi cael ei weld yn gadael ei neuadd hi yn oriau mân y bore, gan gario baban a oedd yn crio yn ei freichiau. Dilynwyd y ffigwr, a aeth ar gefn march, am filltiroedd nes iddo gyrraedd llyn anghysbell. Yno yr agorodd drws rhyfeddol ar ben clogwyn du uwchben y dŵr, fel haul yn dod dros y gorwel, a rhoddodd y ffigwr y baban i rywun a ddaeth drwy'r porth hud – a chyn y wawr dychwelodd y ffigwr i dref Epona Rigantona.

Chwyrlïodd pen Rigantona wrth glywed hyn oll. Nid oedd hi'n gwybod pwy a gymerodd Gwegros oddi wrthi, ond deallai'n awr ei fod wedi mynd i Annwfn, fel roedd Arwbianos wedi mynnu. Daeth i benderfyniad yn syth yn yr ennyd honno: os mai dyna lle roedd ei mab, yna dyna lle yr âi hi i'w achub.

Aeth yr adar â hi at haid o geirw oedd yn gwybod lle roedd y llyn. Roedd y ceirw wedi cael eu gwybodaeth oddi wrth gnud o gŵn gwyllt a oedd wedi dilyn y marchog a ddygodd y baban yn y bore bach.

Ar ôl teithio am saith diwrnod yn ddi-baid, gyda chynnwrf yn ei bron, cyrhaeddodd Rigantona y llyn. Gwelodd y clogwyn uchel du a safai ymhell uwchben. Gan adael ei chaseg islaw a chlymu ei gwaywffon aur wrth ei chefn, dechreuodd ddringo'r clogwyn. Wedi sawl awr o ddringo anodd, cyrhaeddodd y brig eang, unig, gyda'r gwynt yn chwipio o'i amgylch.

Doedd dim drws i'w weld yma, dim porth hud. Teimlodd Rigantona gynddaredd yn corddi drwyddi. 'Arwbianos!' bloeddiodd i mewn i'r gwynt a'r glaw. 'Tyrd yma! Tyrd o dy guddfan i'm hwynebu i! Rydw i'n hawlio fy mab yn ôl. Tyrd â Gwegros Ben Aur ataf i, neu bydd fy nial yn siglo dau fyd!'

Atseiniodd ei llais ar draws y dyffryn, ond chafodd hi ddim ateb heblaw rhu y gwynt.

Yn wlyb ac yn flinedig, gorweddodd Epona Rigantona ar y clogwyn a mynd i gysgu.

Yna, p'run ai yn fuan neu yn hir wedyn, deffrodd Rigantona wrth i olau a sain ledaenu o'i chwmpas. Safodd ar ei thraed.

Yn troelli fel olwyn o dân o'i blaen roedd drws. Gwyddai ei fod yn ddrws gan ei bod hi'n gallu gweld *drwyddo*, a gweld tiroedd a moroedd a dinasoedd y tu hwnt. Gwyddai mai hwn oedd y porth i Annwfn. Er bod ofn yn ei llenwi, camodd yn ei blaen tuag ato – yna arhosodd pan glywodd lais.

'Paid â dod dros y trothwy, Epona Rigantona.' Llais Arwbianos oedd yno – ond ni welai Rigantona neb. Adleisiai'r llais o bob cyfeiriad, gan wneud i'r blew ar ei gwar grynu. 'Os y doi di drwy borth Annwfn, yna byddi yn melltithio dy deulu am byth bythoedd.'

'O'th herwydd di, does gen i ddim teulu,' atebodd Epona gan ysgyrnygu, 'ond mi allaf wneud yn iawn am hynny.'

'Ond mae Gwegros Maponos wedi dod ataf,' aeth llais Arwbianos yn ei flaen, 'ac mae'r cyfamod wedi ei gwblhau. Mae ei riant wedi ei anfon yma o'i wirfodd.'

'Ni wnes i ei roi i ti o'm gwirfodd!' galwodd Epona, ond hyd yn oed wrth i'r geiriau adael ei gwefusau, dechreuodd sylweddoli'r gwirionedd.

Chwarddodd Arwbianos, fel ei fod yn gallu gwybod beth oedd yn ei meddwl. 'Nid ti, ond ei dad a'i dychwelodd. Cymaint oedd ei ofn am ryfel rhwng ein bydoedd, penderfynodd roi'r baban i mi. Ond gwyddai na fyddet ti'n derbyn y fath gytundeb, felly, drwy dwyll a chynllwyn, mi wnaeth i bawb gredu i ti ladd dy fab dy hun.'

Deallai Epona Rigantona yn awr. Roedd Tigernonos wedi ei bradychu. Meddyliai y byddai ei chalon yn torri ond yn lle hynny roedd yn wenfflam y tu mewn iddi. Gan weiddi'n fyddarol, rhuthrodd ymlaen drwy'r porth ac i diroedd Annwfn.

Nid yw'r stori hon yn dweud am yr hyn a welodd hi yno, yn nheyrnas y Tylwyth Teg, ond hyn sydd yn wir: gyda dim ond ei dewrder a'i gwaywffon, ymladdodd hi finteioedd Annwfn, esgynnodd i'r tyrau uchaf ac achubodd ei mab. Er fod Gwegros wedi tyfu ers iddi ei weld o ddiwethaf, roedd hi'n ei adnabod yn syth ac yntau'n ei hadnabod hi. Drwy ddŵr a thân a thywyllwch a golau, daeth Epona Rigantona â Gwegros yn ei ôl drwy'r drws tanllyd.

Syrthiodd ar ei gliniau wrth iddi ddychwelyd, ond daliai ei baban yn dynn yn ei herbyn. Yn ei rhyddhad a'i blinder, ni sylwodd ar y person arall a oedd yn sefyll ar y clogwyn gyda hi nes iddo siarad.

'Fy anwylyd? Rwyt ti wedi darganfod ein mab!'

Edrychodd Rigantona i fyny a gweld Tigernonos yno, yn syllu arni â gwên a syndod ar ei wyneb.

'Cefais freuddwyd,' meddai Tigernonos. 'Ynddo mi welais i ti yn ymladd – dy fod ti yn Annwfn. Teimlais yn fy nghalon bod angen i mi ddod i'th helpu.'

Safodd Rigantona yn araf gan syllu ar ei gŵr. Roedd Gwegros yn cysgu yn ei breichiau.

'A ddest ti i'm helpu pan ddaeth Pen Annwfn i'n neuadd?' meddai yn chwerw. 'A wnest ti fy helpu pan drodd y bobl yn fy erbyn? A ddest ti i fy helpu pan oeddwn i'n alltud o fy ngwlad fy hun? Naddo. Fi achubodd ein mab – a fyddwn i ddim wedi gorfod gwneud hynny heblaw amdanat ti.'

Syrthiodd wyneb Tigernonos. 'Ond fy annwyl wraig,' meddai, ei lais yn dyner, 'gwnes y cyfan er mwyn diogelwch ein gwlad. *Dy* wlad *di*. Drwy ddychwelyd Gwegros i Annwfn llwyddais i sicrhau tangnefedd rhwng fy mhobloedd i a'th bobloedd di hyd ddiwedd amser.'

'Ond faint oedd y tâl am hynny?' gofynnodd Epona Rigantona.

Yn sydyn, cododd cysgod o'u cwmpas. Trodd y ddau i weld

bod siâp mawr du yn llithro allan o'r porth euraid i Annwfn. Atseiniodd llais Arwbianos o nunlle ac o bobman: 'Digon. Rydw i wedi blino ar waradwydd ar ben gwaradwydd. Fenyw, *leidr*, dyma ddangos i ti beth sydd yn digwydd i'r sawl sydd yn herio Annwfn.'

Syllodd Rigantona mewn arswyd wrth i'r siâp ffurfio ei hun yn fwystfil. Roedd Epona Rigantona wedi gweld lluoedd o angenfilod a chreaduriaid aflan yn ei chyrch drwy Annwfn, ond hwn oedd y peth gwaethaf iddi hi ei weld erioed cyn hynny nac wedyn. Roedd y bwystfil yn anferth, fel pe bai'n llenwi'r awyr. Roedd ganddo gannoedd a channoedd o bennau yn ymestyn allan o'i ysgwyddau, a phob pen â channoedd o safnau dychrynllyd â rhesi a rhesi o ddannedd ynddyn nhw. Roedd ei gorff hir blonegog yn gwingo a nadreddu fel rhyw fadfall anferthol, ond roedd rhywbeth llyffantaidd hefyd am y croen cennog, oeliog. Cerddai'r bwystfil yn hyfedr ar ddwsinau o goesau tewion; ar ben bob coes roedd crafangau fel dagrau haearn. Byrlymai'r creadur allan o agendor y porth tuag at lle safai Rigantona a Tigernonos.

Roedd symudiad y bwystfil fel corwynt. Cafodd Rigantona ei tharo i'r llawr – a rholiodd ei mab o'i dwylo a thuag ochr y clogwyn. Gwaeddodd Rigantona a straffaglu tuag ato. Yna clywodd waedd arall.

Roedd Tigernonos yn ymladd y bwystfil. P'run ai er mwyn amddiffyn Rigantona a Gwegros neu i'w achub ei hun, neu'r ddau, nid oedd modd dweud. Roedd ei gleddyf yn fflachio'n feistrolgar wrth iddo geisio hollti pennau'r bwystfil echrydus, a dawnsiai oddi wrth y dannedd dieflig wrth i'r safnau aneirif frathu'n llarpiog tuag ato. Ond hyd yn oed wrth iddo wneud hynny, gafaelodd un o grafangau andwyol y bwystfil ynddo a'i godi i'r awyr fel pe bai'n ddim mwy na deilen grin.

Sgrechiodd Tigernonos ac ymlafnio'n erbyn y grafanc mewn braw. Syrthiodd ei gleddyf o'i law a diflannu i'r tywyllwch. Agorodd un geg fawr yng nghanol bloneg cnawd y bwystfil, islaw lle'r hongiai Tigernonos yn gwingo yn yr awyr, gan ddatgelu miloedd o ddannedd a oedd fel pe baent yn glafoerio gwenwyn. Aeth y geg yn lletach, gyda thentaclau gwlyb yn ymestyn allan o'r ogof seimllyd i'w lapio eu hunain o gwmpas Tigernonos.

Yn yr eiliad honno, gwyddai Epona Rigantona y gallai hi fynd i achub ei gŵr neu achub ei mab. Heb iddi sylweddoli beth oedd ei phenderfyniad, roedd hi eisoes wedi gwibio tuag at Gwegros a'i godi'n frysiog yn ei breichiau. Roedd yntau'n crio a chrio.

Llefodd Tigernonos eto, ei floedd yn troi'n wichian ingol wrth i'r breichiau du ei dynnu i mewn i'r geg ddanheddog. Daliodd Rigantona olwg olaf ei lygaid mawr yn ymbilio arni. Daeth sŵn crensian a rhwygo. Rhuodd y bwystfil yn orfoleddus, gan wneud i'r ddaear siglo.

Hyrddiodd y glaw o'u cwmpas. Holltodd mellten yr awyr. Yn y fflach honno gwelodd Rigantona siâp gwelw uwchben y geg a oedd wedi bwyta Tigernonos. Siâp fel llygad. Teimlai fel pe bai'n sylli arni, yn ei gwawdio.

Roedd ei gwaywffon aur wedi disgyn wrth ei throed. Gan afael yn ei baban gyda'i braich chwith, plygodd yn gyflym a chydio yn yr arf yn ei llaw dde. Sythodd, ymestynnodd ei braich â'r waywffon yn ei hôl – yna fe'i hyrddiodd.

Roedd y bwystfil eisoes wedi troi tuag ati, ei gorff arswydus yn cropian yn ei chyfeiriad. Aeth y waywffon yn syth drwy'r llygad welw oedd uwchben y safn fawr, gan ddiflannu bob modfedd. Daeth sgrech enbyd o grombil y bwystfil. Siglwyd Rigantona gan y sain a theimlodd ei phen yn troi. Gwingodd y bwystfil tua'r porth tanllyd, wrth i waed llysnafeddog tywyll sbrencian o'i anaf ar graig y clogwyn. Diflannodd. Doedd dim arwydd o Tigernonos.

Safai Epona Rigantona, yn cael ei gwynt ati. Cysurodd y baban wrth ei bron.

Yna daeth ffigwr arall drwy'r porth.

'Rwyt ti wedi trechu fy ngwarcheidwad pennaf,' meddai Arwbianos, ei lais yn oer. 'Ond paid â meddwl, fenyw, bod grym Annwfn yn gallu cael ei ddifa gan ddwylo un wraig.'

Safai Arwbianos yn ffurf y dieithryn fel y gwelodd Rigantona o gyntaf, ond roedd wedi ei wisgo mewn lifrau euraidd a chlogyn disglair. Roedd ei wallt gwyn yn tasgu i lawr dros ei ysgwyddau ac roedd ei lygaid fel arian byw. Edrychai'n erchyll ac yn hyfryd ar yr un pryd.

'Ni fydd heddwch i ti bellach,' meddai Arwbianos. 'Bydd lluoedd Annwfn yn tywallt allan o'r drysau rhwng fy myd i a'th fyd di – ac mae cannoedd o ddrysau gennym – a gelli ymladd am ddiwrnod, neu am wythnos, ond ni elli gadw'r llanw ar drai am byth. Rwyt ti wedi peri tranc dy bobl.'

Ond doedd dim ofn ar Epona Rigantona. Roedd hi'n ddynes oedd wedi teithio i fyd arall ac wedi dod oddi yno gyda'i phlentyn. Doedd na brenin na duw yn mynd i beri braw iddi bellach.

'Rwyt ti'n Ben Annwfn ac yn eithriadol dy rym,' meddai Rigantona â gwên sarhaus ar ei gwefusau, 'ond rwyt ti'n glwm i dy gyfamodau. Mae unrhyw fargen wyt ti'n ei tharo yn gorfod cael ei chyflawni – gan y ddwy ochr. Ydw i'n dweud y gwirionedd?'

Ddywedodd Arwbianos ddim. Syllodd arni â'i wyneb yn llawn malais.

'Os felly,' aeth Rigantona yn ei blaen, 'er mwyn atal cyflafan fy mhobl, mi wnaf i fargen arall â thi. Mi gei di fy mab, Gwegros, i ddod atat ti yn Annwfn. Ac mi gei finnau hefyd, i'm carcharu neu fel y mynni. Ond,' meddai, gan lapio ei dwylo'n amddiffynnol o amgylch ei fab, 'hyd y byddwn ein dau fyw, gad i ni aros yn ein byd ni, fel mam a mab. Ni fydd angen i ni deithio i Annwfn hyd y daw diwedd ein bywydau ni ein dau.'

Bu distawrwydd enbyd tra safai Arwbianos yn ystyried hyn. Roedd ei wyneb yn dywyll. 'Mae cyfrwyster yn dy feddwl, fenyw,' meddai, ei lais yn isel a pheryglus, 'fel y gweddill o'th ryw. Dyna fydd yn eich dadwneud yn y pen draw, mi dybiaf.' Yna, ymgrymodd ei ben gwyn. 'Gwnawn hynny, felly,' cytunodd, gan dynnu llun arwydd hud yn yr awyr gyda'i fys i gadarnhau'r cyfamod. 'Ond dealli di mai carcharorion yn fy nheyrnas i fyddwch chi bryd hynny, pan ddaw diwedd eich hoes yn y byd tila hwn. Byddwch chi eich dau yn wystlon yn Annwfn er mwyn atal unrhyw un o'th lwyth neu'th ddisgynyddion rhag troseddu ar fy nheyrnas i eto.'

'Efallai y gelli geisio ein cadw fel gwystlon,' atebodd Rigantona, 'ond byddaf yn dysgu fy mab i fod yn gryf ac yn ddeallus ac yn ddewr, fel na fydd unrhyw gell na drws yn gallu ei gadw am byth, ac fel y bydd ei lais a'i gleddyf i'w clywed hyd ddiwedd amser.'

Cythruddodd Arwbianos, a dechreuodd ei ffurf dyfu yn dalach a thalach, a'r drws aur yn chwyddo a gwreichioni o'i gwmpas. Safai Rigantona yn ei erbyn ar y clogwyn du, y gwynt yn chwipio ei gwallt a'i dillad, ond roedd ei llygaid yn llachar a'i thraed yn gadarn.

'Bydd dial yn dod am hyn, yn y pen draw,' galwodd Arwbianos arni yn ei ddicter. 'Prydera di felly am ddyfodol dy wlad; prydera am y gosb a ddaw i ti a'th ryw; a phrydera, fenyw ffôl, am dy einioes.'

'Na,' atebodd Rigantona. 'Fel baich pob rhiant, fy mhlentyn fydd fy mhryder i.' Ac, ar hynny, llamodd hi oddi ar y clogwyn gan afael yn dynn yn ei mab. Yn yr un eiliad, bloeddiodd Arwbianos yn gandryll, y rhu yn atseinio dros y dyffryn, ac wrth iddi syrthio cafodd Rigantona gip o dendriliau du-las dieflig yn ymestyn allan tuag ati fel degau o fysedd creulon, ac yn y fan lle bu Arwbianos yn awr gwelai amlinell creadur heglog erchyll – yna plymiodd hi a Gwegros i ddŵr oer y llyn.

Yn y man daeth Rigantona yn ôl i'r wyneb gan lusgo Gwegros at y lan garegog. Roedd Gwegros yn wylo ond cofleidiodd Rigantona o nes iddo dawelu a mynd i gysgu yn ei chôl. Edrychodd Rigantona o'i chwmpas, ond doedd dim arwydd o Arwbianos na'r drws euraid. Roedd awel finiog yn tylino tonnau'r llyn, ac roedd y dyfroedd yn dywyll.

Aeth Rigantona â'i mab adref.

Wrth gwrs, daeth hi'n frenhines eto. Maddeuodd hi i'r rhai yn ei llwyth a oedd wedi tystio yn ei herbyn, ond cadwodd olwg wyliadwrus arnynt. Roedd hi'n arweinydd da ac yn fam ddoeth, ond ni phriododd eto.

Buodd hi a'i mab fyw am flynyddoedd hir a dedwydd, ond yn y diwedd daeth eu hamser yn eu gwlad nhw i ben. Aethant yn eu tro i Annwfn, yn ôl y cytundeb a wnaethpwyd, lle roedd celloedd yn disgwyl ar eu cyfer. Ond, wrth gwrs, cadwodd Epona Rigantona at bob gair a dyngodd hi wrth Arwbianos Ben Annwfn, ac yn wir roedd cleddyf ei mab yn wenfflam yn yr Arallfyd – a'i ddial yn diasbedain am oes oesoedd.

'A does bron neb yn cofio'r stori bellach – ddim yn y ffurf yma, beth bynnag. Mae'r bobl yma – pobl oedd yn byw go iawn, cofia, ers talwm-stalwm – yn cael eu cofio dan enwau eraill erbyn heddiw, ond 'dan ni yn cofio'r gwir enwau. Ac mi wyt ti, fy mhlentyn i, yn dod o linach Epona Rigantona, hi y mae'r Cymry erbyn heddiw yn ei galw'n Rhiannon, a dy gyn-daid di oedd Gwegros Ben Aur, sy'n cael ei alw rŵan gan rai yn Gwri neu Gweir neu Pryderi Mawr. Ond mae'n rhaid i ni gadw'r gwirionedd yma yn gyfrinach. Dim ond ein teulu ni fedr wybod, neu mi fydd pobl yn trio ffeindio'r drws i Annwfn, yn trio cael hyd i Arwbianos neu Arawn Ben Annwfn a'r pethau hynod oedd y tu hwnt i'r drws euraid yna. Tasai hynny yn digwydd eto, be fuasai Arwbianos yn ei wneud i ddial arnon ni – disgynyddion rhywun oedd yn ddyn ac ar yr un pryd yn un o'r Tylwyth Teg? Felly, cariad, cadwa'r stori yma yn ddwfn yn dy galon di ac yn dy gof di – ond ddim ar dy dafod di, tan y bydd hi'n amser i ti ei hadrodd hi i dy blant di. Mae yna rai straeon dydy'r byd ddim yn barod amdanyn nhw eto.'

Datganiad am Farwolaeth y Parchedig Dafydd Isherwood

Bu farw'r Parchedig Dafydd Isherwood yn hen gapel Nasareth, gyda'i Feibl wedi ei losgi'n lludw yn y Sêt Fawr a'i galon wedi ei rhwygo allan o'i frest.

Cyrhaeddais yno am ddau-ddeg-dau munud wedi deg y bore, yn un o'r cyntaf i gyrraedd ar ôl i Ms E. Huws, y cymydog agosaf, alw'r heddlu. Roedd dau heddwas yno eisoes, ond nid oedden nhw'n gallu mynd i mewn i'r capel, ac felly mi ddisgwylion nhw amdanaf i a'm cydweithwyr eraill o'r adran CSI. Meddai Ms Huws wrthyf ei bod hi heb glywed gan yr ymadawedig ers dau ddiwrnod, gan ychwanegu mai ei arfer oedd i alw arni yn gyson. Yn ychwanegol, fel y dywed adroddiad y cyfweliad swyddogol gyda Ms Huws, dywedodd ei bod wedi gweld goleuadau yn y capel y noson gynt a synau 'anarferol' yn dod ohono, er nad oedd y capel wedi cael ei ddefnyddio ers blynyddoedd. Hyd y gŵyr Ms Huws, dim ond y hi a'r ymadawedig oedd yn berchen allwedd i'r adeilad.

Bu'n rhaid torri ffenest ar ochr y capel er mwyn cael mynediad i'r capel. Er bod gennyn ni allwedd, gwelsom ar ôl dringo i mewn bod dodrefn trymion wedi cael eu gwthio yn erbyn y drws ffrynt a'r drws cefn (hwnnw a arweiniai i'r hen festri). Ar ôl cymryd lluniau a chofnodion manwl o'r rhwystr, mi symudais i, dau o aelodau fy nhîm ac un o'r heddweision y byrddau, cadeiriau a hen gwpwrdd oedd wedi eu pentyrru yn erbyn y drws ffrynt. Gadawodd hyn ryddid i'r gweithwyr CSI allu cymryd cofnodion manwl o sefyllfa'r drosedd.

Mae amgylchiadau marwolaeth Dafydd Isherwood wedi achosi cryn drafodaeth ar y cyfryngau eisoes, er gwaethaf ymdrechion yr heddlu i gadw'r wybodaeth yn gyfrinachol. Fy nyletswydd i fel gwyddonydd fforensig felly yw edrych heibio i'r ofergoelion a darparu ffeithiau noeth yn ogystal â'm barn broffesiynol.

Canfuwyd corff yr ymadawedig yn y Sêt Fawr, oedd gyferbyn â'r drws ffrynt. Fo oedd yr unig berson yn yr adeilad, ac ni chafwyd hyd i unrhyw olion marw dynol eraill yno yn dilyn dadansoddiadau uwch-fioled, DNA, ayb. Roedd y corff wedi ei blygu, yn ei gwman bron, ar y llawr wrth droed y pulpud. Roedd dwylo'r ymadawedig yn dal yn gafael yn dynn ar brennau'r grisiau bach sydd yn arwain i fyny i'r pulpud. Roedd wyneb Isherwood yn ei farwolaeth wedi rhewi mewn rictws gyda'i lygaid ar gau'n dynn ond â'i geg ar agor led y pen. Roedd y rhan fwyaf o'r gwaed wedi gadael y corff gan wneud y croen yn welw iawn.

Roedd trawma eithriadol i geudod brest yr ymadawedig, gyda thwll tua 11cm mewn diamedr yn ei gnawd uwchben y *pectoralis major* a'r *pectoralis minor* ar yr ochr chwith. Cadarnhawyd yn dilyn archwiliad bod calon yr ymadawedig ar goll. Roedd y croen o amgylch y trawma a'r rhydwelïau cyfagos wedi eu serio, fel tasai gwres eithafol wedi eu cyffwrdd. Roedd cyfran o asgwrn y sternwm a saith o'i asennau wedi cracio, a chafodd ffragmentau mân o esgyrn eu darganfod ym man yr anaf. Tu hwnt i hynny, doedd dim trawma amlwg arall i'r corff.

Roedd pentwr o ludw, oedd yn amlwg yn weddillion llyfr wedi ei losgi, ar lawr y Sêt Fawr tua 90cm o'r lle y gorweddai'r corff pan y cafwyd hyd iddo. Mae cyflwr y llyfr yn wael iawn. Ar yr olwg gyntaf, yr unig beth y gellid ei gasglu oedd ei fod yn llyfr clawr caled a'r clawr hwnnw yn goch. Yn dilyn dadansoddiad fforensig gan ddefnyddio technegau fel delweddu is-goch ac amlspectrograffig, roedd modd i mi adfer rhan o un dudalen o'r llyfr a gafodd ei losgi; roedd gweddill y llyfr mewn cyflwr rhy ddrwg i'w ddadansoddi. Nid yw iaith y testun yn hysbys. Yn sicr mae chwiliad ieithyddol fforensig yn dangos nad ydynt yn cyfateb i unrhyw ran o unrhyw gyfieithiad o'r Beibl yr ydys yn gwybod amdano.

Mae dadansoddiad pigment o'r testun yn cadarnhau nad print oedd ar y dudalen, ond llawysgrifen. Darganfuwyd olion pigment fermilion (sef coch a wnaed o fercwri a sylffwr) ac wltramarin (sef glas a wnaed o lapis laswli), gyda gwahanol eiriau mewn coch neu las. Fel yr ardystiodd yr arbenigydd celf o Rydychen, bu'r pigmentau hyn mewn defnydd yn y canol oesoedd yn Ynysoedd Prydain – er bod lapis laswli, er enghraifft, yn hynod o werthfawr a phrin yn y cyfnod hwnnw – ond ni fu defnydd mawr arnyn nhw yn ddiweddar.

Croen anifail yw papur y llyfr, h.y. memrwn yn y dull cyntefig. Nid oes olion DNA yn goroesi sy'n caniatáu ffordd o adnabod oedran y memrwn na chroen pa anifail ydyw. Barn broffesiynol ein labordy yw y gellid bod yn weddol sicr mai croen gafr (felwm) oedd tudalennau'r llyfr.

Ni chafwyd hyd i dystiolaeth o'r dull y cafodd y tân ei gynnau. Nid oedd matsis na chyfarpar tanio ar gorff Isherwood, er enghraifft, nac yn unrhyw le arall yn yr ystafell. Roedd olion y tân wedi eu cadw at gylch tua 60cm mewn diamedr, a'r carped wedi llosgi o dan weddillion y llyfr.

Fel a nodwyd, roedd dodrefn wedi cael eu gwthio yn erbyn y drysau, a'r drysau eu hunain ar glo. Mae olion ffibrau a ffragmentau pren ar ddwylo ac o dan ewinedd yr ymadawedig yn cadarnhau ei fod wedi cyffwrdd y dodrefn a gafodd eu pentyrru yn erbyn y ddau ddrws, ac mae olion cleisiau a briwiau bychain ar gledrau ei ddwylo yn awgrymu'n gryf mai Dafydd Isherwood a symudodd y dodrefn i'w lleoliad yn erbyn y drysau.

Mae'r uchod yn ffeithiol. Casgliad tebygol iawn yw bod Dafydd Isherwood wedi cloi ei hun yn yr hen gapel, wedi gosod rhwystrau fel nad oedd modd i neb ddod i mewn, ac wedyn bu farw rywbryd yn ystod y nos cyn i'w gorff gael ei ddarganfod. Achos ei farwolaeth, heb os, oedd y trawma difrifol i'w gorff a diffyg ocsigen i'r ymennydd yn dilyn echdyniad y galon, ynghyd â cholli gwaed sylweddol.

Tu hwnt i hyn, mae nifer o gwestiynau dyrys yn codi, sydd yn fy marn i yn anesboniadwy:

Un: *Ble mae'r galon?* Rhwygwyd calon Dafydd Isherwood o'i gorff drwy ryw fodd, ond ni chafwyd hyd i unrhyw olion ohoni nac o organau dynol eraill yn yr adeilad, gan gynnwys ymysg gweddillion y llyfr a losgwyd. Nid oes modd dweud a yw'r galon wedi cael ei gwaredu gan y sawl sy'n gyfrifol, neu os yw hi wedi cael ei chadw yn rhywle.

Dau: *Ble mae'r gwaed?* Collodd Dafydd Isherwood tua phum peint o waed, o ystyried faint oedd yn dal ar ôl yn ei system pan gafwyd hyd i'w gorff, ond nid oedd gwaed o dan y corff, nac unrhyw sbrencian gwaed o'i gwmpas. Byddai disgwyl i'r Sêt Fawr fod yn orlawn o waed, ond ni chafwyd hyd i un diferyn.

Tri: *Pam rhoi rhwystrau yn erbyn y drysau?* Yr ateb amlwg yw nad oedd Isherwood eisiau i unrhyw un darfu ar ei weithgaredd, beth bynnag oedd y gweithgaredd. Ateb llai amlwg yw bod Isherwood eisiau atal unrhyw un rhag gadael yr ystafell – ond nid oes arwydd bod unrhyw un arall wedi bod yn y capel gydag o y noson honno.

Pedwar: *Pwy laddodd Dafydd Isherwood?* Ni welwyd neb yng nghyffiniau'r hen gapel y noson honno. Yn ôl cyfweliadau gydag aelodau ei braidd a'i gyfeillion – er nad oedd cyfeillion agos ganddo, yn ôl yr adroddiadau – nid oedd ganddo elynion ac roedd yn berson uchel ei barch yn lleol. Roedd yn ddi-briod a heb blant. Does dim motif wedi cael ei gynnig gan yr heddlu. Doedd gan neb, felly, reswm amlwg i achosi ei farwolaeth drwy fwriad; ar y llaw arall, nid yw'r dystiolaeth yn cyd-fynd â dehongliad o hunanladdiad.

Pump: *Beth yw'r llyfr?* Yn ei chyfweliad cyntaf meddai Ms E. Huws fod yr ymadawedig yn 'cario Beibl bach coch efo fo drwy'r amser'. Cadarnhaodd, ar ôl iddi weld lluniau, fod olion llosgedig y llyfr yn y Sêt Fawr yn cyfateb i edrychiad y Beibl hwnnw. Meddai hefyd nad oedd hi wedi cael darllen y Beibl erioed, bod gan y Parchedig Dafydd Isherwood yr arfer o ddarllen yn fud ohono ar ddechrau pob gwasanaeth ('fel myfyriad'), a bod Isherwood wedi dweud wrthi un tro ei fod wedi derbyn y Beibl yn anrheg gan hen fodryb pan oedd yn fachgen ifanc, a'i fod yn ei drysori. Meddai Ms Huws ymhellach fod Isherwood weithiau yn cyfeirio at y Beibl hwnnw fel 'llyfr gramadeg bach Duw' – rhyw fath o jôc, tybiai hithau, nad oedd hi'n ei ddeall. Hyd y gwyddai Ms Huws, nid oedd yr ymadawedig fyth heb y llyfr hwn yn ei boced. Ond fel y dangosodd y dadansoddiadau fforensig, nid Beibl – neu nid Beibl yn unig – oedd gweddillion y llyfr a losgwyd. Mae archwiliadau llafurus wedi dod i'r casgliad nad oes unrhyw lyfr ar gofnod sydd yn cyfateb i'r llyfr hwn mewn unrhyw lyfrgell yn y byd, nac mewn unrhyw restrau hysbys o hen lyfrau neu lyfrau coll. Nid oes felly gopi arall ar gael i'w gymharu ag o, os y bu copi arall erioed.

Chwech: *Beth yw ystyr ac arwyddocâd y geiriau canlynol? gueychuos. sechkti. dechimo.* Rhain yw'r unig eiriau oedd yn bosib eu hadnabod o ddudalennau'r llyfr. Maen nhw mewn llawysgrifen gyntefig ac yn ymddangos i fod yn cyfleu dulliau sillafu Hen Gymraeg, ond nid ydynt yn eiriau Cymraeg yn ôl ein hymgynghorwyr o adrannau astudiaethau Celtaidd y tair prifysgol a holwyd. Mae'r ddau air cyntaf mewn glas a'r gair olaf mewn coch; maen nhw'n gyfagos i'w gilydd ar y tudalennau ond nid yw'n eglur a fu mwy o eiriau neu a ydynt yn rhan o frawddeg hwy. O ystyried y dystiolaeth uchod, gellid dadlau eu bod ag arwyddocâd mawr i'r Parchedig Dafydd Isherwood, ond nad oedd wedi rhannu unrhyw wybodaeth oedd ganddo am gynnwys y llyfr gydag unrhyw un. Yn ei hail gyfweliad, dangoswyd y geiriau hyn i Ms E. Huws, ond ni ddangosodd hi ymwybyddiaeth na dealltwriaeth ohonynt ac mae'n ymddangos iddynt beri aflonyddwch dirfawr iddi ar ôl iddi eu darllen.

Yn dilyn fy narganfyddiad o'r tri gair uchod ar weddillion y llyfr a losgwyd, wedi hir chwilio cefais ateb gan ysgolhaig o'r Almaen sydd yn arbenigo mewn ieithoedd cyn-hanesyddol. Meddai bod modd dehongli'r geiriau hyn fel sillafiadau hynafol Cymraeg – efallai o'r wythfed neu'r nawfed ganrif – o ffurfiau geiriol sydd wedi cael eu hail-greu ar gyfer Proto-Indo-Ewropeg (neu PIE), sef iaith ddamcaniaethol y mae ieithyddion yn credu oedd yn bodoli yn Ewrop ac Asia tua chwe mil o flynyddoedd yn ôl. PIE, yn y ddamcaniaeth hon, yw'r iaith gysefin y deillia'r rhan fwyaf o ieithoedd y rhannau hynny o'r byd ohoni yn y milenia wedyn, gan gynnwys y Gymraeg.

Dyma'r ysgolhaig hwn yn pwysleisio na ddylid talu gormod o sylw difrifol i'w awgrym mai geiriau PIE yw'r rhain: meddai nad oes cofnod fod unrhyw eiriau o'r fath iaith wedi cael eu darganfod o'r blaen, a bod yr iaith Indo-Ewropeg i bob pwrpas yn cyn-ddyddio ysgrifen. Roedd yr ysgolhaig eisiau i mi wneud yn glir (ac i beidio â datgelu ei enw wrth ei ddyfynnu) mai 'dim ond sylw bach diddorol' ganddo oedd ei bod hi'n bosib dehongli'r tri gair hyn fel geiriau PIE, ac mai ym mhob tebygrwydd rhyw 'eiriau gwneud' oedden nhw, neu mewn côd nad oes seiffr iddo.

Serch hynny, dyma'r dehongliadau a roddodd yr ieithydd ar gyfer y geiriau: *gueychuos* (PIE *gwih-wós) 'yn fyw'; *sechkti* (PIE *s(e)hk-ti) 'peth wedi ei gysegru, cyfamod, defod'; *dechimo* (PIE *dehi-mō) 'peth sydd yn torri, gwahanu'. Nodai'r ysgolhaig bod cysylltiad tarddiadol rhwng y gair *dechimo* â geiriau mewn dwy iaith a ddatblygodd o'r Indo-Ewropeg: *time* yn yr iaith Saesneg a $\delta\alpha\iota\mu\omega\nu$ (*daimōn*) mewn Groeg Gyntefig. Un o ystyron y gair *daimōn* yw 'diafol'.

Mae'r dystiolaeth, yn anffodus, yn creu llun anghyflawn o farwolaeth y Parchedig Dafydd Isherwood, ac ar hyn o bryd byddwn yn rhoi fy nghasgliad proffesiynol bod ei farwolaeth yn anesboniadwy. Ystyriwn eiriau Ms E. Huws yn ystod ei hail gyfweliad: 'Yn dydach chi'n meddwl eich bod chi'n *nabod* person?' Dyma'r ddamcaniaeth orau y gallaf ei chynnig yn seiliedig ar y dystiolaeth ffeithiol: bod Dafydd Isherwood wedi cael gafael ar hen lyfr mewn rhyw ffordd, llyfr a oedd efallai yn cynnwys geiriau cyfrin wedi eu pasio i lawr y cenedlaethau ers cyn cof, a bod y llyfr hwn mewn rhyw ffordd wedi arwain ato yn marw – a bod ei eiliadau olaf, o ystyried y ffordd y cafwyd hyd i'w gorff, yn rhai llawn poen ac arswyd. Ond mae unrhyw gasgliadau fel hynny yn ddyletswydd i Gwest y Goron.

Hoffwn ychwanegu wrth gloi fy niolch i Wasanaeth Erlyn y Goron ac i'r heddlu am eu cefnogaeth drwy gydol fy ngyrfa. Hwn fydd fy adroddiad olaf yn fy swydd, gan bod y profiadau diweddar wedi cael effaith sylweddol arnaf, hyd nes y teimlaf na allaf gyflawni dibenion fy swydd i'w llawn haeddiant (gweler y nodyn meddygol sydd wedi ei atodi). Bydd fy nodiadau a'r cofnodion ar achos marwolaeth y Parchedig Dafydd Isherwood ar gael i fy olynydd eu gweld, pe bai angen. Fy argymhelliad i, fodd bynnag, fyddai i'r achos hwn gael ei gau yn dawel ac i'r adroddiad hwn aros yn gyfrinachol. Nid ydw i eisiau i bobl eraill orfod clywed artaith yr un geiriau echrydus yn ymyrryd ar eu cwsg bob nos: *gueychuos, sechkti, dechimo...*

Cysgod y Grafanc

Tri pheth rydw i'n eu tystio i fod yn wir. Yn gyntaf, roedd Mr Iestyn Prosser yn holliach hyd at ennyd ei farwolaeth, hyd y gwn i, ac nid oedd unrhyw beth y gallwn i fod wedi ei wneud i'w achub. Yn ail, rydw i yn fy iawn bwyll ac yn taeru bod yr hyn dwi'n ei adrodd isod yn wir, waeth beth mae'r doctoriaid yn ei ddweud. Ac yn drydydd, nid lladron nac anifail gwyllt a gipiodd yr ebolion o'u stabl yn ystod y nos, ond rhywbeth sydd y tu hwnt i'ch dirnadaeth chi. Mae'n hollbwysig i chi sylweddoli fy mod i a Mr Prosser wedi gweld y *grafanc* – a bod dim byd wedi bod yr un fath ers hynny.

Fy enw i ydy Alexandra Mair Thomas. Fel myfyrwraig sy'n astudio gwyddorau lles anifeiliaid yn y brifysgol yn Wrecsam, roedd mynd i weithio'n rhan-amser ar fferm geffylau Mr Prosser, a chael llety yno am ddim, yn gyfle rhy dda i'w golli. Mae'r fferm – y 'ransh' ydy beth rydyn ni yn ei galw – ychydig o filltiroedd tu allan i'r dref, mewn cwm gwledig gwyrdd sydd yn wahanol fyd i ddiwydiant a threfedigaethau'r gororau. Roedd tri ohonon ni yn gweithio ar y fferm: fi a dau fachgen, Hefin a Ryan. Mae Ryan yn fyfyriwr yn y brifysgol hefyd, ac yn dod o Loegr; mae Hefin yn lleol ac wedi gweithio ar sawl fferm arall.

Fi oedd yr ieuengaf, a'r unig ferch oedd yn byw a gweithio yno. Fy ngwaith i oedd cadw golwg ar y cae isaf, hwnnw oedd ar ben pellaf y ransh ac yn ymylu ar yr hen goedwig fawr. Felly, pan aeth yr ebol cyntaf ar goll, fi gafodd y bai.

Rydw i'n hollol sicr nad oedd bwlch yn y ffensys trydan y noson honno a bod drws y stabl ar glo. Mi wnes i eu harchwilio nhw deirgwaith cyn mynd i'r gwely, fel roeddwn i'n ei wneud bob nos. Ond y bore wedyn, roedd drws y stabl wedi ei falu ac yn hongian oddi ar ei echelau – ac roedd ebol newydd y gaseg Wini wedi diflannu. Dim ond tri diwrnod oed oedd o. Roedd diferion o waed tywyll ar y gwellt wrth y drws, a doedd dim golwg o'r ebol bach.

Doedd Prosser ddim yn hapus. Waeddodd o ddim arnaf i, ond roedd ei wyneb yn dweud y cyfan. Dim ond ers rhyw chwe mis oedd o wedi sefydlu'r ransh. Roedd o wedi symud o'r De a phrynu'r ffermdy yr haf blaenorol. Yn y broses roedd o wedi mynd ati i ymestyn tir y fferm, drwy drefnu gyda'r Cyngor i ffensio'r tir glas ar gwr y goedwig er mwyn iddo gael lle i'w geffylau gael rhedeg. Roedd rhyw fath o gytundeb y byddai Mr Prosser yn edrych ar ôl y goedwig ar ran y Cyngor, ond, cyn belled ag y gwn i, wnaeth o erioed ddim byd o'r fath.

Meddai Prosser wrthyf i: 'Ti wedi 'ngadel i i lawr,' fel petawn i wedi dwyn yr ebol fy hun. Edrychodd Hefin yn ddrwgdybus arnaf i pan daerais i fy mod i wedi gwneud cymaint ag y gallwn i er mwyn gwneud y stabl yn ddiogel. Dywedodd Ryan wrthyf i ryw noson ei fod o yn fy nghoelio i, ond ddywedodd o mo hynny o flaen y lleill.

Ar y pryd doedd gen i ddim syniad beth oedd wedi digwydd i'r ebol. Lladron, mae'n siŵr, er ei bod hi'n od mai dim ond un anifail gymeron nhw.

Mi drwsiodd Ryan a Hefin ddrws y stabl yr un diwrnod a rhoi clo ychwanegol arno. Mi wnaethon nhw beintio dros y marciau difrod oedd ar waelod y drws – marciau fel brathiadau, meddyliais i, gan rynnu.

Roedd pum caseg yn y stabl. Heblaw am Wini, roedd Casi, Stela, Mari ac Arian. Arian oedd hoff geffyl Prosser – mae hi'n geffyl gwinau urddasol, prydferth – ond roedd Prosser yn ymwybodol o werth ariannol pob un o'r cesig. Roedden nhw i gyd wedi cael eu stydio gan stalwyn o Northampton cyn iddyn nhw gael eu symud i'r ransh. Roedd yr ebolion yn mynd i ddod ag elw da, atgoffodd Prosser ni un noswaith dros botel o win. 'Allwn ni ddim gadael i unrhyw beth arall ddigwydd iddyn nhw,' meddai, gan edrych ar y tri ohonon ni. Teimlais iddo edrych arnaf i am eiliad yn hwy nag ar y ddau fachgen.

Aeth pythefnos heibio cyn i'r ail ebol ddiflannu. Roedd y drws wedi cael ei agor gyda chryn nerth eto. Roedd dafnau gwaed ar y rhiniog. Pan ges i hyd i Casi, mam yr ebol, roedd hi'n aflonydd a galarus iawn. Roedd ei llygaid hi'n llydan a gwyn, ac roedd ewyn drosti. Mi geisiais ei distewi gymaint ag y gallwn, ond roeddwn i'n ddagreuol ac roedd fy meddyliau ar chwâl. Roedd y cesig eraill i gyd yn llonydd, yn rhythu arnon ni yn fud ac ofnus.

Nid fi oedd wedi bod yn gyfrifol am y cae isaf y noson gynt. Nid fi oedd y person olaf i ddweud nos da wrth Wini a'r pedwar ebol chwaith. Hefin oedd wedi gwneud hynny, rydw i'n meddwl. Ond roedd fel petai Prosser wedi penderfynu, erbyn hyn, bod angen beio *rhywun* am y digwyddiadau anesboniadwy. Ddwedodd o ddim byd yn uniongyrchol, ond mi ges i'r tasgau gwaith annifyr i'w gwneud am sawl diwrnod wedyn, ac roedd Prosser yn gwneud i mi godi yn gynharach na'r lleill, yn gofyn i mi wirio popeth bedair neu bump o weithiau. Arnaf i oedd y bai, rywsut.

Mi geisiais i esbonio iddo y gallai o ymddiried ynof i, nad oedd gen i ddim byd, wrth reswm, i wneud â'r ebolion coll. Dwedodd Prosser yn y diwedd, gan ochneidio, 'Wel, mae'n rhaid mai rhyw gi gwyllt yw e. Neu ladron lleol. Gwell bod yn ofalus.' Edrychodd arnaf i yn llawn ystyr wrth ddweud y gair olaf.

Ar ryw bwynt mi awgrymais i ffonio'r heddlu neu'r RSPCA er mwyn dweud beth ddigwyddodd, ond roedd Prosser yn gyndyn iawn i wneud hynny. Dwedodd wrth y tri ohonon ni, sawl tro, mai 'mater i ni ei ddatrys' oedd hwn ac 'nad oedd angen dod â neb arall i mewn i fela'. Doeddwn i ddim yn deall, ond wedyn nid fy fferm i oedd hi.

Roedd hi'n oer yn y ransh yr haf hwnnw. Teimlwn lygaid y tri dyn ar fy nghefn i drwy'r amser. Roedd hi'n mynd yn anoddach i mi fod ar fy mhen fy hun pan oeddwn i allan yn gweithio: roedd Prosser yn aml yn gosod Ryan neu Hefin i weithio gyda mi, neu os cawn i job i wneud ar fy mhen fy hun, mi allwn i weld Prosser yn y pellter yn taflu golwg galed arnaf i bob hyn a hyn.

Bryd hynny roedd tri ebol ar ôl: ebolion Stela, Mari ac Arian. Gosododd Prosser gamera fideo digidol yn y stabl i allu gweld beth oedd yn mynd ymlaen gyda'r nos. Deuai'r golau gwyn o ffenest ei swyddfa bob nos a oedd yn dangos ei fod yn gwylio sgrin ei gyfrifiadur.

Un bore mi gnociodd Prosser fy nrws tra'r oeddwn i'n gwisgo a mynnu fy mod i'n dod i lawr grisiau yn syth. Roedd yn swnio'n gandryll. Pan ddois i i'r gegin fawr, roedd Hefin a Ryan yn sefyll yno – y ddau yn welw a wyneb Prosser yn goch.

Gan regi a damio, meddai Prosser fod ebol arall wedi mynd yn ystod y nos. Roedd rhyw fis wedi mynd heibio ers i ebol Casi gael ei gymryd, ac nawr roedd ebol Stela wedi diflannu. Gofynnodd Ryan a oedd y fideo wedi recordio unrhyw beth. Ail-lenwodd Prosser ei wydryn a dweud, gan chwerthin yn sych: 'Ro'n i'n gwylio ar y pryd – ro'dd y cesig a'r ebolion yn cysgu'n braf. Yna dath cysgod du dros y sgrin. Dim ond am hanner munud. Tywyllwch hollol. Erbyn i'r llun ymddangos 'to, o'dd yr ebol wedi mynd a'r cesig wedi panico'n llwyr.'

Teimlais yn oer wrth iddo esbonio hyn. Ai lladron fyddai'n gwneud hyn? Roedd cyfrwyster yma oedd yn mynd y tu hwnt i ryw anifail gwyllt. Pwy neu beth fyddai'n gallu – neu eisiau – torri i mewn i stabl i anafu a dwyn ebolion? Yng nghefn fy meddwl, yn y rhannau duaf o fy ymennydd lle mae fy mhryderon dwysaf yn cael eu cloi, roedd delwedd o rywbeth dienw, tywyll, arswydus yn tyfu, gan dynnu'n araf ar gareiau fy mhwyll.

Aethon ni i weld y stabl yn syth bin, wrth gwrs. Roedd y drws wedi ei dynnu'n gyfan gwbwl allan o'i ffrâm ac wedi ei daflu o'r neilltu. Roedd crafiadau hir a dwfn i lawr ochr y pren. Roedd pwll o waed yn y gwellt yng nghôr Stela, ond doedd dim golwg o'i hebol.

Roedd y bum caseg yn anniddig ac yn gweryru yn ddi-baid. Cymrodd rhyw ddwy awr i ni eu distewi. Roedd Stela fel pe bai wedi torri ei chalon, ac roedd hi mor wyllt nes roedd rhaid i Prosser ddefnyddio tawelydd i'w hanfon hi i gysgu.

Ar ôl i ni glirio'r llanast, cytunodd Prosser – ar fy nghais i a Ryan – i alw am y milfeddyg, ond ddim ond i edrych ar

Stela. Pan ddaeth y milfeddyg draw, dim ond Prosser wnaeth ei gyfarfod o. Roedd ei ymweliad yn un byr ac roedd yn rhaid i Hefin, Ryan a finnau aros yn ein stafelloedd tan iddo adael, tua hanner awr ar ôl cyrraedd.

Roedd hwnnw yn ddiwrnod prifysgol, felly roeddwn i a Ryan i ffwrdd o'r ransh drwy'r dydd. Wrth i mi aros am y bws yn ôl ddiwedd y prynhawn hwnnw, teimlais lais bach yn dweud wrthyf i am beidio â dychwelyd i'r fferm. Ymwthiodd delwedd sydyn o waed a thywyllwch i fy meddwl. Crynais a theimlais braidd yn sâl. Doedd dim hapusrwydd i mi yn y ransh bellach; gallwn i gael hyd i rywle arall i fyw, siawns. Ond yna meddyliais am y cesig, am Mari ac Arian a'u dau ebol bach. Roedd rhaid i *rywun* eu gwarchod nhw – yn doedd?

Camais ar y bws.

Wrth i mi ddod i mewn i'r tŷ, brasgamodd Prosser yn sydyn i sefyll yn fy ffordd. Roedd ei anadl yn sur.

'Wi am i ti warchod y stabl heno, Alex,' meddai, ei lygaid yn gul a melyn. 'Mae rhywun yn 'ware castie arna i. Wi ddim yn trysto'r fideo 'na. Rhaid i ti gysgu 'da'r cesig a gwylio mas fel bod dim yn digwydd i'r ebolion.'

Oedais yn gegrwth. 'Pam fi?' gofynnais.

Sniffiodd Prosser a rhedeg cefn ei lawes dros ei geg. 'Ti'n ifanc,' meddai ar ôl ennyd. 'Mae llyged da 'da ti.'

Roeddwn i ar fin dweud bod gan Ryan neu Hefin lygaid yr un mor dda â fi, ond o weld yr olwg ar wyneb Prosser, ildiais. Nodiais. 'Be os does dim byd yn digwydd heno?'

Trodd Prosser ar ei sawdl a mynd tuag at ei swyddfa. 'Yna byddi di wedi llwyddo,' meddai yn llesg, 'tan nos yfory, o leiaf. Wi isie i ti fod yno *bob nos* nes byddwn ni'n datrys hyn. Mae well i ti fod yn barod am y *long haul*.'

Agorais fy ngheg i ddadlau – doeddwn i ddim eisiau cysgu

mewn stabl lugoer bob nos! – ond roedd drws y swyddfa eisoes wedi cau gyda chlep.

Gan dderbyn fy ffawd, gosodais wely campio a sach gysgu yn y stabl. Roedd rhywfaint o wres yn yr adeilad er mwyn cadw'r ceffylau'n gynnes, ond roeddwn i'n crynu yr un fath. Doeddwn i ddim yn sicr a oedd Prosser eisiau i mi aros yn effro drwy'r nos – roeddwn i eisoes wedi ymlâdd ar ôl diwrnod yn llawn o ddarlithoedd, ac roedd diwrnod arall o waith fferm yn disgwyl amdanaf i yfory. Ond penderfynais aros yn effro tan hanner nos o leiaf. Roedd gen i fflasg o goffi i fy helpu i gadw ar ddi-hun.

Roedd y cesig yn ffrwtian a ffysian yn eu corau, ond yn paratoi am gwsg. Roedd ebolion Arian a Mari yn prysur dyfu ac yn barod yn cyrraedd at fy ysgwydd, ond roedden nhw'n anwesu eu mamau fel y buasai ebol wythnos oed yn ei wneud.

Rhoddais ddigonedd o fwyd iddyn nhw ac o-bach a geiriau caredig i bob caseg a phob ebol. Yna caeais ddrysau pob côr a mynd i orwedd yn fy sach gysgu. Roeddwn i'n gallu gweld y drws o le'r oeddwn i'n gorwedd, a gweld y corau hefyd, pump ohonyn nhw mewn rhes i lawr un ochr i'r stabl hir. Aeth y nos yn ddu y tu allan gan adael dim ond golau gwan y bwlb trydan unig yn y nenfwd.

Mae'n rhaid fy mod i wedi syrthio i gysgu, er gwaethaf y coffi. Deffrois yn sydyn, fel pe bai rhyw reddf gyntefig yn fy rhybuddio. *Perygl.* Symudais i ddim. Caeais ac agorais fy llygaid nifer o weithiau wrth iddyn nhw arfer â golau isel y stabl.

Roedd y ceffylau yn cysgu. Roedd y bum caseg yn sefyll,

ond y ddau ebol yn gorwedd wrth eu traed. Doedd dim siw na miw yn y stabl. Roedd y nos y tu allan yn llonydd. Roedd y distawrwydd yn diasbedain.

Ond roedd y blew ar gefn fy ngwar yn sefyll. Doedd gen i ddim amheuaeth. Roedd rhywun y tu allan i'r stabl. Allwn i ddim clywed dim byd, ond roeddwn i'n gallu ei deimlo. Hoeliais fy llygaid ar y drws. Roedd golau gwan, gwan y lleuad yn sbecian drwy'r crac yng ngwaelod y drws rhwng yr haearn a'r concrid. Yna gwelais rywbeth yn symud i rwystro'r golau. Cysgod.

Llithrodd rhywbeth i mewn o dan y drws. Rhywbeth fel bysedd o dywyllwch – pedwar stribed o ddüwch llwyr – a oedd yn ymestyn yn araf i mewn i'r stabl drwy'r gilfach. Yn raddol, cododd y pedwar bys i fyny cefn y drws, fel llaw fawr yn cau amdano. Roedd y bysedd yn ddwy, dair troedfedd o hyd. Clywais bren y drws yn gwegian a gwichian.

Yn sydyn, rhwygwyd y drws ar agor, gan chwalu'r cloeon newydd mewn storm o fetel a sŵn. Deffrodd y ceffylau yn syth mewn dryswch gan weryru a mewian. Drwy'r drws agored gwelais gysgod mawr o *rywbeth* yn dod tuag ataf, gydag un grafanc fawr yn ymestyn allan amdanaf i. Sgrechiais.

Mewn dychryn, disgynnais oddi ar fy ngwely, yn dal yn sownd yn fy sach gysgu. Caeodd y grafanc ddu o gwmpas y gwagle lle'r oeddwn i hanner eiliad ynghynt. Clywais aroglau myglyd fel sylffwr yn fy amgylchynu. Rhwygais allan o'r sach gysgu a chropian yn gyflym ar hyd y llawr oer tuag at lle'r oedd Arian a Mari a'u hebolion. O gil fy llygad gallwn weld y grafanc ddu a'r siâp amhosib oedd yn sownd iddi – siâp a oedd yn llenwi'r stabl – yn symud ac yn ymestyn. Diffoddodd y bwlb yn sydyn gyda chlec ac aeth yr adeilad yn hollol dywyll.

Ymbalfalais yn wallgof at ddrws y côr agosaf, tynnu ar y glicied, a hyrddio fy hun i mewn ar y gwellt. Teimlwn gyrff cynnes y gaseg a'r ebol wrth fy ymyl. Wyddwn i ddim ai Mari neu Arian oedd y gaseg.

Stopiais anadlu. Roedd fy nwylo'n glep ar draws fy ngheg, rhag ofn i mi wneud sŵn a denu'r Grafanc tuag ataf i, ond wrth gwrs roedd y ceffylau yn gwneud synau aflafar a oedd yn atseinio'n dorcalonnus oddi ar waliau'r stabl.

Allwn i ddim gweld y Grafanc, na'r *peth* oedd yn berchen arni. Roeddwn i ar fy nghwrcwd ar y llawr gwelltog, heb feiddio symud i weld lle roedd y creadur. Yn sydyn, baglodd yr ebol i mewn i mi, ac yn reddfol taflais fy nwylo o'i gwmpas a'i dynnu yn dynn tuag ataf i. Roedd yn gynnes a llaith.

Yna clywais sŵn echrydus. Sŵn sgrechian anifeiliaid, sŵn sathru a malu, sŵn crensian a llarpio a sŵn fel corwynt yn rhuthro. Chwydais – yna llewygais.

Deffrois a 'nghael fy hun yn dal i afael yn yr ebol: roedd hwnnw bron yn gatatonig yn fy nwylo. Roedd blas cyfog yn fy ngheg ac roedd fy mhen i'n troi. Roedd Prosser yn y stabl. Edrychodd arnaf i am funud hir, ei wyneb fel maen, cyn mynd i siarad â'r bechgyn o ran sut i lanhau'r llanast. Helpodd yr un ohonyn nhw fi ar fy nhraed.

Roedd ebol Mari wedi mynd. Ebol Arian roeddwn i wedi bod yn gafael ynddo – efallai fy mod i wedi ei achub drwy wneud hynny. Disgwyliwn weld cyflafan yn lle bu Mari, ond welais i ddim heblaw am sbrencian gwaed ar y gwellt a'r wal. Roedd Hefin eisoes yn codi'r drws yn ôl ar ei fachau; roedd Ryan ar ei ffordd i'r cwt i nôl paent a chit offer.

Ceisiais sleifio allan, er mwyn dadebru yn y tŷ, ond daeth Prosser ataf i. Allwn i ddim ei osgoi.

'Beth ddigwyddodd?' Roedd ei lais yn oeraidd ac yn dawel.

Edrychais i ddim yn ei lygaid. 'Mi oedd 'na... gysgod,' meddwn i yn y diwedd.

'Cysgod?'

'Cysgod. Crafanc. Creadur–' Craciodd fy llais a theimlais fy ngwefus yn crynu.

Gwnaeth Prosser sŵn grwgnach yn ei wddw. Doedd o ddim yn hapus gyda'r ffordd roeddwn i'n ymateb. 'Shwt fath o greadur? Anifail gwyllt?'

Agorais fy ngheg ond doedd gen i ddim y geiriau i esbonio. '*Rhywbeth*,' meddwn i yn y pen draw. 'Ddim byd dwi wedi ei weld o'r blaen. Mi falodd o'r drws fel tasai o'n gardfwrdd. Mi oedd o'n medru symud yn ddistaw pan oedd o isio, ond mewn rhyw ffordd oeddwn i'n medru ei deimlo fo. Teimlo fo yn fy meddwl.' Stopiais. Roedd hyn yn hurt. Hyd yn oed wrth i'r geiriau adael fy ngheg, roeddwn i'n clywed pa mor dila ac amhosib roedden nhw'n swnio.

'Nonsens,' meddai Prosser. 'All e ddim bod yn wir.' Doedd o ddim yn fy nghoelio – a pham ddylai o? A fydden *i'n* credu rhywun fyddai'n esbonio profiad fel hyn i mi?

Yna, meddai: 'Un ebol ar ôl. Ebol bach Arian. Alla i ddim ei golli fe. Alla i ddim.' Gostyngodd ei wyneb nes ei fod yn agos at fy un i. Meiddiais gyfarfod ei lygaid. Roedden nhw'n finiog a didostur. 'Wyt ti'n gwbod beth yw ystyr y gair penyd, Alex?'

'Nadw.'

'*Penance*. Talu nôl am wneud rhwbeth pechadurus, er mwyn ennyn maddeuant. Rhaid i ti dalu penyd nawr.'

Teimlais ofn yn fy llenwi nes i mi bron â byrstio. Sylwodd

Prosser ar fy anesmwythder a rhoddodd wên fach galed. 'Paid â phoeni. Wi ddim am i ti wisgo ffrwyn a chyfrwy. Ond wi angen i ti fod yn y stabl eto heno. A'r tro hwn, fydda i yno 'da ti. Gawn ni weld os wyt ti'n gweud y gwir. Gawn ni weld os oes "crafanc". Siawns mai cael hunllef wnest ti – ac mai rhyw leidr sydd wrthi. Mi ddalia i'r diawl.'

Roeddwn i eisiau gadael yn syth bin. Pacio fy mag, dal y bws i'r dref, a byth dod yn fy ôl. Unrhyw beth ond dychwelyd i'r stabl honno gyda'r nos.

Esboniais yn herciog nad oeddwn i eisiau, bod gen i ofn. Ymbiliais ar Prosser iddo symud Arian a'i hebol i gwt arall, i ffwrdd o'r stabl. Ond ysgydwodd Prosser ei ben yn araf.

'Fy nhir i yw hwn,' meddai. 'Fi sy wedi talu amdano fe. Fi sy wedi ei dendio fe. Ei ffensio fe. Does dim anifail na neb yn mynd i fy ngwthio i mas. Na, wna i ddim symud yr ebol na'i fam, Alex. Wnawn ni aros yno heno, ac os mai anifail yw hwn, mi ladda i e. Os mai lleidr yw e?' Aeth ei wefus yn llinell denau a chododd dau smotyn coch ar ei fochau. 'Wel – gawn ni weld beth sy'n digwydd i dresbaswyr.'

Cysgais drwy gydol y dydd bron, er gwaetha'r pryder. Llanwyd fy nghwsg â chysgodion a sŵn anifeiliaid yn cael eu harteithio. Deffrois yn chwys domen.

Roeddwn i'n fud wrth gerdded i lawr i'r stabl liw nos, gyda Prosser un cam o fy mlaen. Roedd ganddo *shotgun* o dan ei gesail. Wyddwn i ddim beth oedd o'n disgwyl gallu ei saethu efo gwn, ond roedd hi'n amlwg ei fod wedi penderfynu mai person neu anifail corfforol oedd y tu ôl i hyn i gyd. Doeddwn i ddim yn sicr o hynny. Doeddwn i ddim yn sicr o ddim byd bellach.

Roedd gen i fflachlamp gryf yn fy llaw, un 6000 lwmen oedd â phelydr a allai ymestyn bron i gilometr. Gan gofio'r tywyllwch a'r düwch o'r noson gynt, daliais yn dynn ynddi.

Yn y stabl eisteddais ar yr un gwely campio. Doeddwn i ddim yn teimlo'n gyfforddus yn gorwedd. Roedd Prosser wedi dod â chadair blygu: gosododd hi yn wynebu'r drws ac eisteddodd, y *shotgun* ar ei lin, ei law dde ar stoc y gwn a fflasg fetel fach yn ei law chwith. Yfai'n achlysurol o'r fflasg honno yn ystod yr oriau nesaf.

Ddywedodd yr un ohonon ni air wrth iddi nosi. Canodd adar y nos y tu allan am dipyn, ond yna disgynnodd distawrwydd a llonyddwch. Roedd y bwlb bach gwan yn y nenfwd yn hymian. Rywle ymhell, bell i ffwrdd, clywais wynt yn codi.

Roedd fy fflachlamp wedi ei chynnau, yn pwyntio tua'r wal fel nad oedd yn dallu neb ond yn taflu digon o olau dros y drws a chorau'r ceffylau i ni allu gweld popeth. Adlewyrchai llygaid ofnus y cesig yn ôl arnaf i.

Ar ryw bwynt sylweddolais fod Prosser yn siarad gydag o'i hun, ei lygaid wedi eu hoelio ar y drws. Roedd ei lais yn isel, a'r geiriau'n llifo'n sigledig o un i'r llall, ond gallwn ddeall beth roedd o'n ei ddweud. Eisteddais yn llonydd, llonydd yn y cysgodion yn gwrando arno.

'Gawn ni weld pwy fydde'n beiddio tresbasu ar dir Iestyn Prosser,' meddai. 'Does bosib bo' fe'n digwydd 'to. Ddwedon nhw na fydde fe'n digwydd 'to. Smo fe'n bosib iddo fe ddigwydd eto. Lleidr wyt ti, ondife. Lleidr ddiawl. Yn dwgyd ebolion diniwed. Fy fferm i yw hon. Ond os nad lleidr wyt ti... Wel, wi'n disgwyl amdanat ti y tro hwn. Fy fferm i yw hon. Ma' Iestyn Prosser yn dal ei dir. Yn dal ei dir.'

Gwelais ei ben yn siglo'n araf i lawr ac yna yn saethu i fyny eto bob rhyw funud neu ddau, wrth iddo ymladd cwsg. Roedd ei wn ar ei lin a'i fys yn mwytho'r glicied. Cyn bo hir roedd Prosser yn chwyrnu, ond allwn i ddim meddwl am gysgu. Serch hynny, caeais fy llygaid, er mwyn ceisio cuddio tu mewn i mi fy hun yn fwy na dim. Ceisiais hoelio fy sylw ar guriad fy nghalon er mwyn gwthio'r ofn ymaith – ond roedd yr ofn hwnnw yn dal i lechu ar ymylon fy ymwybyddiaeth, yn crafu ar gefn fy ymennydd. Caeais fy llygaid yn dynn a chanolbwyntio ar siffrwd tawel y ceffylau yn eu corau gerllaw, gan adael i snwffian eu hanadlu gario fy meddwl i dir angof...

Sgrech affwysol a achosodd i mi agor fy llygaid. Doedd dim geiriau i'r waedd honno, dim ond udo gyddfol uchel a oedd yn gymysgedd o fraw a gwae.

Prosser oedd yn sgrechian. Cododd goslef y sŵn hwnnw yn uwch ac yn uwch nes ei fod fel chwiban aflafar yng ngwddw Prosser. Neidiais tuag ato yn reddfol, er mwyn ei helpu efallai, ond yna digwyddodd sawl peth ar yr un eiliad.

Roedd siâp creadur yn nrws y stabl – neu yn lle *bu* drws y stabl, gan ei fod wedi ei ddarnio'n yfflon ar hyd y llawr – ac roedd dwy law anferth ddu yn ymestyn i mewn a thuag at Prosser. Roedd Prosser ei hun, wrth sgrechian, wedi codi ei *shotgun* i gyfeiriad y crafangau er mwyn saethu – ond dyma un grafanc yn gafael yn y gwn a'i chwipio o'i ddwylo, gan ei daflu i'r gornel. Wrth i hyn ddigwydd roedd cadair Prosser wedi syrthio'n ôl, yn cantio ar ddwy goes, ac yna roedd Prosser ar ei gefn ar y concrid, a chysgod y creadur yn llifo drosto.

Mi ddylwn i fod wedi mynd yn syth at Arian a'i hebol. Efallai petawn i wedi gwneud hynny, byddai pethau wedi bod yn wahanol. Ond am ba bynnag reswm, neidiais i'r ochr, oddi wrth y creadur a'i grafangau, tuag at y gwn a orweddai yng nghysgodion y gornel. Doeddwn i erioed wedi saethu gwn o'r blaen, ond roedd ofn wedi ei gymysgu ag atgasedd yn berwi ynof i, a gafaelais yn y *shotgun* gyda dwy law a'i droi i gyfeiriad y creadur.

Ond roedd hwnnw'n symud yn gyflym, yn anelu at y ceffylau. Allwn i ddim ei dargedu yn ddigon sydyn. Stryffaglais ar fy nhraed a dechrau camu tuag at lle'r oedd y ceffylau. Roedd y creadur yn barod wedi cyrraedd côr Arian – roedd cysgod mawr ynddo fel cwmwl du – a gallwn glywed gweryru gorffwyllog y gaseg a'i hebol. Safais yn ffrâm drws y stabl er mwyn ceisio stopio'r creadur rhag dianc. Doedd fy ymennydd i ddim yn gweithio'n ystyrlon erbyn hyn ac roedd fy nghorff yn gwneud penderfyniadau heb i mi orfod meddwl. Gorweddai Prosser ar y llawr o fy mlaen, ond doeddwn i ddim yn poeni amdano. Syllais ar y creadur a ddaeth allan o fan cysgu Arian.

Gallwn ei weld yn fwy eglur yn awr. Roedd siâp dynol iddo, bron iawn, gyda choesau a breichiau a chorff a phen. Ond roedd popeth am y creadur yn arswydus ac yn annaturiol, ddim fel yr un anifail roeddwn i wedi ei weld o'r blaen. Coesau hir a thenau oedd ganddo, wedi eu plygu yn y pengliniau nes bod y creadur yn gorfod cerdded yn isel, bron yn ei gwman, ond yn chwim er gwaethaf hynny. Roedd y torso yn llydan ac amlgymalog – y cnawd fel arfwisg, yn fy atgoffa o gitin sgorpion neu bry copyn – y breichiau'n braff a'r dwylo'n anferth: cydiai un o'r crafangau nawr yng nghorff tila ebol bach a oedd yn gwingo'n aneffeithiol yn erbyn y bysedd erchyll.

Doedd dim wyneb gan y creadur – dim un y gallwn i ei

weld, beth bynnag. Syllai cysgod o ddüwch llwyr arnaf i am eiliad. Yna tynnais glicied y gwn.

Roedd y ffrwydrad fel taran yn y stabl. Daeth fflach wen a chlywais sŵn yn dod o gyfeiriad y creadur nad ydw i byth eisiau ei glywed eto yn y byd hwn. Cymaint oedd nerth cic y *shotgun* nes i mi syrthio'n ôl, baglu dros riniog y drws, a disgyn ar fy nghefn yn y glaswellt. Tarais fy mhen. Aeth popeth yn dywyll.

Doeddwn i ddim yn anymwybodol am yn hir. *Coda*, meddai llais rywle yng nghefn fy mhen. Ymbalfalais ar fy nhraed. Gafaelais yn y *shotgun*. Roedd y baril yn dal yn gynnes.

Doedd dim arwydd o'r creadur. Roedd y nos yn oer o'm cwmpas, ond doedd hi ddim yn dawel – roedd y bum caseg yn gwneud synau ofnadwy fel moch mewn lladdfa. Cerddais yn simsan i mewn i'r stabl.

Gwelais Mr Prosser. Roedd o'n gorwedd ar ei gefn, yn rhythu ar y nenfwd a'i geg ar agor, yn hollol farw. Roedd golwg arteithiol ar ei wyneb, y cyhyrau wedi ymestyn mewn rictws olaf o fraw.

Roeddwn i wedi fy fferru. Gan ddal fy ngafael yn y gwn, codais y fflachlamp a'i chynnau. Llanwyd y stabl â golau llachar, oeraidd. Gwelais y ceffylau a oedd yn wyllt yn eu hofn. Camais dros gorff Prosser a mynd draw at gôr Arian. Doedd ei hebol ddim yno, wrth gwrs. Ceisiais dawelu'r gaseg, ond doedd dim yn tycio. Teimlwn yn ddiwerth.

Yna gwelais rywbeth tywyll ar y llawr. Tywynnais y lamp arno gan fynd ar fy nghwrcwd. Staen. Gwaed? Ond nid gwaed ceffyl oedd o. Roedd o'n fwy trwchus, yn fwy tywyll

– fel llysnafedd neu dar. Daliais fy ngwynt rhag gorfod blasu'r aroglau sur, afiach, sylffyrig. Gan ddefnyddio'r lamp, dilynais linell o'r llysnafedd ar hyd llawr concrid y stabl ac allan drwy'r drws. Gallwn weld fod y trywydd yn arwain o'r stabl, ar draws y cae a thuag at y goedwig.

Penderfynais i ddilyn y trywydd. Teimlwn yn siŵr mai'r creadur oedd wedi ei adael, ond p'run ai achos mod i wedi ei anafu wrth ei saethu, neu drwy rhyw erchylltra arall, doeddwn i ddim eisiau dyfalu. Wn i ddim beth oeddwn i'n obeithio ei wneud – achub yr ebol? Dial ar y creadur? Neu rywbeth llawer gwaeth? O leiaf, ar y pryd doedd gen i ddim fawr o ddiddordeb yn fy iechyd fy hun – mae hynny'n swnio'n wirion wrth edrych yn ôl, ond roedd anobaith yn fy llethu a doedd realiti ddim yn gwneud synnwyr bellach.

Es i'n ôl at gorff Prosser a chwilio yn ei gôt a'i bocedi am getris eraill i'r *shotgun* – a dyna pam mae fy olion bysedd ar ei gorff, mae'n debyg. Cefais hyd i ddwy getrisen a, gyda chryn drafferth, llenwais y gwn eto. Yna, gan roi strap y gwn rownd fy ysgwyddau a dal y lamp mewn un llaw, gadewais y stabl i ddilyn trywydd y creadur.

Mae'r goedwig yn hen, hen. Coedwig o ddyddiau cyntefig yr ynys, efallai. Mae'r coed wedi tyfu'n dynn at ei gilydd ac mae'r canghennau'n braff; mae'r tir yn arw a charegog. Dydy pobl ddim yn tueddu i fynd yno – dydy o ddim y math o le i chi fynd am dro. Ond dyna lle'r es i, a golau gwyn y lamp yn taflu cysgodion mileinig i bob cyfeiriad. Yn araf, araf, llwybreiddiais yn ddyfnach i mewn i'r coed.

Roedd dilyn y trywydd llysnafedd yn anodd, ond nid yn

amhosib. Yn ogystal â'r lamp roedd gen i aroglau brwmstan y gwaed – os mai gwaed oedd o – i fy helpu i. Arweiniodd y trywydd fi rhwng y coed ac i ran dduaf a dwysaf y goedwig. Gwelais sawl boncyff gyda marciau crafangau arno, brigau oedd wedi cael eu rhwygo a phridd a thyfiant oedd wedi eu sathru'n llanast. Heb os, roedd y creadur wedi dod y ffordd hon, gan gario'r ebol yn ei grafanc. Wyddwn i ddim a oedd y ceffyl bach yn dal yn fyw ond es yn fy mlaen beth bynnag.

Wrth i mi wthio drwy'r coed, rhedai geiriau olaf Prosser drwy fy mhen: 'Ddwedon nhw na fydde fe'n digwydd 'to.' Doeddwn i ddim yn deall eu hystyr. Tybed a oedd Prosser yn gwybod mwy am y bwystfil nag oedd wedi ei awgrymu? Ond dim ots am hynny bellach – roedd Prosser wedi marw, a ddeuai'r un esboniad o'i wefusau byth eto. Hwyrach, fodd bynnag, y byddwn i'n medru cael hyd i'r creadur a datrys rhywfaint o'r dryswch ar fy mhen fy hun. Hwyrach.

Roedd batri fy lamp yn dechrau gwanhau – a minnau hefyd. Roedd pob cyhyr yn fy nghorff yn llosgi mewn blinder ac roedd crafiadau dros fy wyneb a 'nwylo oherwydd fod rhaid i mi wthio'r canghennau o'r ffordd wrth i mi balfalu drwy'r coed.

Wn i ddim am faint o oriau y cerddais drwy'r goedwig. Un, dwy, tair awr efallai. Does gen i ddim llawer o gof o'r daith honno drwy'r coed, mewn gwirionedd – dim manylion, o leiaf. Dwi ond yn cofio'r arswyd yn raddol gymryd lle unrhyw obaith oedd gen i ar ôl.

Yn sydyn arhosais. Roedd y trywydd gwaed wedi cyrraedd craig – craig fawr a garw ac roedd drain a mwsog yn tyfu drosti. Clystyrai coed o'i chwmpas, bron fel cawell neu fel mur hen gaer. Roedd hollt denau, uchel yn ochr y graig, ac roedd y llwybr o lysnafedd yn arwain i mewn iddi.

Gyda fy nghalon yn rasio, oedais, gan ddiffodd fy lamp, a cheisio gwrando'n astud. Doedd dim sŵn yn y goedwig – doeddwn i ddim wedi gweld unrhyw anifeiliaid nac adar na phryfed yno o gwbl ar hyd fy nhaith – ond roeddwn i'n clywed... *rhywbeth* yn dod o'r hollt yn y graig. Sain isel, gryg, fel rhygnu cyson, garw. Teimlwn fy ngwallt yn codi a thrydan statig yn siffrwd dros fy nghroen. Gallwn fod wedi dianc, wedi achub fy hun – a fy meddwl – rhag beth bynnag oedd tu mewn i'r graig. Ond penderfynais bod angen i mi fynd yn fy mlaen, er mwyn dod â diwedd i hyn.

Heb olau'r lamp roedd hi bron yn gwbl dywyll, ond roedd mymryn o olau'r lleuad yn treiddio drwy'r canopi o frigau uwch fy mhen. Doeddwn i ddim eisiau cynnau'r lamp, ddim eto, rhag ofn fy mod i'n rhoi gwybod i'r creadur fy mod i wedi ei ddilyn, felly teimlais fy ffordd yn hanner dall at yr hollt a phwyso i mewn.

Roedd chwa o aer chwerw yn dod o rywle yn ddyfnach yn y graig. Allwn i ddim gweld yn iawn, ond cawn yr argraff fod yr hollt yn arwain fel cyntedd i mewn i'r graig ac i lawr o dan wyneb y ddaear. Llyncais fy mhoer a theimlo gwaed ar fy nhafod. Cymerais lond ceg o awyr iach er mwyn peidio teimlo mor chwil. Yna, gan glipio'r lamp at strap y *shotgun*, gwthiais fy hun i mewn i'r hollt.

Tua dwy droedfedd ar draws oedd yr hollt. Roedd yn rhaid i mi wasgu er mwyn cael fy ysgwyddau drwodd. Synnais wrth ddychmygu sut oedd y creadur wedi dod trwy'r ffordd hon, os mai dyma'r llwybr a ddefnyddiodd, o ystyried pa mor fawr a llydan oedd o – ond efallai bod natur ei gymalau arachnidaidd yn golygu ei fod yn gallu gwingo ei gorff drwy fylchau bychain, cul...? Pwy a ŵyr beth oedd yn bosib mwyach.

Yn y tywyllwch dudew, gwthiais yn ddyfnach i mewn i'r

graig, y drewdod sur oddi tanaf yn mynd yn waeth a'r hollt yn mynd yn deneuach. Dechreuodd panig gronni ynof i wrth i mi boeni mod i am fynd yn sownd – ond llwyddais i sadio fy hun a mynd yn fy mlaen. Crafai darnau miniog o graig yn erbyn fy nghroen a theimlwn waed cynnes yn rhedeg i lawr fy moch. Anwybyddais bopeth, gan ganolbwyntio dim ond ar symud ymlaen – ac i lawr.

Trodd yr hollt yn y man i fod yn dwnnel a oedd yn lletach ond â'r nenfwd yn is. Roedd yn rhaid i mi fynd ar fy nghwrcwd. Ambell waith dyma fy nhroed yn sathru ar rywbeth a wnaeth sŵn crensian annifyr, fel sefyll ar blisgyn wy – ceisiais beidio dychmygu beth oedd ar lawr y twnnel hwn. Es yn fy mlaen. Deuai'r un sŵn rhygnu isel hwnnw, fel injan car neu hen organ wedi torri, yn ddi-dor o rywle ymhell oddi tanaf.

Erbyn hyn sylweddolais fod y twnnel yn mynd am i lawr, yn mynd yn is na llawr pridd y goedwig. Ar ôl dipyn daeth i fod yn serth iawn, ac roedd yn rhaid i mi hanner-sgrialu yn lletchwith i lawr ac ymlaen yn y tywyllwch. Roedd graean ar lawr y twnnel ac roedd hi'n anodd cadw'n llonydd. Er i mi geisio aros yn stond am funud i feddwl, sylweddolais mod i'n llithro.

Mewn braw dechreuais anadlu'n rhy gyflym. Gwthiais fy nwylo yn erbyn waliau'r twnnel yn wallgof a chiciais fy nhraed er mwyn ceisio cael llawr cadarn. Yn lle cadernid, cafodd fy nhroed hyd i wagle – a syrthiais i lawr trwy dwll yn wal y twnnel. Cyn i mi allu gweiddi, tarais yn galed yn erbyn craig arw a syrthiais yn glep ar fy mol ar lawr meddal o fwd a cherrig bach. Tarodd y gwymp y gwynt ohonof i, ond roedd aroglau uffernol y llawr yn ddigon i fy nghadw i rhag llewygu.

Roeddwn i'n teimlo fel petawn i mewn lle mwy agored

erbyn hyn, er na allwn i weld dim byd o gwbl. Ogof, efallai? Allwn i ddim teimlo'r waliau na chyrraedd y nenfwd. Safais yn araf. Teimlais y gwn o gwmpas fy ngwddw a chydio yn y stoc gyda fy llaw dde. Ymbalfalais â fy llaw chwith am y lamp. Yn betrus, symudais fy mawd at y swits – a'i gynnau.

Goleuodd y lamp yr ogof lle roeddwn i. Neidiodd fy nghalon i fy mhibell wynt a chymerais gam greddfol yn ôl.

O fy mlaen, tua deg llathen i ffwrdd, roedd y creadur. Roedd yn eistedd yn erbyn wal yr ogof, ei goesau mawr heglog wedi eu plygu yn erbyn ei frest a'i grafangau wedi eu codi o flaen ei wyneb gwag. Roedd y sŵn rhygnu cryg yn dod ohono, er nad oeddwn i'n gallu gweld ceg. Ond roedd hi'n glir ei fod wedi brifo, efallai yn angheuol. Roedd pwll o'r llysnafedd trwchus tywyll oddi tano. Symudodd o ddim.

Yn araf a phwyllog camais tuag ato. Crynai ei ddwylo mawr wrth i mi nesáu, y bysedd yn cau ac agor yn swrth fel pe bai'n ceisio crafangu rhywbeth nad oedd yno. Edrychai yn gwbl druenus yng ngolau oer y lamp. Roedd y sŵn rhygnu a ddeuai o'i gorff yn mynd yn raddol fwy swnllyd wrth i mi agosáu ato, fel pe bai'n siarad â mi. Roedd ei wyneb gwag lle dylai ei lygaid fod yn gwingo fel arwyneb llyn aflonydd.

Roedd gwres yn fy mrest. Roedd y bwystfil hwn wedi difa pump ebol ac wedi troi fy mywyd yn hunllef. Teimlais bwysau'r *shotgun* yn fy llaw. Os y saethais o unwaith, gallwn ei saethu eto. Codais y baril tuag at y corff mawr di-siâp a rhoi fy mys ar glicied y gwn.

Yna, clywais sŵn arall. Crio – ubain torcalonnus o rywle gerllaw. Sŵn anifail.

Troais fy nghefn ar y creadur a sgleinio'r lamp ar wal yr ogof. Gwelais agendor arall ar y dde i mi a oedd yn arwain i rywle arall. Gan ddilyn yr udo, cerddais drwy dwnnel byr nes cyrraedd stafell ychydig fwy eang na'r ogof yr eisteddai'r creadur ynddi. Â'm calon yn fy ngwddw, taflais olau'r lamp yma ac acw – ac yno, yng nghornel yr stafell, gorweddai'r ebol.

Rhuthrais ato. Ebol Arian oedd hwn, yn sicr. Rhois y gwn i lawr a rhedeg fy nwylo'n ysgafn ar hyd ei ben. Teimlais ddagrau ar fy mochau wrth i mi anwesu'r anifail bach. Llyfodd fy llaw.

Archwiliais yr ebol yn sydyn a darganfod nad oedd wedi ei frifo, heblaw am ambell grafiad a chlais. Roedd yn ddiynni braidd, oherwydd y sioc, ond roedd eisoes yn ymdrechu i godi ar ei draed yn lletchwith.

Sychais fy nagrau a sefyll. Wrth i'm llygaid ddechrau arfer â'r tywyllwch, synnais wrth weld siapiau ar y waliau. Gyda'r ebol yn cadw'n agos at fy nghlun, cerddais yn araf o gwmpas gan syllu'n gegrwth ar yr hyn a welwn yng ngolau'r lamp.

Roedd darluniau yma. Roedd hi'n anodd gweld y manylion yn eglur, gan fod llwch wedi cuddio llawer, ond roedd yma luniau o bobl ac anifeiliaid o bob math mewn gwahanol dirweddau o goed, mynyddoedd a moroedd. Roedd celfyddyd i'r crefftwaith yn ddiamau. Gwelais yma ddiorama o geffylau yn carlamu ar draws cae gyda dynes ar gefn un ohonyn nhw, ei gwallt tywyll yn hedfan yn y gwynt â'i llygaid fel sêr. Ar un ochr roedd llun o fintai o bobl benfelyn yn cerdded o'r môr â rhoddion yn eu dwylo i'r bobl a arhosai ar y lan. Ar wal arall gwelais lun o ddewin neu dderwydd mewn llannerch yng nghanol coedwig: roedd y gŵr hwn yn gwneud hud a lledrith uwchben rhyw badell yn llawn hylif, ac o'i gwmpas ymddangosai fod pobl yn cael eu trawsffurfio gan ei bwerau. Crynais, fy meddwl yn rasio wrth geisio meddwl am bwy fyddai wedi gwneud y lluniau yma, a phryd.

Yna daliais fy ngwynt a bu bron i mi ollwng y lamp. Mewn un gornel, ar gyrion llun o wŷr a gwragedd yn gloddesta i sain y delyn mewn neuadd fawr, roedd llun ohono *fo*. Y creadur. Llechai yng nghysgod coeden, un grafanc fawr yn ymestyn tua'r neuadd. Mewn fflach sylweddolais rywbeth a rhuthrais yn ôl at y llun o'r dewin a oedd yn trawsffurfio pobl. Yno, uwchben ysgwydd chwith y consuriwr roedd delwedd o un dyn mewn artaith amlwg, y lledrith ofnadwy yn troi ei gorff dynol yn gorff gwahanol. Roedd braw ar ei wyneb. Roedd un o'i ddwylo yn gweddnewid, yn troi'n *grafanc ddu...*

Teimlwn yn chwil ac yn sâl. Gwasgodd yr ebol ataf fi, gan wneud sŵn ffrwtian yn ei drwyn. Pwysais yn erbyn wal yr ogof yn chwys i gyd. Sylweddolais fod y ddau ohonom yn sownd yma, ymhell o dan bridd y goedwig. Doedd gen i ddim gobaith i ddringo'n ôl y ffordd ddes i, heb sôn am wneud hynny gan dywys ebol. Gwyddwn y byddwn i'n marw yma, yn nyfnderoedd cyntefig y ddaear. Yn fy mhanig, caeais fy llygaid yn dynn a rhedeg fy mysedd eto ac eto drwy fwng y ceffyl ifanc, eto ac eto, gan barablu i mi fy hun. Honno oedd fy moment waethaf.

O'r diwedd ailagorais fy llygaid. Doedd dim pwrpas mewn ildio. Rhaid i ni drio dianc o'r lle uffernol hwn, hyd yn oed os na fydden ni'n llwyddo.

Yn simsan braidd, arweiniais yr ebol yn ôl i'r ogof lle gorweddai'r creadur. Roeddwn i'n wyliadwrus, yn cadw pellter, ond symudodd o ddim. Roedd ei symudiadau yn swrth iawn bellach, ond edrychai ei fod yn dal yn fyw. Wrth i mi gadw fy llygaid arno, hanner baglais dros rywbeth. Sgleiniais y golau ar y llawr o fy mlaen.

Ar lawr lleidiog yr ogof, roedd pedwar pentwr. Roedden nhw mewn rhes weddol daclus yn agos at y wal, pob un rhyw ddwy droedfedd ar draws, y pridd graeanog yn edrych fel pe bai'r pentyrrau wedi cael eu stwyrian yn lled ddiweddar.

Yn betrus, mi es i ar fy nghwrcwd a defnyddio fy llaw rydd i symud y pridd o'r pentwr agosaf. Wrth i mi ddatgelu beth oedd oddi tanodd, daeth aroglau pydredig i fy ffroenau a gwaeddais mewn ffieidd-dra a sioc. Aroglau marwolaeth. Gweddillion corff ebol bach, y cnawd eisoes wedi dechrau madru ac esgyrn gwyn asennau yn gwthio allan. Gallwn ddychmygu beth oedd o dan y tri phentwr arall.

Edrychais yn llym ar y creadur. Ymladdodd storm o emosiynau yn erbyn ei gilydd ynof i. Roedd y *shotgun* yn dal ar y llawr yn siambr y murluniau – gallwn ei nôl a gallwn ddial ar y creadur hwn. Byddai'n hawdd a byddai'n haeddiannol. Pwy a ŵyr am faint o amser, faint o ganrifoedd a mwy, y bu'r bwystfil dieflig hwn yn trigo yn ei guddfan gan ysglyfaethu ar y byd uwchben?

Gwnaeth yr ebol sŵn bach gan wthio ei ystlys yn erbyn fy mraich, fel pe bai yn fy amddiffyn. Penderfynais adael y gwn lle'r oedd o.

Dechreuais dywynnu'r lamp i bob cyfeiriad er mwyn ceisio cael hyd i'r twll y disgynnais drwyddo – hwnnw y byddai'n rhaid i mi gario'r ebol yn ôl i'r wyneb drwyddo.

Yna clywais grafu yn dod o gyfeiriad y creadur. Rhewais. Roedd y sŵn rhygnu wedi mynd yn grynu isel erbyn hyn. Ond, o gornel fy llygaid, gallwn weld crafanc chwith y creadur yn llithro drwy'r pridd wrth ei draed. Yn ôl ac ymlaen, yn bwrpasol a phwyllog. Yn araf, symudais yn agosach i weld beth roedd yn ei wneud. Eto dyma'r grafanc yn crafu yn ôl ac ymlaen, gan dynnu llinell hir yn y mwd a'r llysnafedd. Rhedai'r llinell oddi wrth y creadur ac i'r chwith iddo. Dilynais y llinell â'm llygaid. Roedd y llinell yn pwyntio at wal dywyll gyferbyn ag ogof y murluniau. Sgleiniais y lamp ar y wal honno – ac ebychais.

Yn y graig roedd hollt. Nid hollt fawr, ond hollt isel, tua phedair troedfedd o uchder, efallai, ac yn llydan. Eto dyma'r creadur yn tynnu'r llinell yn y pridd yn ddwfn gyda'i grafanc, cyn codi un bys tywyll a'i bwyntio at yr hollt. Roedd gosgeiddrwydd rhyfedd ac annisgwyl i symudiadau'r llaw fawr dywyll.

Edrychais ar ben y creadur, ar yr wyneb gwag. Fyddaf i byth yn sicr tra byddaf byw, ond yn yr ennyd honno meddyliais i mi weld dau smotyn arian yng nghanol y pen, fel dau leuad yn gwawrio ac yna'n machlud.

Oedais i ddim i weld rhagor. Baglais ymlaen at yr hollt. Gan gymell yr ebol i fy nilyn a chan roi strap y lamp rownd fy ysgwyddau, dechreuais gropian drwy'r bwlch yn y graig.

Twnnel oedd yma eto ac roedd y llawr yn ludiog ac yn ddrewllyd, ond doeddwn i ddim yn malio am hynny bellach. Chwyddodd gorfoledd yn fy mrest wrth i'r llawr ddechrau codi fel o waelodion y ddaear tua'r wyneb.

I fyny ac i fyny drwy dywyllwch y twnnel hwnnw y cropiais i, a'r ebol bach yn stryffaglu y tu ôl i mi. Yn sydyn dyma olau dydd yn fy nallu a diflannodd y pridd o dan fy nwylo – roeddwn i'n rowlio bendramwnwgl i lawr bryncyn bach lleidiog, cyn dod i stop gyda chlec yn erbyn boncyff coeden. Gyda ffrwydrad o weryru a choesau heglog, glaniodd yr ebol wrth fy ymyl.

Teimlais y glaw oer ar fy wyneb. Wylais.

Hyd yn oed pe bawn i eisiau, mae'n rhaid i chi ddeall na fyddwn i fyth yn gallu cael hyd i'r hollt honno yn y graig, na chwaith eich arwain chi i'r stafell danddaearol honno gyda'r lluniau hynod lle trigai'r creadur. Mae'n rhaid i chi dderbyn na fyddwn i yn dychmygu neu'n dyfeisio stori fel hyn – a bod pob gair yn wirionedd. Mae'n rhaid fod calon Iestyn Prosser wedi stopio pan welodd y creadur a fu'n dwyn ei ebolion. Byddai rhai pobl yn dweud mai fo oedd wedi tynnu'r ffawd honno arno'i hun.

Ddim ond yn y dyddiau wedyn, ar ôl i mi ddychwelyd â'r ebol i'r ransh a ffonio milfeddyg – un gwahanol, y tro hwn – y dysgais i fwy am Mr Prosser yn y papurau newydd. Roedd o dan amheuaeth o fod wedi gwneud cytundebau anghyfreithlon gyda'r Cyngor i ymestyn tir ei fferm dros hen dir comin; bu i'w ransh wreiddiol, ym mhen draw arall y wlad, orfod cau i lawr oherwydd rhesymau aneglur – roedd si ei fod wedi ffugio dogfennau gweithredu tir; a sibrydion bod lladron wedi bod wrthi yn dwyn ei stoc. Yntau'n gadael dan gwmwl, yn cael ei amddiffyn rhag gwarth a charchar oherwydd ei 'gysylltiadau'. Wyddwn i ddim am hynny cyn mynd i weithio i Prosser. Sut gallwn i?

Alla i ddim dweud wrthoch chi a welwn ni gysgod y grafanc ar gyrion yr ardal hon eto. Os gwnaeth y creadur oroesi, mae rhan ohonof i'n gobeithio y bydd o'n parhau i amddiffyn ei hen diriogaeth. Onid dyna yw ei hawl? Mae'n eglur i mi nawr nad ni oedd y bobl gyntaf i fyw yma. Dillad ac arfau cyntefig, cyntefig oedd gan y ffigyrau yn y delweddau ar waliau'r ogof hynod honno, ac roedd creaduriaid nad oedden nhw'n bobl yn eu plith. Ydych chi'n credu eich bod chi'n gwybod popeth am gynhanes ein gwlad? Beth arall sydd i'w ddarganfod yn nyfnderau dirgel Cymru sydd wedi cael ei guddio ers milenia?

Mae un peth yn gliriach yn fy nghof nag unrhyw beth arall. Yn y murlun hwnnw o'r derwydd yn trawsffurfio'r bobl i mewn i fwystfilod melltigedig, mi welais i ddelwedd o'r creadur y gwnes i ei gyfarfod – creadur sydd wedi goroesi am ganrifoedd a chanrifoedd – ac yn yr un llun *roedd dwsinau mwy o greaduriaid eraill yr un fath ag o...*

Lleu

Roedd hi'n ffrind i mi, tan doedd hi ddim.

Yn y blynyddoedd cyn iddi ddiflannu, pellhaodd oddi wrtha'i. Roedd ein cyfeillgarwch, a fu unwaith yn llawn cariad – aethon ni i'r ysgol gyda'n gilydd; mi dyfon ni i fyny dri chae i ffwrdd o'n gilydd – wedi breuo gyda phob mis a âi heibio.

Gofynnais iddi beth oedd yn bod, ond mi wrthododd ddweud. O un dydd i'r llall roedd ei chroen fel pe bai'n mynd yn welwach, ei llygaid yn gochach, a'i hwyneb yn debycach i femrwn. Pan fydden ni'n cyfarfod, byddai ei dwylo'n aflonydd a gwibiai ei llygaid yma ac acw fel pe bai hi'n gwylio allan am rywbeth, yn ofni. Roedd hi'n anghyfforddus yn fy nghwmni, a doeddwn i ddim yn deall hynny. Roeddwn i'n poeni amdani.

Roeddwn i wedi ymddiried ynddi am flynyddoedd, a hithau ynof i. Mi wnaethon ni bopeth gyda'n gilydd – chwerthin, chwarae, teithio – a doedd dim cyfrinachau rhyngom ni. Teimlwn fel petai ein meddyliau a'n dyheadau yn un, y bydden ni'n rhannu bywyd gyda'n gilydd – un bywyd, un meddylfryd.

Ond surodd pethau rhyngon ni. Nawr, rydw i'n gwybod pam, ond doeddwn i ddim ar y pryd.

Dechreuais gael amheuon ei bod hi'n cuddio rhywbeth oddi wrtha i. Clywais hi'n sibrwd siarad gyda phobl ond yn stopio'n syth pan ddown i'n agos. Cefais gip ar yr hen amwled rhyfedd y dechreuodd ei wisgo o dan ei chrys. Gwelais y llyfr gyda'r eiconograffi cyfriniol yr oedd hi'n ei guddio yn ddwfn yng ngwaelod ei bag. Mi geisiais ofyn iddi am y pethau hyn, ond byddai'n troi ei hwyneb oddi wrtha i a newid y pwnc bob tro.

Yn y diwedd, mi stopion ni gyfarfod, gan gyfathrebu'n anaml drwy negeseuon. Am gyfnod roedd fy negeseuon ati yn siriol a di-hid, ond, yn nes ymlaen, mi oeddwn i'n ymbil arni i siarad â mi. Roedd gen i bethau i ddweud wrthi (meddwn i) a fyddai'n ei harwain hi oddi ar y llwybr hwn roedd hi'n ei ddilyn. Doedd hi ddim yn rhy hwyr (meddwn i). Roedd amser o hyd.

Ond wrandawai hi ddim. Trodd ei hatebion yn swta, ac yn y diwedd yn flin. Doeddwn i ddim yn deall (meddai hi); doeddwn i ddim yn gwybod beth roedd hi'n mynd drwyddo. Felly esbonia wrtha'i (meddwn i). Dwi ddim yn meddwl ein bod ni'n dallt ein gilydd (meddai hi); mae ein llwybrau wedi gwahanu. Roedd hi ar ffordd wahanol i mi bellach, ac roedd hi'n bryderus amdanaf i (meddai hi). Ceisiais esbonio wrthi mai amdani ei hun y dylai bryderu, ond chafodd fy ngeiriau ddim effaith.

Anfonais dusw o flodau ati unwaith. Blodau'r maes, yn llawen a llachar, er mwyn llenwi ei thŷ â golau. Arwydd y gallai ein cyfeillgarwch flaguro eto. Mi wrthododd nhw. Dyna pryd y sylweddolais fy mod i yn ei cholli hi go iawn.

Roedd ei thŷ – cyn iddo losgi – ar gyrion dôl dawel a safai rhwng dwy afon. Tyfai hen dderwen yn ei gardd flaen, a thaflai honno ei chysgod dros ei chartref, hyd yn oed ar ddyddiau braf. Mi es i yno, tua mis cyn iddi hi ddiflannu, i'w gweld hi ac i ymbil arni am y tro olaf iddi gymryd fy llaw a chamu oddi ar ei thrywydd tywyll.

Ni atebodd hi'r drws, er fy mod i'n sicr ei bod hi gartref. Cerddais o gwmpas y tŷ, sawl gwaith, gan sbecian i mewn drwy'r ffenestri. Mi welais gysgodion yn symud y tu mewn: hi, dybiwn i – neu ai cysgodion rhywun arall oedd yno? Roedd addurniadau ocwlt wedi eu gosod o gwmpas y tŷ i gyd, gan gynnwys trisgellau teircoes wedi eu gwneud o frwyn yn hongian uwchben y drws a ffigyrau brawychus clai ar bob sil ffenest. Wyddwn i ddim pam roedd hi wedi gwneud hynny; roedd pob esboniad yn codi ofn arnaf i. Ceisiais agor ei drws, ond allwn i ddim mynd i mewn. Mi adawais i hi, y diwrnod hwnnw, gan alw wrth fynd, 'Dwi'n sori – allwn i ddim dy helpu di,' fy ngruddiau'n goch â galar.

Un noson, yn fuan wedyn, mi anfonodd neges ataf i. Ei neges olaf. Allaf i ddim dyfynnu'r cyfan ohoni, achos mae hyd yn oed meddwl am y neges honno'n fy llenwi â braw sy'n sigo fy ystumog ac yn tywyllu fy mreuddwydion. Ond mi roddaf i chi'r ychydig frawddegau olaf yr ysgrifennodd hi; maen nhw wedi eu llosgnodi ar fy nghof:

Mi wyt ti ar goll i fi rŵan, a fedra i ddim ei ddioddef o. Mi oeddwn i'n dy garu di un tro, ond mae'n rhaid i fi ollwng gafael arnat ti. Maen **nhw** wedi dy lygru di, er i mi drio eu stopio nhw, trio dy dynnu di yn ôl o'r dibyn. Dwi ddim yn gwybod efo be wnaethon nhw lenwi dy feddwl di, ond tyrd yn ôl. Gad i rheina fod fy ngeiriau olaf i ti: tyrd yn ôl.

Mae hi wedi marw erbyn hyn. Weithiau, yn y boreau oer, rydw i'n wylo drosti, y dagrau tu hwnt i'm rheolaeth, wrth i mi ystyried beth allwn i fod wedi gwneud yn wahanol, i'w pherswadio hi. Ond doedd dim symud arni. Felly bu'n rhaid i mi weithredu.

Dim ond trwy dân y gellir agor y Glwyd: y porth hud hwnnw rhwng ein byd ni a byd yr Hen Blant, meddai fy

Nghylch wrtha i, eu lleisiau'n asio'n un. Ac roedd yn rhaid i mi wneud fy rhan. Perfformiodd hi, fy ffrind gynt, un weithred olaf o gariad pan losgais i hi, ei sgrechiadau'n llenwi'r nos a'm calon gyda llawenydd, a'r hen dderwen honno'n wenfflam – llusern i oleuo'r ffordd.

Canys wele! Trwy ei haberth hi y dyrchafwn Lleu Llaw Gyffes, Yr Arglwydd Llachar, Gwaywffon y Wawr, Eryr y Meirw. Yn wir, dim ond ni, y dewisol rai, sydd â'r grym i ryddhau Lleu o'i gadwyni yn yr Isfyd, a'i gyrchu mewn buddugoliaeth o fflam i'r byd llwm hwn i'w lenwi â'i olau anfeidrol; llawenhewch, llawenhewch!

Yr Arswyd yn y Darlun

Roedd hi'n ddiwrnod oer tua diwedd mis Hydref pan ymwelais â thŷ Elinor Evans am y tro olaf. Mae hi'n dal yno heddiw, hyd y gwn i, ond dydw i ddim wedi dychwelyd. Er gwaethaf y cyfeillgarwch fu rhyngon ni – sydd yn dal rhyngon ni, am wn i – allaf i ddim cael y darluniau y gwelais i nhw'r diwrnod hwnnw o'm meddwl – nac o'm hunllefau.

Mae Elinor yn arlunydd. Yn arlunydd o fri – mae hi wedi arddangos ei darluniau mewn dinasoedd fel Llundain, Bern, Madrid a San Francisco. Mae ei lluniau yn hongian mewn galerïau cyhoeddus a phreifat ledled y byd – a hithau, fel y disgrifiai ei hun, yn 'dal i deimlo fel hogan bach o Ben Llŷn'. Tirluniau a delweddau haniaethol ydy'r rhan fwyaf o'i hallbwn hi. Mae ei harddull yn adnabyddus yn syth: paent olew wedi ei daenu'n gelfydd â chyllell, yn rhoi'r argraff o wallgofrwydd neu heddwch neu ofid neu beth bynnag mae'r darlun yn ei gyfleu, y lliwiau a'r gwead wedi eu dewis yn ofalus er mwyn gwneud i rywun deimlo fel eu bod yn edrych ar yr Eifl, neu fryniau Môn, neu'r llanw ger Biwmares, neu'r haul yn suddo i'r gorwel lle gorwedda Iwerddon.

'Dwi wedi cael fy awr, wsti,' meddai hi wrthyf i rai blynyddoedd yn ôl. 'Dydy pobol ddim isio arddangos fy stwff i erbyn hyn. Dwi ddim wedi newid digon, meddai un o'r critics. Wel – ella fod o'n iawn. Ella nad ydw i isio newid!'

Un ystyfnig oedd hi erioed.

Ond yna mi ddigwyddodd trasiedi i'w theulu, gan ei gadael hi ar ei phen ei hun. Ymgollodd yn ei phaentio, gan aros yn feudwyol yn ei thŷ gwyngalch a wynebai'r môr.

Roeddwn i'n poeni amdani wedi hynny, wrth gwrs. Yn y blynyddoedd ers i ni gyfarfod, roedden ni wedi closio. Er bod rhyw ugain mlynedd rhyngon ni, ers y diwrnod cyntaf hwnnw roedden ni wedi gweld ein hunan yn y naill a'r llall: finnau yn ddiweddar wedi gorffen cwrs Meistr mewn celfyddyd gain ac yn chwilio am fentor; hithau yn nesáu at ei chanol oed ac yn fodlon rhoi ei hamser i annog arlunydd ifanc oedd yn ceisio symud i ffwrdd o'i *juvenilia*.

Weithiau byddwn i'n ei gwylio hi'n paentio, ei llaw yn gwibio er mwyn cyfleu emosiwn lliwgar ar wacter gwyn. Weithiau hi fyddai'n sefyll y tu ôl i mi wrth i mi symud fy nghyllell fflat i wthio'r paent yn ofalus ar draws fy nghynfas. Doedd hi byth yn barnu, ond gallwn ddweud pan roedd hi'n hoffi beth oeddwn i wedi ei greu.

Roedd hynny cyn i bethau newid. Yn yr wythnosau cyntaf ar ôl ei phrofedigaeth, mi fyddwn i'n ei ffonio bob rhyw ddau neu dri diwrnod. Roedd hi'n bell iawn yn ystod y galwadau hynny, am resymau amlwg. Y cyfan oeddwn i eisiau oedd iddi glywed llais cyfarwydd er mwyn llenwi'r gwacter. Allwn i ddim, mewn gwirionedd, amgyffred y boen roedd hi wedi mynd drwyddi, ond mi wnes i fy ngorau i fod yno ar ei chyfer.

Ond dros y misoedd canlynol, aeth fy mywyd innau yn dipyn prysurach, ac aeth ein galwadau ffôn yn wythnosol, yna yn llai aml fyth, ac yna mi sylweddolais nad oeddwn i wedi clywed ganddi ers chwe mis – a doeddwn i ddim wedi gwneud ymdrech i gysylltu â hi chwaith.

Dan gywilydd, penderfynais anfon llythyr ati drwy'r post.

Peth hen ffasiwn i'w wneud, efallai – pwy o fy oedran i sy'n ysgrifennu llythyrau y dyddiau hyn? – ond roedd Elinor yn arfer bod yn llythyrydd o fri yn ei hieuenctid, meddai hi, ac roedd rhywbeth neis am fod yn hen ffasiwn weithiau. 'Mae llawenydd mewn inc ar bapur,' meddai hi wrthyf i unwaith. Teimlais y byddai ymdrechu i ysgrifennu ati yn dechrau gwneud iawn am fy nhawelwch diweddar.

Atebodd Elinor fy llythyr o fewn ychydig ddiwrnodau, oedd yn rhyddhad mawr. Roedd hi'n ddiolchgar i glywed gen i. 'O Lleucu bach!' ysgrifennodd hithau. 'Yn y cwta flwyddyn ers i fy myd droi ar ei ben i lawr, dwi wedi bod yn sownd yn fy nghynfasau a'm paentiau. Roeddwn i'n gobeithio y buasai hynny'n helpu, ond – wel, efallai bod y pethau yma yn cymryd amser. Faswn i wrth fy modd yn medru adennill darn bach o'r hen fodlonrwydd oedd gen i o'r blaen.' Aeth ymlaen wedyn i nodi y byddai'n iawn i mi alw draw am baned, efallai, os yr hoffwn i, ac os nad oeddwn i'n meindio'r siwrnai. 'Rŵan dy fod ti wedi gorfodi i mi roi pin at bapur,' ychwanegodd tua'r diwedd, 'mae gen i rywbeth dwi eisiau ei ddangos i ti. Rhywbeth dwi eisiau dy help di efo fo.' Yna roedd brawddeg oedd wedi ei chroesi allan gydag ysgarmes o inc du. Craffais o dan y sgribl i geisio gweld beth oedd hi wedi ei ddileu. Y cyfan y gallwn i ei ddehongli oedd y geiriau *yn y darluniau...*

Dwi wedi symud tŷ ers rhyw dair blynedd bellach, o Gymru werdd i ddur a diwylliant y Ddinas Fawr y tu hwnt i'r ffin. Roeddwn i wedi dychwelyd rhyw bedair, bum gwaith ers hynny, er mwyn gweld teulu. Dim mwy na hynny.

Ar y trên yn ôl i'r gorllewin y tro olaf hwnnw dwi'n cofio

edrych drwy'r ffenest ar y môr dan darth glaslwyd, a theimlo bod ehangder y cefnfor yn fyglyd ac yn osgeiddig ar yr un pryd. Dychmygais y byddai Elinor yn gallu creu darlun perffaith ohono yn ei ffordd unigryw ei hun. Ond nid fi – roeddwn i wedi mynd i gyfeiriad arall bellach.

Wedi dod oddi ar y trên ym Mangor mi gymrais dacsi i bellafoedd Llŷn, lle mae Elinor yn byw. Dwi wedi bod yn eiddigeddus o'i chartref hi erioed. Mae'n fawr ac yn llachar ac yn ecsentrig. Mae i bob stafell ei chymeriad ei hun, ond wedi ei haddurno â thrimins o gymeriad Elinor, fel petai. Mae gan un stafell bedair hen soffa ynddi, y math o soffas y byddwch chi'n suddo i mewn iddyn nhw a methu codi eto heb help, lle y buon ni'n smocio a rhannu jin ar sawl noswaith wrth wrando ar Chet Baker a Billie Holiday wrth i'r tonnau ruo y tu allan i'r ffenest. Mae stafell arall sydd yn orlawn o silffoedd ac arnyn nhw *souvenirs* o deithiau Elinor pan roedd hi'n gyw arlunydd, i gyd yn enghreifftiau o gelf o dros y byd: peintiadau sielac o dylwyth teg ar driptych o Wlad y Basg; gafr fach bren â chyrn troellog a naddwyd gan aelod o frodorion glannau'r Miskatonic yn Massachusetts; *masque* porslen o Baris, un fel a wisgai harlecwiniaid ers talwm, â symbolau melyn esoterig arno... Dwi'n cofio treulio oriau yn sbrotian yn gegrwth drwy'r trysorau hyn, yn gallu arogli'r hanes, bron, ac yn cael gwefr o feddwl am y dwylo a greodd y pethau hyn ganrifoedd yn ôl.

Wrth gwrs, roedd yna wastad geriach paentio dros y tŷ. Sawl îsl yma ac acw'n dal cynfasau: rhai'n arddangos campweithiau newydd, rhai oedd ar eu hanner yn aros am ysbrydoliaeth, a rhai eraill yn wyn ac yn barod am gyffyrddiad cyntaf y gyllell balet.

Mae'r tŷ i lawr lôn fach droellog sy'n nadreddu tua'r

clogwyni, ymhell o unrhyw anheddau eraill. Dywedodd gyrrwr y tacsi nad oedd o erioed wedi bod rownd ffordd hyn o'r blaen. Wrth i'r car ruo ymaith, cerddais yn araf i fyny'r llwybr llechi at ei drws ffrynt, y distawrwydd yn cronni o'm cwmpas – ac eithrio'r tonnau'n canu.

Ar ôl rhoi ennyd i arafu fy nghalon, curais ar y drws.

Roedd Elinor yn edrych yn flinedig ond rhoddodd wên wrth fy ngweld i. Mi gofleidion ni'n sydyn. Doedd dim byd yn fregus yn ei chorff, ond roedd oerni i'w chyffyrddiad hi rywsut. Nid oerni tuag ataf i, ond rhywbeth… caeedig amdani. Roedd sgarff flodeuog am ei phen a gwisgai flows a throwsus carpiog, fel roeddwn i wedi hen arfer eu gweld amdani pan oedd hi'n paentio.

Roedd y sgwrs yn y parlwr blaen yn gyfeillgar, os yn herciog. Roedd y gwpan de yn boeth yn fy nwylo. Un o hen fygiau Elinor oedd gen i, wrth gwrs, a hwnnw'n dolciog rownd yr ymylon ac yn arddangos staeniau paent y tu mewn lle roedd hi wedi cymysgu lliwiau ers talwm. Deuai awel fain ond nid annymunol o'r ffenest fawr oedd ar agor, a honno'n edrych dros y môr. Roedd rhywbeth cysurus am glywed y tonnau hynny ar ôl cyhyd, yn taflu eu hunain yn erbyn y creigiau islaw eto ac eto yn yr un rhythm ers dechrau'r byd. Y llanw yn rhoi trefn ar dryblith y dyfroedd islaw.

'Wyt ti'n dal i baentio?' gofynnodd Elinor.

Gwingais fymryn y tu mewn. 'Ddim llawer yn ddiweddar,' meddwn i er mwyn osgoi'r cwestiwn. 'Mae gen i gymaint ymlaen…' Codais fy ysgwyddau mewn rhyw fath o ymddiheuriad.

Nodiodd Elinor. Doeddwn i ddim yn siŵr pa emosiwn oedd yn ei llygaid llwydion dwfn wrth iddi syllu arnaf i.

'Ti 'di gwisgo'n smart iawn,' meddai wedyn.

Smwddiais flaen fy sgert efo fy nwylo. Yn sydyn teimlais ychydig yn ddwl yn fy nillad drud ac esgidiau sgleiniog. 'Sgidia dinas!' fyddai Elinor wedi cellwair ers talwm. Ond y tro yma ddwedodd hi ddim mo hynny.

'Diolch,' atebais i gan wrido. 'Mae 'na siop ddillad neis i lawr y ffordd o lle dan ni'n byw rŵan. Boutique reit fohemaidd. Mae'r ddynes sydd bia fo'n dod o Ganada. Mi oedd ganddi brintiau da i mewn mis dwytha. Fysat ti'n licio fanno, dwi'n ama.'

Gwenodd Elinor gan anwesu ei chwpan de. 'Dwi ddim yn mynd i siopau lot dyddia 'ma, Lleucu bach. Ond mae o'n swnio'n lle del. Mae'n rhaid bo chdi'n byw mewn ardal grand.'

Roedd rhywbeth yn ei llais oedd yn gwneud iddo swnio'n wag, fel petai hi mewn cadeirlan fawr a fy mod i'n gwrando ar ei hadlais. Byddai Elinor yn bwrw golwg allan o'r ffenest fawr byth a hefyd, fel pe bai hi'n ceisio gweld a oedd y tywydd ar fin troi. Ond roedd yr awyr yn gyson o lwyd.

'Be ti 'di bod yn ei baentio'n ddiweddar, ta?' gofynnais ar ôl i Elinor syllu drwy'r ffenest am funud gyfan. Trodd yn ôl ataf fel pe bai hi'n fy ngweld i am y tro cyntaf, yna gwnaeth ystum efo'i hwyneb fel pe bai hi'n cofio blas diod sur.

'Dwi ddim...' Stopiodd. Gallwn weld ei bod hi'n ceisio darganfod y geiriau. 'Dwi wedi bod yn paentio'n ddi-baid, wsti. Bob dydd. A bob nos weithiau. Ond ddim byd dwi ffansi ei ddangos i neb. Pethau... wel, pethau personol, am wn i. Ffordd o gael pethau o fy meddwl i ac ar gynfas.'

'Fyswn i'n licio gweld dy waith diweddara di,' meddwn, er mwyn bod yn galonogol. 'Os ydy hynny'n bosib, ynde,' ychwanegais yn drwsgl.

Edrychodd arnaf i am ychydig eiliadau. Cymerodd sip o'i

the. Roedd fy nhe innau yn llugoer erbyn hyn. Yna, nodiodd Elinor, ond chododd hi ddim o'i chadair.

'Dwi *isio* dangos i ti, ond... ia, wel. Dyna pam o'n i isio siarad efo chdi, deud y gwir. Fy narluniau i dros y flwyddyn ddwytha.'

Dyna pryd y sylweddolais i nad oedd unrhyw luniau ganddi yn y stafell. Dim un. Nid ar îsl, nid ar y bwrdd, nid hyd yn oed ar y waliau. Uwch ei phen roedd hoelen fach yng nghanol y plastr lle yr hongiai ei darlun *Atgofion o Gopa Mynydd* unwaith, un o'r darnau cynharaf iddi gael adolygiadau da amdano ond un na allai ddarbwyllo ei hun i'w werthu. Roedd y tŷ i gyd fel oriel yn llawn celf o'r blaen – ond nid heddiw.

Sylwodd Elinor arnaf yn edrych ar y gwagle lle bu *Atgofion*.

'Dwi methu gweithio fama. Alla'i ddim hyd yn oed ymdopi efo cael lluniau yma. Ddim erbyn hyn.' Yna daeth gwên hiraethus ar ei gwefus. 'Ti'n cofio pan ddaru ni'n dwy sefyll fama un bore wrth i'r wawr dorri, cynfas yr un, yn trio dal ysbryd yr haul yn yr eiliad yna pan mae o'n dod dros y gorwel?'

Llanwodd yr atgof fi â chynhesrwydd. 'Yndw, dwi'n cofio. Oedd hynny'n braf.' Gwgais. 'Do'n i ddim yn meddwl lot o'r darlun baentish i chwaith.'

Roedd blinder llethol yn llais Elinor wrth iddi ateb. 'Paid â bod mor galed arna chdi dy hun. Mi welon ni'n dwy bethau gwahanol, dyna i gyd.'

Cofiais fel y bu i mi greu darlun gan ddefnyddio dwsinau o wahanol liwiau, er mwyn ceisio dehongli pob un o'r gwreichion lliw oedd wedi ffrwydro ar draws y môr. Mewn gwrthgyferbyniad, roedd Elinor wedi defnyddio dim ond coch, gan arddangos yr olygfa yn siapiau'r gyllell wrth iddi daenu'r paent yn gromliniau, tonnau a chrychau. Roedd ei darlun hi yn ogoneddus ac yn peri i mi deimlo ing a gobaith ar yr un pryd; roedd fy llun i yn ddi-fflach o'i gymharu.

'Pam bod chdi methu paentio fama rŵan, felly?' gofynnais, gan obeithio bod ein cyfeillgarwch yn gadael i mi fod mor hy â gofyn hynny. 'O le mae'r ysbrydoliaeth yn dod dyddia 'ma?'

'Ysbrydoliaeth!' Chwarddodd Elinor yn sydyn – nid mewn llawenydd, ond chwerthin fel gwydr yn torri. Caeodd ei llygaid am foment. Pan yr agorodd hi nhw eto, roedden nhw'n galed. 'Dim ond un ysbrydoliaeth dwi wedi ei gael ers misoedd – a hwnnw'n ysbrydoliaeth y byswn i'n licio ei luchio i'r môr.'

Synnais ar pa mor chwerw oedd ei llais. Yna cododd ar ei thraed yn araf, gan osod ei chwpan ar y bwrdd. 'Tyd hefo fi i'r stafell gefn,' meddai'n dawel.

Dilynais hi'n ufudd ond gan deimlo ysictod ym mhydew fy stumog. Roedd y 'stafell gefn' mewn rhan o'r tŷ a wynebai i ffwrdd o'r arfordir, yn debycach i garej neu storws, heb ffenest na golau naturiol. Dyma lle byddai Elinor yn storio ei thaclau paentio. Roedd sinc fechan mewn un gornel ar gyfer golchi offer ac roedd silff ar gyfer cadw pethau fel bariau ymestyn, rholiau o gynfas a thuniau tyrpant.

Ond wrth i ni gamu drwy'r drws heddiw, roedd y lle yn wahanol.

Roedd o'n llawn o ddarluniau. Darluniau yn erbyn y waliau, darluniau ar y llawr, darluniau mewn pentyrrau (deg, pymtheg, ugain ar y tro), darluniau ar y silffoedd, hyd yn oed darlun wedi ei bwyso yn erbyn y sinc. Roedd llecyn bach agored yng nghanol y stafell, gydag un gadair bren o flaen îsl oedd â darlun arno.

Roedd y bwlb gwyn fflwroleuol yn yr nenfwd yn taflu golau noeth ac annifyr ar bopeth, ond ar yr un pryd roedd y stafell yn llawn cysgodion. Rhynnais.

'Be ydy hyn?' Sylwais fod fy llais yn fach iawn.

Snwffiodd Elinor a chymryd sedd yn y gadair. 'Hwn ydy fy allbwn diweddar i,' meddai yn goeglyd. 'Wn i ddim faint sy yma. Cannoedd o'r blydi pethau.'

Edrychais o'm cwmpas, fy ngheg ar agor. Roedd y darluniau – y rhai roeddwn i'n medru eu gweld, o leiaf – i gyd yn wahanol ond eto i gyd rywsut yn debyg: roedd y lliwiau'n wyrdd a llwyd a glaslwyd a'r delweddau'n wyllt ac yn ddryslyd.

Yna edrychais yn fwy gofalus ar y llun oedd yn sefyll o'n blaenau ni yng nghanol y stafell. Roedd yn storm o symud ac egni, efo streipen gas wyrddlwyd ar draws y top yn addo fod mwy o helbul ar y ffordd. Teimlais fy hun yn syrthio i mewn i'r darlun, bron, cymaint oedd rhin mesmeraidd y paentio.

Ond roedd rhywbeth arall yn y llun. Yn y gornel waelod, ar y dde, yn fychan ond yn weladwy oherwydd ei groen gwyn salw, roedd ffigwr dyn. Edrychai'r ffigwr fel ei fod yn gwrthsefyll pa bynnag storm oedd yn hyrddio o'i gwmpas. Ond doedd y ffigwr ddim yn cynnau gobaith ynof i. Na – roedd yn gwneud i mi deimlo'n sâl yn sydyn, yn edrych arnaf i fel yna, ei geg yn llydan ar agor fel O fawr erchyll...

'Mi ddaeth o i'r drws, heb rybudd, un diwrnod.' Roedd Elinor yn siarad. Rhwygais fy ngolwg i ffwrdd o'r darlun a rhythu arni, fy nghalon yn drybowndian rhwng fy asennau. Wyddwn i ddim pwy oedd hi'n sôn amdano, ond roedd llygaid Elinor ar gau, ar goll yn ei hatgof.

'Bron i flwyddyn union yn ôl oedd hyn, prin wythnos ar ôl i mi golli...' Brathodd Elinor ei gwefus. 'Hydref llynedd oedd hi. Diwedd pnawn. Dyn od yr olwg – *salesman* o'n i'n gymryd oedd o ar yr olwg gynta. Mi oedd ganddo fo wallt du a llygaid tywyll, tywyll, ond roedd ei groen o'n wyn a sgleiniog fel marmor. Na, dim marmor – bron iawn dy fod ti'n medru gweld ei esgyrn o drwyddo fo. Fatha cnawd pysgodyn, o'n i'n feddwl. Ond roedd o'n ddigon cwrtais. Wedi ei wisgo mewn siwt smart ac yn cario cansan efo pen arian arni hi. Dwylo mawr. A hefyd – dyna chdi'r pethau rhyfeddaf mae rhywun yn sylwi arnyn nhw – cadwyn arian rownd ei wddw â phedol fechan yn hongian ohoni.'

Agorodd Elinor ei llygaid. Roedd yna ryw awch ynddyn nhw nad oeddwn i wedi ei ddisgwyl. 'Mi ddwedodd ei fod o'n edmygwr mawr o fy nghelf i a'i fod isio rhoi anrheg i mi. Mi wrthodais i'n garedig, ond mi oedd rhywbeth... deniadol amdano fo rywsut. Ddim mewn ffordd rywiol – ond mewn ffordd arall. Magnetig, w'st ti? Mi roddodd o barsel i mi wedi ei lapio mewn papur sidan lliw'r môr ganol haf. Dweud ei fod o'n gobeithio y byswn i'n paentio pethau hyfryd efo'r anrheg, ac yna mi aeth.'

'Be oedd yr anrheg?' gofynnais yn betrus.

'Hwn.' Cododd hithau rac fechan o botiau paent oedd wedi bod yn pwyso yn erbyn troed yr îsl. Roedd wedi ei wneud allan o fetel cywrain, ac yn ddigon del ynddo ei hun, efo saith pot o baent olew ynddo mewn rhes. Edrychai'r lliwiau fel ystod o wyrdd, llwyd, gwyrddlas ac ati. Enfys ddigon diflas, meddyliais.

'Ydyn nhw'n baentiau da?'

'Maen nhw'n baentiau arbennig,' atebodd Elinor. Roedd ei gwefusau yn denau. Llithrodd ei thafod yn ofalus dros ei dannedd. 'Dwi ddim wedi gweld potiau fel hyn mewn unrhyw siop. Does 'na ddim labeli arnyn nhw. Mae ansawdd y paent yn wych – yn llifo pan ti isio iddo fo lifo; yn sychu neu'n ymdonni pan ti isio iddo fo neud hynny. Fysa chdi ddim yn gallu gofyn am baentiau gwell. A phan ddechreuish'i baentio efo nhw... wel, ro'n i methu stopio.'

Amneidiodd tuag at y pentyrrau di-rif o gynfasau oedd o gwmpas y stafell, yn codi fel clogwyni o'n cwmpas.

Teimlai fy nhafod yn sych. Roedd y lluniau hyn yn codi arswyd oer ynof i, y lliwiau a'r siapiau yn gwneud i mi deimlo'n simsan. Roedden nhw ar un llaw yn hyfryd, yn artistwaith perffaith – ac ar yr un pryd roedden nhw'n echrydus, yn anghyfforddus, yn amhosib.

Gan grynu fymryn, pwyntiais at y ffigwr oedd yn y llun o'n blaen ni, ei geg ar agor a'i lygaid du wedi hoelio arnaf i. 'Pwy *ydy* o?'

'Wn i ddim be ydy ei enw fo,' meddai Elinor, 'ond y cwbl fedra i ddweud wrtha chdi ydy: fo oedd y dyn wnaeth ddŵad i'r drws. Fo oedd y dyn roddodd y paentiau i mi. Dwi'n gwybod nad ydy'r ffigwr yn eglur iawn yn y llun, ond ym mêr fy esgyrn dwi'n gwybod mai fo ydy o. Ond doedd ei geg o ddim yn edrych fel yna pan wnes i gyfarfod ag o. Mae'r geg yna yn... fy nychryn i... Lleucu, mae... mae o'n ymddangos yn fy lluniau i. Alla i ddim helpu'r peth. Dwi ddim hyd yn oed yn ymwybodol mod i'n ei baentio fo. Ella nad *ydw* i'n ei baentio fo – ydy hynny'n beth gwallgo i ddweud? Dwi ddim yn gwybod pwy ydy o – ond mae o yn fy nabod i. Mae o'n fy ngwylio i – o'r tu mewn i'r paent – yn rhythu arna'i o'r llun. A dydy o ddim yn yr un lle ddwywaith. Weithiau mi fydd llun yn wag – ac wedyn, o gornel fy llygad, dwi'n ei weld o. Byth yn symud, yn llonydd fel delw, ond yn sydyn *yno*. Ei lygaid du o. Ei geg fawr o ar agor, yn fy llyncu i...'

Crymodd Elinor ar y gadair. Diferai chwys i lawr ei thalcen. Roedd ei llaw dde, yr un mae hi'n paentio hefo hi, yn crynu ar ei glin. Penliniais a gafael yn ei dwy law i geisio ei chysuro hi, er gwaethaf pa mor amhosib roedd ei geiriau'n swnio.

Yna llithrodd fy llygaid at lun arall y tu ôl i Elinor, wedi ei osod yn ddi-hid yn erbyn pentwr arall. Darlun oedd o, tybiais, o donnau yn chwyrlïo'n orffwyll, fel troelliad chwil o lwyd a gwyrdd. Ond yna torrodd cyllell sydyn o rew drwof. Tynhaodd fy mysedd o gwmpas dwylo Elinor.

Mi fyddwn i'n *taeru* nad oedd yno o'r blaen. Ond yn y darlun, lle doedd dim ynghynt ond tonnau haniaethol, rŵan, fel pe bai'n eistedd ar graig yng nghanol trobwll, roedd *o*. Roedd o fel pe bai wedi bod yn y llun erioed. Roedd ei geg afiach yn llydan a'i wallt fel canol nos. Yn gegrwth, allwn i ddim peidio â syllu arno. Edrychodd allan arnaf i, *i mewn i mi.*

Ond yn raddol sylwais ar rywbeth arall. Rhywbeth nad oedd yn y llun yng nghanol y stafell.

Roedd y dyn yn gafael mewn rhywbeth. Petryal bach glas llachar.

'Be ydy hwnna yn ei law o?' gofynnais.

Trodd Elinor yn ei chadair. Gwnaeth ebychiad bach sydyn a chodi, gan ollwng y rac o baentiau arbennig i'r llawr. Gollyngodd ei gafael ar fy llaw. Yna, yn araf, araf, gwyrodd tuag at y darlun hwn ac edrych arno yn agosách. Yn nistawrwydd y stafell roeddwn i'n gallu ei chlywed hi'n anadlu'n floesg.

'Mae hwnna'n newydd,' meddai Elinor o'r diwedd, ei llais yn dywyll a bregus. 'Mae'n edrych fel... llyfr? Llyfr efo clawr glas. Dwi... dwi ddim yn cofio ei baentio fo.' Roedd y dyn â'r geg lac yn bloeddio'n ddistaw arnon ni ein dwy o'r cynfas, yn codi'r llyfr bach i fyny. Oedd o'n.. ei *gynnig* o i ni?

'Be ydy'r llyfr glas?' sibrydais.

Cododd Elinor ei hysgwyddau mewn ateb. 'Y peth ydy—' meddai, cyn oedi. Edrychais arni. Roedd golwg arni fel cannwyll corwynt. 'Y peth ydy, does gen i ddim pot paent o'r lliw glas yna...'

Aeth fy nghalon yn dynn yn fy mrest. Troais i edrych ar

yr îsl oedd yng nghanol y stafell – ond doedd y ffigwr ddim ynddo. Roedd o wedi symud o un llun i mewn i'r llall.

Tynnais Elinor yn ôl i'r parlwr blaen gerfydd ei llaw. Roedd gweld golau dydd eto fel anadlu ar ôl bod o dan ddŵr. Sylweddolais fy mod i'n chwys i gyd.

'Mae angen i ti stopio,' meddwn o'r diwedd. Roedd Elinor yn pwyso'n erbyn y wal, ei boch yn erbyn y plastr oer. Edrychodd hi ddim arnaf i, ond ysgwydodd ei phen.

'Dwi isio stopio. Ond *fedra i ddim*. Dwyt ti ddim yn meddwl mod i wedi trio paentio rhywbeth arall – *unrhyw beth arall*? Ond bob tro dwi'n dechra, pan dwi'n edrych ar be dwi wedi ei baentio, mae'r darlun yn un o'r rheina. Ac wedyn mae'r dyn yn ymddangos. Dim ots be dwi'n neud, mae o'n dal i ymddangos. Fedra i ddim dianc. Dwi wedi trio llosgi'r llun mae o ynddo fo, ond mae o'n dod yn ôl yn yr un nesa dwi'n baentio. Dwi wedi trio taflu'r potiau paent, hyd yn oed. Dros ochr y clogwyn. Mi welish i nhw'n chwalu'n deilchion ar y creigia islaw, y paent yn tasgu. Ond y diwrnod wedyn mi oeddan nhw'n ôl yn y stafell gefn...'

Rhwbiais law drwy fy ngwallt. Teimlwn yn chwil.

'Sut mae dyn ddaeth i dy ddrws ffrynt di,' meddwn o'r diwedd mewn llais crynedig, 'yn medru ymddangos yn dy luniau di heb i chdi allu rheoli'r peth?'

'Sut wn i?' sugnodd Elinor drwy ei dannedd yn sydyn. 'Mi oedd yna deimlad mor wrthgyferbyniol amdano fo y diwrnod cynta hwnnw. Fanna o'n i, yng nghanol fy ngalar – a dacw fo'n ymddangos, yn drwsiadus ac yn glên ac yn gwenu arna i fel tasa popeth am fod yn iawn. Ond mi oedd yna rywbeth... anghyfforddus amdano fo hefyd. Fel taswn i ond yn gweld plisgyn dyn – a bod yna rywbeth tywyllach y tu mewn nad o'n i'n medru ei weld. Mae'r dyn yn y darlun â'r geg lac... mae o'n

– sut alla i ddweud o – yn gysefin. Mae naws amrwd, hynafol iddo fo. Fel tasa fo'n crafangu ei hun o'r straeon hynaf ers cyn cof ac i mewn i 'narlunia i. Ac ella... ella mai fo ydy gwir ffurf y dyn ddaeth at y drws. Fel y fo, ond heb ei fwgwd.'

Trodd ei hwyneb yn hiraethus, bron, tua'r stafell gefn.

'Ti'n cofio'r llun *Salem*?' sibrydodd. 'Mae pobol wedi deud erioed bod y diafol yn cuddio ym mhlygiadau siôl Siân Owen. Ond erbyn hyn dwi'n poeni ei fod o yn fy lluniau i...' Yna ysgwydodd ei phen yn chwyrn. 'Na! Nid y diafol. Fasa'r diafol isio gwneud drwg. Dwi'n amau mai'r cwbl mae'r dyn yma isio ei greu ydy... anhrefn.'

Roedd ei geiriau'n dod yn herciog erbyn hyn a doedden nhw ddim yn gwneud llawer o synnwyr. Mi es i ati hi'n ddagreuol a cheisio ei chofleidio, ond gwthiodd fi ymaith. Nid mewn ffordd flin – ond fel pe bai hi'n ceisio fy ngwarchod i rhag rhywbeth.

Yna mi glywais i o.

'Mi wyddost ti pwy ydwyf i, oni wyddost?'

Ebychais a syrthio'n ôl ar y soffa. Roedd y llais wedi siarad *yn fy mhen*, fel hisian yn fy nghlust – llais dyn, yn rhygnu ac yn chwerw. Llais afiach. Ond doedd neb arall yn y stafell. Dim ond fi ac Elinor.

'A wnei di fynd â mi gyda thi? Yn dy galon? Hoffwn adael y muriau hyn.'

Roedd Elinor yn edrych arnaf i mewn gwewyr.

'Sori, Lleucu,' meddai, ei llais yn cracio. Roedd ei llygaid yn llydan. 'Ddylwn i ddim fod wedi dy wahodd di yma. Mae o wedi dy weld rŵan. Mae o'n gwybod pwy wyt ti. Do'n i ddim yn dallt. O'n i jest isio help—'

Roedd y nenfwd yn troelli uwch fy mhen, y lliwiau'n toddi i'w gilydd.

'Y mae gennyf anrheg i ti,' meddai'r llais.

Roedd Elinor yn dal i siarad ond doeddwn i ddim yn ei chlywed. Roedd y llais cryg yn diasbedain yn fy mhenglog. Gallwn arogli paent ac olew a halen a gwaed ac roeddwn i'n medru gweld y lluniau yn fy meddwl – roedd fel pe bai paentiadau Elinor wedi dod yn fyw y tu ôl i fy llygaid ac yn llifo i mewn i fy enaid.

Yn yr ennyd honno, sylweddolais pa fath o artaith roedd fy nghyfaill wedi mynd drwyddo, beth roedd hi'n dal i fynd drwyddo, a deallais yr angerdd gwallgof oedd wedi peri iddi hi ddarlunio eto ac eto ac eto.

'Anrheg anrheg anrheg,' meddai'r llais. Dim ond ychydig mwy o eiliadau ac mi fyddwn i wedi cael fy swyngyfareddu yn llwyr—

Yn sydyn, mewn gorffwyll a phrin yn sylweddoli beth oeddwn i'n ei wneud, baglais yn fy ôl i'r stafell gefn a chipio'r darlun yn fy mreichiau – nid y darlun yng nghanol y stafell, ond yr ail un, yr un roedd y dyn y tu mewn iddo ac yn cydio'n ei lyfr bach glas. Taflais fy hun allan o'r stafell eto.

Yn sydyn dyma boen annirnadwy yn siglo drwy fy nghyhyrau – rhywbeth anweledig yn rhwygo fy nghnawd â chyllyll, yn ceisio fy nhynnu yn ôl i'r stafell gefn. Ond yna caeodd y drws yn glep y tu ôl i mi – Elinor oedd wedi ei gicio ar gau, cyn sefyll o'i flaen â'i breichiau ar led, fel pe bai'n stopio rhywun rhag dod dros y rhiniog. Rhedais at y ffenest agored, y darlun yn fy nwylo. Ymestynnai'r môr anfeidrol o fy mlaen. Cefais gip ar y dyn yn dal i rythu arnaf i o'r paent, ei geg lac yn dwll du cynddeiriog, y llyfr glas yn ei law yn cael ei godi tuag ataf i. Sylweddolais fy mod i'n sgrechian.

Dyna pam nad ydw i wedi dychwelyd i gartref fy hen gyfaill. Dwi'n ofni beth fyddai'n digwydd petawn i'n gwneud. Ys gwn i a ydy Elinor wedi dadebru erbyn hyn, wedi medru dychwelyd i ryw rith o normalrwydd? Dwi'n sylweddoli, wrth edrych yn ôl, mai dyna'r cyfan roeddwn i eisiau ei gyflawni – cymryd y boen o'i bywyd a chymryd y dyn hwnnw o'i henaid. Fydd o ddim yn ei lluniau hi o hyn ymlaen, gobeithio.

Mae'r darlun o dan fy ngwely. Dydw i ddim wedi dweud wrth neb amdano, a dim ond Elinor sydd yn gwybod beth dwi wedi ei wneud. Weithiau, pan nad oes neb arall adref, dwi'n ei dynnu allan ac yn syllu arno.

Mae'r dyn yn dal i fod yn y llun, er nid yn yr un lleoliad pob tro. Y croen gwelw, y gwallt blêr, y geg fel ogof dywyll. Mae ei weld o yn codi gwahanol emosiynau ynof i. Weithiau dwi'n ei gasáu. Weithiau dwi'n ei bitïo. Weithiau dwi'n ei garu. Mae'n sicr yn llenwi fy mreuddwydion bob nos.

Mae o'n siarad efo fi. Dyna pam na allwn i gael gwared o'r llun, pam na theflais i o i'r môr. Fyddwn i fyth yn ei ddinistrio. Ar hyn o bryd mae'r dyn yn sownd yn yr un darlun hwn, heb lun arall i ddianc iddo. Does dim pentyrrau o baentiadau yn fy nhŷ i.

'Eithr heb ddarluniau eraill,' mae o'n dweud wrthyf i, 'sut y gallaf i deithio y tu hwnt i'r arfordir? Sut y gallaf gyfarfod mwy o'th frodyr a'th chwiorydd a rhoi anrhegion iddynt hwythau yn eu tro?'

Mae o'n siarad yn ddi-baid ambell ddiwrnod. Dydw i ddim yn deall popeth mae'n sôn amdano – rhywbeth weithiau am chwalu'r hud sydd yn cloi rhywun mewn carchar sydd dan donnau'r môr; yn sôn dro arall am ryw badell arbennig sydd angen ei darganfod a'i hadfer. Mae'n dweud y gallaf i helpu ei deulu i wneud yn iawn am y sarhad gafodd ei wneud iddyn nhw filenia yn ôl.

Dwi'n gwybod ei enw fo hefyd erbyn hyn. Efnisien. Ie, fel yn y Mabinogi, er ei fod o'n sibrwd wrthyf i: 'y mae mwy i'r hen chwedlau nag y gwyddost amdano, Lleucu.' Mae o'n rhoi cyngor i mi pan dwi'n teimlo'n ansicr, yn rhoi dewrder i mi pan fo pobl yn fy nal yn ôl. Mae Efnisien yn addo y byddaf i, ryw ddydd, yn gallu dal y Llyfr Glas yn fy nwylo, a phryd hynny bydd byd newydd yn cael ei ddatgelu i mi a bydd fy hunllefau yn gostegu – ond mae ganddo waith i mi ei wneud cyn y diwrnod hwnnw.

Mae'n flynyddoedd ers i mi baentio unrhyw beth, ond heno byddaf yn tynnu'r hen îsl allan, er mwyn Efnisien, a byddaf yn taenu paent ar gynfas newydd sbon, yr ysbrydoliaeth yn ffrydio ynof fel tonnau o heli.

'Juvencus'

Does neb ar ôl o'r sgwad heblaw amdanaf i a Preifat Franck. Mae'r bechgyn eraill i gyd wedi mynd. Fe laddodd y creaduriaid nhw yn y nos.

Rydyn ni wedi cau ein hunain yn yr adeilad hwn bellach. Hen dŷ bregus, murddun nad oes neb wedi troedio ynddo ers cenhedlaeth. Fel y cabanau pren hynny rydych chi'n gweld mewn *westerns* yng nghanol diffeithwch mynyddog America. Un stafell, un drws, dwy ffenest, hen ffrâm wely, bwrdd ac un gadair, a fi a Preifat Franck.

Mae'r bwrdd wedi ei wthio yn erbyn y drws ac rwy wedi tynnu'r hen lenni pwdr dros y ffenestri. Dyw hynny ddim yn debygol o helpu rhyw lawer. Mae'r *Pethau* y tu fas, yn rhywle. Allwn ni eu clywed nhw nawr yn sgrafellu'r waliau ac yn crafu'r pridd o gwmpas y caban, eu griddfan annaearol yn llenwi'r gwynt.

Does dim byd allwn ni wneud nawr heblaw aros. Mewn chwech awr bydd hi'n olau dydd a bydd ein hachubiaeth yn dod. Does ond raid i ni gyrraedd y llecyn *exfil* er mwyn i ni allu mynd oddi yma. Ond dyw'r hofrennydd ddim yn gallu dod tan y wawr – ac mae ein radios wedi torri. Felly mae'n rhaid i ni aros. A goroesi.

Rwy'n lefftenant ac mae Franck yn breifat. Mae eithaf agendor rhyngddyn ni felly o ran ranc. Ac mae Franck yn ifanc – dim ond deunaw oed, os ydw i'n cofio'r cofnodion yn iawn.

Mae gen i bum mlynedd a mwy ar ei ben. Fe ymunais i â'r fyddin yn syth o'r brifysgol, mynd drwy'r academi, gwneud un *tour* ac wedyn cael fy nanfon yma. Wnaeth Franck ddim cwblhau ysgol, hyd yn oed. Fe wnaeth e hanner *tour* ac yna cael ei ailgyfeirio i fod yn rhan o'r tîm *special ops* hwn. Ni yw gorau'r gorau, yn ôl y taflenni, ond y cyfan welais i wrth i ni hedfan yma yn y hofrennydd oedd criw o fechgyn ifanc gorhyderus ac ofnus.

Mae Franck yn syllu arnaf i nawr, ei lygaid yn wyn. Dyw'n dweud dim. Beth allwn ni siarad amdano? Rwy'n ceisio gwenu mewn anogaeth ac i'w sicrhau y byddwn ni'n iawn. Mae'n edrych ar y llawr, ei fysedd yn symud yn grynedig ar draws stoc ei wn. Mae lamp fechan ddeinamo yn goleuo'r stafell yn wan, gan daflu cysgodion miniog i bob cornel. Ambell waith rwy'n meddwl y byddai tywyllwch dudew yn well na'r golau amrwd hwn. Mae gweld wyneb Franck, pob craith a chlais arno fel pe bai yn fy meio i, bron yn ormod i'w ddioddef.

Mae sŵn parhaus y tu fas. Yr un sŵn rydyn ni wedi bod yn ei glywed ers y noson gyntaf honno pan gipion ni'r pecyn. Synau sibrwd... crensian... crafu... rhwygo...

Ar ôl i Preifat Hook ddiflannu y noson gyntaf gydag un sgrech arteithiol, yr enw y dechreuodd y bechgyn ei ddefnyddio ar y creaduriaid oedd *y Pethau*. Mae'r Pethau yn byw yn y tywyllwch ac yn gwylio. *Y Pethau*, neu *the Things*, a bod yn gywir – Saesneg mae'r bechgyn i gyd yn siarad. Fi yw'r unig Gymro – yr unig un sy'n siarad Cymraeg. Lieutenant Taff maen nhw'n fy ngalw i pan maen nhw'n meddwl nad ydw i'n clywed.

Fe gawson ni hyd i'r pecyn mewn stafell danddaearol, mewn dyfnder lle nad oedd golau haul yn cyrraedd. Llwyddon ni i'w gyrraedd drwy ddilyn gwreiddiau'r coed ymhell bell i lawr i grombil y pridd drwy hen goridorau cyfyng, di-olau. Rwy'n siŵr nad oes neb wedi bod i lawr yno ers canrifoedd. Roedd y pecyn mewn atriwm greigiog sych, y tu mewn i flwch hynafol.

Fe wrthododd hanner y bechgyn fynd i fewn i'r atriwm honno, er gwaethaf yr ordors, felly fi gafodd y dasg o nôl y pecyn o'i flwch. Roedd y bocs mawr carreg hwnnw yn fy atgoffa i o feddrod. Roedd ganddo ryw grafiadau a symbolau arno na allwn i eu dehongli – nid fod gen i'r amser na'r arbenigedd i'w astudio. Roedd gwreiddiau a chen gwyrdd wedi tyfu'n drwchus dros y blwch, bron iawn fel pe baen nhw'n ei lapio. Defnyddiais fy midog i'w torri ymaith. Gyda stoc fy ngwn, chwalais y drws carreg yn ddarnau er mwyn cael at y gwrthrych oedd y tu mewn.

Wrth i ni fynd yn ôl tua'r wyneb, gofynnodd Preifat Anderson i mi beth oedd y pecyn, ond doedd gen i ddim yr hawl i ddweud wrth y lleill beth oedd wedi ei lapio yn y clwtyn oeliog.

Mae'r *officer* yn cael gwybodaeth ychwanegol i'r milwyr sydd oddi tano. Mae *officer* yn ddigon dibynadwy i gael rhannu yn y gyfrinach, medden nhw. Pan gefais i'r briff gan yr Uwchgapten, roeddwn i eisiau cwestiynu pwrpas yr orchwyl: Operation Juvencus. Ond dyw *officer* ddim i fod i gwestiynu dim.

'What does "Juvencus" mean, sir?' gofynnais.

Twtiodd yr Uwchgapten o dan ei wynt a mwmian rhywbeth am ddiffyg addysg Glasurol yn yr ysgolion heddiw.

'The name of the bloody mission doesn't matter, Davies,' meddai'r Uwchgapten. 'It's the mission itself that matters. This task is of the utmost importance to national security. Certain... discoveries have recently been made. An item needs to be recovered before a hostile nation takes possession of it.'

Edrychais drwy restr aelodau fy sgwad. 'Team looks a bit green, sir.'

Teneuodd llygaid yr Uwchgapten. 'They'll do their duty nonetheless.'

Nodiais. 'Can we expect any resistance, sir?'

Teimlais fod yr Uwchgapten wedi oedi am eiliad cyn ateb. 'Unlikely. In and out. Bit of a trek though. Remote place. Your neck of the woods, more or less, I think? Seventy-two hours, so you needn't rush. Everything you need to know is in the folder. And you don't need to know anything else, Lieutenant.'

Wnes i ddim dadlau. Dyw *officer* ddim yn dadlau.

Felly fe aethon ni liw nos mewn hofrennydd i'r *landing zone*. Roedd hwnnw yng Nghymru. Lle anghysbell dros ben – rhywle ym Mhowys, ond ddim unlle rwy'n gyfarwydd ag e. *Your neck of the woods, more or less.*

Ar ôl i ni ddisgyn o'r hofrennydd ar gyrion y goedwig, fe gawson ni ein gadael mewn distawrwydd llethol. Roedd yn ymddangos mai ni oedd yr unig rai byw am filltiroedd. Roedd y tir yn foel ac yn oer o'n cwmpas. Aeth ein taith â ni i mewn i ddyffryn tywyll lle roedd coed duon yn doreth a hen ganghennau yn gwyro droson ni fel cawell. Ni pharodd hiwmor arferol y bechgyn yn hir iawn.

Fe gawson ni afael ar y pecyn yn ystod y noson gyntaf. Roedd ein buddugoliaeth yn fyrhoedlog. Fymryn cyn y wawr, wrth i ni ddychwelyd o'r guddfan gyntefig tuag at ymylon y goedwig, dyma'r Pethau yn ymosod. Roedden ni'n methu eu gweld nhw, ond roedden ni'n gallu eu teimlo. Roedd eu crafangau yn gynt nag anadl ac yn gryfach na dur. Daethon nhw o'r cysgodion, yn ysgytwad o dywyllwch a gorffwyll a gwaed. Yng ngolau drylliog y gynnau y saethodd y sgwad yn wallgof i mewn i'r nos, gwelais beth roeddwn i'n meddwl oedd yn fysedd hir a milain yn slaesio fy mechgyn yn ddarnau. Cleciodd a hisiodd y Pethau fel bwledi wrth iddyn nhw ein lladd.

Mae bron pawb wedi eu cymryd nawr. Sarjant Key, Corporal Willis, Preifats Smith, Charles, Handley, Hook, Anderson, Fairley... Un ar ôl y llall. Oedden, roedden ni'n gallu dianc am fymryn ar ôl pob ymosodiad, ond doedd dim ots lle'r oedden ni'n cuddio, roedd y Pethau yn dychwelyd. Un diwrnod hir, brawychus. Noson arall o waed a cholled. Diwrnod arall o ruthro at yr hen gaban y gwelodd Smith e o frig coeden. Wrth i'r nos gau o'n cwmpas, fe glywon ni ddwndwr y Pethau yn agosáu. Roedden nhw wedi ein dal ni eto.

Fairley oedd yr olaf i farw, jest cyn i ni gyrraedd y tŷ hwn. Yn ei eiliad olaf roedd ei lygaid yn llydan gan arswyd ac artaith...

Rwy'n edrych ar wyneb Franck yntau'n awr. Mae ei groen yn fudr ac mae'n grafiadau drosto. Mae cylchoedd duon o dan ei lygaid gan nad ydyn ni wedi cysgu ers dros ddeugain awr. Dydw i ddim yn edrych yn olygus iawn chwaith, mae'n siŵr. Gallaf weld, yn y modd mae ei wefus isaf yn crynu a'r ffordd aflonydd mae ei fysedd yn gwingo, ei fod angen cysur, angen teimlo'n ddiogel. Allaf i ddim rhoi hynny iddo, wrth gwrs. Fe ddylwn i fod yn gallu dweud rhywbeth wrtho, cael hyd i ryw eiriau caredig a dewr i dynnu ei sylw oddi ar yr erchylltra sydd yn ymgasglu y tu fas i'r ffenestri.

Ond allaf i ddim. Dyw'r geiriau iawn ddim yn dod.

'Chin up, Franck – remember your training,' yw'r gorau sydd gen i.

Mae Franck yn rhythu arnaf i am foment, ei lygaid yn berwi â dryswch ac ofn, yna mae'n nodio'n fyrbwyll ac yn troi i edrych tua'r ffenest.

Remember your training! Rwy'n wfftio fy hunan am ddweud rhywbeth mor ystrydebol wrtho. Fel petai hyfforddiant milwr wedi paratoi rhywun am hyn!

Pam na allaf i siarad ag e? Petasen ni mewn tŷ tafarn a taswn i ddim yn *officer* a fe ddim yn breifat, fyddai dim problem. Bydden ni'n gallu yfed a joio a malu awyr hyd berfeddion nos. Ond nid felly mae hi. Er gwaethaf y synau y tu fas, tawelwch sydd yn y stafell fach hon.

Ar ôl pum-deg-tri munud arall – rwy'n edrych ar fy watsh bron yn ddi-baid – mae Franck yn turio yn ei boced a thynnu mas gweddillion bar egni. Mae'n rhwygo darn i ffwrdd ac yn ei stwffio yn ei geg. Mae sŵn glafoeriog ei grensian yn llenwi'r stafell.

Yna mae'n oedi ac yn dal fy llygad. Mae'n ymddangos ei fod yn ystyried rhywbeth, yna mae'n dal darn olaf y bar mas ataf i.

'If you want it, sir,' meddai Franck.

Mae fy stumog yn bloeddio eisiau bwyd. Er y dylwn i wrthod a gadael iddo fe fwyta beth sydd ar ôl, mae fy chwant yn ormod, felly rwy'n ymestyn dros yr agendor sydd rhyngon ni ac yn cymryd y tamaid bwyd yn ddiolchgar. 'Cheers, Private.'

Mae'n gwneud ystum i ddangos nad yw'n ddim byd mawr. Am ychydig eiliadau rydyn ni'n eistedd yn cyd-fwyta.

Yna mwy o ddistawrwydd.

O dipyn i'w gilydd rwy'n dechrau clywed synau newydd. Mae fel pe bai'r tŷ ei hun yn dechrau cwyno o'n cwmpas, yr hen foncyffion yn gwegian yn araf, fel sŵn pren yn ymestyn mewn gwres neu sŵn cragen llong yn suddo i'r môr. Rwy'n sylweddoli fy mod i'n rhincian fy nannedd a bod fy mys wedi cael hyd i glicied fy ngwn. Mae Preifat Franck yn rhegi o dan ei wynt mewn iaith nad ydw i'n ei deall.

Wrth i'r oriau lusgo ymlaen, mae crafu'r Pethau yn gyson

o swnllyd. Mae fy mrest yn dechrau tynhau a'm hanadl yn poethi – mae pwysau'r sefyllfa yn dechrau mynd yn drech na mi. Rwy'n chwysu. Rwy'n taro golwg ar Franck. Mae e yr un fath.

Yn rhai o garchardai mwyaf diawledig y byd, mae ganddyn nhw ddull o boenydio pobl sy'n cael ei alw'n artaith sŵn. Maen nhw'n eich cloi mewn cell ac yn gwneud cymaint o sŵn am gyhyd nes eich bod chi'n methu â chysgu, methu ag ymlacio, methu â meddwl, ac yn y pen draw mae'n eich torri chi. Dyna fel mae hi nawr. Does gen i ddim byd yn fy meddwl bellach heblaw delweddau echrydus o grafangau du a chegau cochion a dannedd fel cyllyll yn ymosod o'r cysgodion… Hyd yn oed pan rwy'n cau fy llygaid, mae'r hunllef yn dal yno, a gallaf deimlo'r gwallgofrwydd yn treiddio trwof fel asid yn fy ngwaed.

Mae'n rhaid i mi wneud rhywbeth i dynnu fy sylw oddi ar hyn. Rwy'n estyn am fy mag ac yn frysiog rwy'n tynnu'r pecyn yn ei glwtyn oeliog mas ohono.

Doedd yr Uwchgapten ddim wedi dweud wrthyf i beth oedd y pecyn. *You don't need to know anything else, Lieutenant.* Roeddwn i wedi cael cip ohono wrth ei guddio yn y brethyn pan oedden ni yn yr atriwm danddaearol honno – rhywbeth metel a thrwm.

Nawr rwy'n dadlapio'r gwrthrych yn ofalus, fy mysedd yn crynu. Mae'n rhaid i fi wybod beth sydd wedi dod â ni yma, beth mae fy sgwad wedi marw drosto. Erbyn hyn, does dim llawer o obaith y bydd y *superiors* yn cael gafael ar y pecyn beth bynnag. Waeth i mi wybod beth yw e cyn y diwedd ddim.

Rwy'n dal y gwrthrych yn fy nwylo. Rwy'n rhythu arno. Mae'n rhyfedd. Mae siâp fel hanner lleuad iddo, mewn metel sy'n edrych fel arian ond yn wahanol rywsut. Rhyw fath o aloi efallai. Mae un ochr i'r lleuad yn llyfn a chrwn, fel ochr disg, tra bod yr ochr arall yn llinell gwbl syth. Rwy'n sylweddoli mai wedi ei hollti i lawr y canol y mae – o ystyried ei chwydd ceugrwm, rhywbeth fel dysgl oedd hwn unwaith. Ac mae'n hen. Er nad ydw i'n hanesydd, mae teimlad hynafol i'r hanner powlen hwn. Ond pam bod ar y fyddin ei eisiau? A pham yr holl frys dros gael gafael arno?

Mae hi hefyd yn eglur i mi bellach mai ar ôl i ni gipio'r gwrthrych hwn y daeth y Pethau i'n herio ni. Fel pe baen nhw'n dial – neu'n amddiffyn rhywbeth...

Rwy'n craffu ar y metel nawr. Mae golau'r lamp ddeinamo yn welw ond fe allaf i weld marciau ar wyneb y ddysgl. Crafiadau. Llinellau o wahanol hydoedd a chyfeiriad yn rhedeg o amgylch y rhimyn, fel un ysgol hir heglog. Mae llond llaw o linellau o'r un teip, ond yn fwy eu maint, ar waelod y ddysgl, wrth lle mae'r metel wedi ei hollti. Allaf i ddim dehongli'r marciau.

'Beth ddiawl wyt ti, te?' rwy'n gofyn i'r hanner dysgl, fy mhen yn nofio.

'Ti siarad Cymraeg?'

Mae llais Franck yn rhwygo fy sylw o'r gwrthrych. Rwy'n syllu arno yn hurt.

'Dwi ddim gwybod bod ti siarad Cymraeg,' medd Franck eto.

'Y-ydw,' rwy'n ateb. Mae fy ngwddw'n sych. 'Ers fy ngeni. Ddysges i ddim Saesneg tan es i i'r ysgol.' Rwy'n sychu'r chwys oddi ar fy nhalcen gyda fy llawes. 'Wydden i ddim dy fod ti'n siarad Cymraeg, Preifat.'

Nodiodd Franck. 'Wnaeth fi byw yn Gymru am few years. Mynd i ysgol Cymraeg. Oedd Nain fi yn dod o Pensarn.'

'Wel wel! Mae 'da fi gefnder sy'n byw yn Ninbych.' Rwy'n gwenu, er gwaethaf popeth. 'Mae'n neis clywed yr iaith.'

Mae Franck yn nodio. Mae'n rhoi gwên fach hefyd. 'Dwi ddim wedi siarad fo ers amser hir.' Mae ei lygaid yn syrthio ar y ddysgl sydd yn fy llaw. 'Be ydy hwnna?'

Rwy'n codi fy ysgwyddau. 'Dim cliw. Ddwedon nhw ddim wrtha i, heblaw ei fod e'n bwysig.' Rwy'n dal y gwrthrych lan at Franck. 'Rhyw hen arteffact; mae'n disgwyl fel rhywbeth o oes y Celtiaid. Mae cerfiadau od arno fe. Sa i'n deall nhw.'

Mae Franck yn gwneud ystum i mi basio'r gwrthrych ato. Does gen i ddim rheswm dros wrthod. Mae'n troi yr arteffact yn ofalus yn ei fysedd, yna yn ei ddal yn agos at y lamp welw. 'Lle mae'r hanner arall?' mae'n gofyn.

'Dim cliw. Doedd e ddim yn y lle 'na, ta beth. Dyna'r oll oedd 'na.'

'Mae'r marciau yma yn alphabet hen,' medd Franck heb edrych arnaf i. '"Ogam" maen nhw galw fo. Wnaeth Nain fi siarad i fi amdan fo lot o weithiau. Hi'n dysgu fi amdan fo yn yr haf pan doedd fi methu mynd yn ôl at Mam a Dad.'

Rwy'n rhyfeddu. 'Wyt ti'n gallu ei ddarllen e?'

Mae Franck yn cnoi ei wefus. 'Ella. Bron neb yn dallt o erbyn rŵan. Ond oedd Nain fi yn dallt o. Oedd hi'n dallt lot o pethau felna.' Mae'n rhedeg ei fys yn araf ar hyd ymyl crwn y bowlen. 'Mae'n anodd deud y difference rhwng dau air, lle mae un yn gorffen ac un arall yn dechrau. Ond dwi'n meddwl mae hwn yn gair: "S – E – L – I – C – I – S".' Mae'n edrych arnaf i yn ddisgwylgar. 'Gen ti education da, syr. Ydy'r gair yma yn meddwl unrhyw beth?'

'"Selicis... Selicis..." Na, ddim syniad. Cymraeg yw e i fod?'

'Doedd dim Cymraeg pan wnaethon nhw y peth yma.' Mae mymryn o goeg yn ei lais. 'Iaith mwy hen na Cymraeg oedd nhw'n siarad bryd hynny.' Rwy'n teimlo rhyw falchder od wrth edrych ar y bachgen ifanc hwn yn sydyn yn llawn doethineb a phwyll.

Mae'n darllen yn ei flaen. 'Ocê, dyma gair arall i ti dwi'n meddwl: "B – E – T – W – I".'

'"Betwi..." Dyw hwnna ddim yn air rwy'n nabod.'

'Na fi. Ella gair ydy o wnaeth troi mewn i gair Cymraeg later on.'

Mae fy meddwl yn rasio. Doeddwn i erioed yn academydd disglair. Rwy'n ceisio cofio fy ngwersi gramadeg. Ond: 'Na, dim, sori. Beth yw'r nesa?'

'"D – A – R – I".'

'"Dari..." Wel, wn i ddim am air "dari".' Mae fflach atgof yn dod ataf i. 'Ond.. hei, mae "dâr" yn hen air Cymraeg. Gair am goed derw. Rwy'n dod o Aberdâr – mi ddysgon ni am darddiad yr enw hwnnw yn yr ysgol fach! Tybed. Beth oedd yr un arall yna, cyn hwn. "Betwi"?' Mae Franck yn nodio. '"Betwi". "Betw". Beth os mai "bedw" yw e? Fel y fedwen. Enw coeden arall. Derw a bedw.'

Mae llygaid Franck yn llachar ac yn llawn cyffro. 'Ia, mae o gwneud sens. Hwn ydy nesa. "B – A – N – A – T – L – I".'

'"Banatli". Rhaid mai "banadl" yw hwnna. Banhadlen – coeden fel *laburnum*, rwy'n credu.' Cofiwn fy nhad yn mynd â mi am dro ers talwm, yn dysgu i mi am natur, am enwau'r planhigion a'r adar.

'"C – E – L – E – N – N arall – I". "Celenni". Celyn!' Mae Franck yn rhoi gwên ddanheddog i mi, yn falch o gracio'r côd. 'Fel yn adeg Nadolig.'

'Da iawn ti,' rwy'n dweud yn wresog. 'Ti'n athrylith, Preifat.' Mae Franck yn gogwyddo ei ben mewn dryswch. Rwy'n rhoi chwerthiniad bach. 'Sori. Ti'n rili dda am hyn, rwy'n feddwl.'

Mae Franck yn pwyso'n ôl yn erbyn y wal, gan ddal y ddysgl

yn barchus o'i flaen. 'Oedd coed yn sbesial i'r Cymry ers talwm, oedd Nain yn deud. Yn – be ydy'r gair – yn holy...'

'Sanctaidd. Ie. Wnes i glywed hynny hefyd.'

'Mae un gair arall fama,' medd Franck, gan graffu eto ar y gwrthrych. 'Yn canol fo. Neu yn y canol pan oedd y plât yn un darn. Mae'r Ogam yma'n fwy deep, fwy dwfn, fatha bod fo'n mwy pwysig. "G... W... I... D...".' Mae'n gwgu. 'Dyna'r cwbl sy 'na – mae'r plât wedi torri yn fanna a dwi methu darllen diwedd y gair.'

'"Gwid. Gwid..."' Yna mae'n fy nharo i. 'Falle nad yw e ar ei hanner o gwbl. Os rwy'n cofio'n iawn, yr hen air Cymraeg am goed oedd "gwŷdd"—'

Yn sydyn mae sŵn mawr fel taran yn hollti wal y tŷ. Does gen i ddim amser hyd yn oed i sgrechian. Mae prennau'r caban yn cael eu hollti ac mae'r to yn hanner dymchwel ar ein pennau. Mae breichiau'r Pethau yn ymestyn drwy weddillion y ffenest ac rwy'n cael cip ar ddwsinau o lygaid gweigion gwyn yn rhythu arnon ni o'r gwyll sydd y tu hwnt – ond yna mae darn o rwbel yn fy nharo ar fy mhen, ac mae'r byd yn troi'n fflach o dân a phoen.

Rwy'n deffro eiliadau wedyn. Mae Franck eisoes yn fy llusgo ar draws pridd gwlyb a thrwy'r goedwig, ei fraich o dan fy ysgwydd, minnau yn hanner baglu wrth geisio aros ar fy nhraed. Mae cyflafan y tu ôl i ni fel daeargryn ac fe allaf glywed sŵn rhuo a rhwygo'r creaduriaid yn carlamu ar ein holau. Does dim golwg o'n gynnau ni ond rwy'n gweld rhywbeth yn sgleinio o dan gesail chwith Franck – mae'r ddysgl arian doredig yn dal ganddo.

Rwy'n llwyddo i ddod ataf fy hun rywfaint. Rwy'n edrych yn wyllt ar y cwmpawd sydd ar fy ngarddwrn dde. Os y darllenais y map yn gywir neithiwr, rydyn ni rhyw filltir o'r man *exfil*. Mae'r awyr yn llwyd yn yr hanner golau sy'n dod cyn y wawr. Bydd yr hofrennydd yma yn fuan, mor fuan. Rydyn ni'n sobr o agos. Does dim ond rhaid i ni gyrraedd—

Yna mae clec yn fy nharo i ymlaen; rwy'n syrthio – mae poen arteithiol yn saethu drwof. Rwy'n bloeddio. Mae Franck yn ceisio fy nhynnu i, yn gafael yn fy mraich, ond allaf i ddim symud. Rwy ar fy ngliniau. Yna rwy'n gweld y gwaed sy'n llifo mas o fy ochr – a'r arf hir, miniog sydd wedi fy nhrywanu o'r tu ôl a rhwng fy asennau...

Dyna pryd rwy'n deall.

Rwy'n ddiymadferth yn y llaid, yn peswch gwaed; mae fy ngolwg yn tywyllu. Ond hyd yn oed nawr rwy'n sylweddoli – yn sylweddoli bod y Pethau, y creaduriaid, wedi bod o'n cwmpas ni o'r cychwyn cyntaf, mai ni wnaeth darfu ar eu lle cysegredig nhw a dwyn yr hyn oedden nhw wedi ei warchod ers cyn cof, *mai'r coed eu hunain* oedd wedi dod yn fyw a dod ar ein holau. Rwy'n gweld cysgodion y coed hyn – derwen, bedwen, banhadlen, celynnen, helygen... – yn llusgo eu hunain wraidd wrth wraidd drwy'r drysni tuag aton ni, eu boncyffion yn clecian a'u canghennau'n gwegian. Mae eu brigau'n finiog fel gwawyffyn a'r tyllau cainc yn eu cyrff yn gloywi'n wyn ac yn gandryll. Mae Gwernen dal, esgyrnog yn tynnu ei changen waedlyd mas o fy nghnawd: mae'r goeden yn llenwi'r awyr uwch fy mhen, ei braich yn codi i drywanu unwaith eto...

Yna mae Preifat Franck yn camu o fy mlaen i. Mae'n gweiddi rhywbeth at y coed sydd yn ein hamgylchynu ni – allaf i ddim deall ei eiriau – yna mae'n ymestyn ei fraich chwith yn ôl ac yn hyrddio'r hanner dysgl arian i mewn i gysgodion y goedwig fyw gyda'i holl nerth.

Mae'r coed yn rhuo, os mai rhu yw'r gair amdano – sŵn annaearol yw e, fel y byd yn chwalu – ond yna mae'r Wernen yn symud yn ei hôl a'r coed eraill yn toddi i mewn i'r cysgodion gyda hi, a gwreiddiau a dail yn tyfu'n sydyn yn y lle roedden nhw'n sefyll. Mae'r goedwig yn crynu, ac yna – distawrwydd. Does dim golwg o'r ddysgl.

Rwy'n gwaedu'n ddrwg nawr, y bywyd yn llifo ohonof i. Wn i ddim faint o amser sydd gen i ar ôl. Mae Franck yn eistedd gyda mi, yn gafael ynof i yn dynn, ninnau ar fryncyn bach moel ar gyrion y coed. Mae Franck yn dweud yn fy nghlust, drosodd a drosodd, 'Mae'n iawn, mae'n iawn, mae'n iawn.' O bell rwy'n clywed murmur hofrennydd yn canu'n uwch ac yn uwch wrth i'r nos encilio oddi wrthon ni'n dau.

Tannau'r Delyn Ddu

Fe brynais i'r delyn mewn ffair greiriau am ugain punt, chi'n gweld. Roedd y gwerthwr yn eiddgar i gael gwared arni. Rwy'n sylweddoli nawr y byddai'n well petawn i wedi cerdded heibio a gwario fy arian rywle arall.

Roedd hi'n delyn fawr, hardd, Gymreig. Roedd y pren yn ddu, ddu a diawl! roedd oedran iddi. Allwn i deimlo'r canrifoedd wrth redeg fy llaw dros ei phren tolciog. Rwy'n cofio'r wefr odidog pan y cyffyrddais hi am y tro cyntaf, ac mae'n siŵr mai dyna pam y prynais i hi a mynd â hi adref yng nghefn y fan. Doedd fy nghariad ddim yn hapus iawn, ond dyna chi.

Roddais i'r delyn yn y parlwr blaen. Roedd hi'n glamp o offeryn: telyn deires, gydag un rhes o dri-deg-a-saith tant, rhes arall o dri-deg-a-phedwar tant, a thrydedd rhes o ddau-ddeg-a-saith tant. Naw-deg-wyth tant i gyd, a phan redwn i fy mysedd drostyn nhw, roedd y sain yn ddwfn a chyfoethog. Doedden nhw ddim i gyd mewn tiwn, oedd yn rhoi rhyw sain arallfydol a hen ffasiwn iddi, ond roedd hynny'n gwneud i mi ei charu hi'n fwy.

Allwn i ddim canu'r delyn, wrth gwrs. Sawl un sydd yn gallu bellach? Ond fe safai hi yn osgeiddig yn y gornel, rhwng y teledu a'r cwpwrdd gwirodydd, ac mi brynais i garthen draddodiadol i'w gosod drosti er mwyn cadw'r llwch bant. Dim ond ar ddiwedd y prynhawn ac ar y penwythnos y byddwn i'n tynnu'r garthen er mwyn i chi allu ei gweld hi drwy'r ffenest pan basiech chi. Does dim byd mwy Cymreig na thelyn deires, oes e?

Alla i ddim cofio pryd y dechreuais i ei chanu hi. Ryw noswaith oedd hi. Roeddwn i ar fy mhen fy hun yn y tŷ. Roedd fy nghariad i mas gyda'i ffrindiau. Doedd dim byd ar y teledu, felly eisteddais i ar y stôl ar bwys y delyn a thynnu'r garthen bant a'i phlygu'n ofalus. Yna plyciais y tannau gydag un law. Roedd y sain yn hyfryd – mae'n rhaid fy mod i, drwy lwc, wedi cael hyd i gord, er nad oeddwn i'n deall nesa peth i ddim am gerddoriaeth. Ceisiais eto. Roedd y nodau'n llai soniarus y tro hwn. Ceisiais am y drydedd waith. Chwaraeais gord arall – roedd yn gord da ond roedd rhywbeth tristach amdano na'r cord cyntaf hwnnw.

Roedd yna gynhesrwydd i dynnu tannau'r delyn fel yna. Teimlai'r llinynnau'n dynn a chignoeth o dan fy mysedd ac roedd eu crynu ar ôl i mi eu cyffwrdd yn hypnotig bron. Trawais y tannau un ar ôl y llall, weithiau o'r rhes hon ac weithiau o'r rhes yna, ac ymestyn i'r rhes ganol os oeddwn i'n teimlo'n eofn. Rhedais fy nwylo o un pen i'r llall gan wneud rhaeadr o nodau. Y mwyaf i mi chwarae, y mwyaf oeddwn i'n teimlo'n fodlon. Roedd fel meddwi, rywsut.

Ceisiais chwarae dipyn i fy nghariad ar ôl iddo ddychwelyd, ond ddywedodd e rhaid mod i'n fyddar achos doedd dim tiwn i beth roeddwn i'n ei chwarae. Anghytunais i.

Dros y dyddiau a'r wythnosau nesaf, canais fwy ar y delyn ddu, yn enwedig pan mai dim ond fi oedd yn y tŷ. Caewn fy hun yn y parlwr blaen a gadael i'r nodau lenwi'r stafell. Roedd llif mesmeraidd yr alawon roedd fy mysedd i'n eu darganfod yn troelli o'm cwmpas ac yn fy hudo i ffwrdd o bryderon byd. Wel! Roeddwn i'n hoff o'r delyn yn ystod y cyfnod hwnnw.

Ych chi'n dal i fy nilyn i? Dyma pryd ddechreuodd pethau fynd yn rhyfedd, chi'n gweld, ac felly mae'n bwysig eich bod chi'n deall bod popeth yn dda ar y cychwyn hwnnw.

Alla i ddim esbonio sut, ond, ar ôl y dyddiau cyntaf ansicr, roedd hi fel petawn i wedi gallu canu'r delyn erioed. Syrthiai fy mysedd ar y tannau cywir bob tro, heb orfod meddwl na chwilio'n lletchwith am y tant iawn. Roedd y cordiau roeddwn i'n eu cynhyrchu yn rhai cymhleth, a doedd dim alaw na chainc oedd yn dod i fy mhen na allwn i ei chwarae ar yr ymgais gyntaf. *Nawr* mae'r peth yn swnio'n wallgof, rwy'n gwybod. Ond ar y pryd roedd e'r peth mwyaf naturiol yn y byd, chi'n deall.

Roedd hi rywbryd ym mis Hydref, rwy'n credu, pan ddechreuais i weld pethau. Wrth i'r alawon dreiddio o'r delyn, des i'n ymwybodol o siapiau a lliwiau yn nofio o'm cwmpas i. I ddechrau roeddwn i'n cymryd mai rhan o gyfaredd y miwsig oedden nhw. Gall cerddoriaeth eich hudo chi nes bod eich ymennydd yn orlawn o deimladau. Ond yn fuan fe sylweddolais i bod y lliwiau yn rhai go iawn – neu yn rhai go iawn i mi, ta p'un. Alla i ddim ei ddisgrifio fe'n iawn, ond roedd e fel niwl a hefyd enfys, yn gwneud popeth yn y stafell yn fwy aneglur ond eto yn fwy eglur ar yr un pryd. Roeddwn i hefyd yn gallu arogli yn well a chlywed yn well yn y munudau hynny.

Mae'r term – *synaesthesia* – yn disgrifio rhywun yn teimlo pethau nad yw pobl eraill yn eu teimlo. Fel gweld lliwiau pan ych chi'n clywed miwsig neu gael blas cyffrous ar eich tafod pan ych chi'n darllen geiriau penodol. Fel hynna oedd e gyda fi a'r delyn, heblaw oedd e mor fyw ac mor orfoleddus nes mod i'n teimlo mod i'n cael fy nghludo i fyd gwahanol. Pan oedd raid i mi stopio canu, achos bod fy mysedd i'n brifo neu mod i'n dechrau cwympo i gysgu, roedd ton o siom a thristwch yn fy mwrw i – roedd hi'n boenus, bron iawn, peidio bod wrth y delyn.

Roedd hi'n nos Wener ac roeddwn i ar fy mhen fy hun yn y tŷ. Roeddwn i wedi bod mas drwy'r dydd gyda gwaith ac yn awchu i ddod adre i gael mynd at yr offeryn, bron nes mod i'n chwysu, chi'n gwybod. Ond pan genais i'r delyn y noson honno, roedd pethau'n wahanol. Roedd y lliwiau a'r teimladau yn fwy dwys rywsut, yn fwy brawychus, wrth iddyn nhw chwyrlïo o'm cwmpas i a thrwy fy ngwythiennau. Teimlais yn chwithig ac yn dost, ond allwn i ddim stopio canu. Roedd yr alawon yn hynod y noson honno – yn orchestol, chi'n deall. Neidiai fy mysedd fel storm o gwmpas y tannau ac roedd y nodau yn orfoledd ac yn artaith ar yr un pryd. Dyna'r tro cyntaf i mi deimlo fel petai rhywun arall yno gyda mi yn y stafell, fel petai anadlu twym ar fy ngwar a dwylo crebachlyd yn cydio yn fy rhai i, ond roeddwn i ar fy mhen fy hun. Dim ond y fi a'r delyn.

Cwympais yn y diwedd oddi ar y stôl. Roeddwn i'n crynu, fel petai'r ffliw arna i. Roeddwn i mewn poen – a dyna pryd sylwais i fod blaenau fy mysedd yn gwaedu. Roedd dafnau gwaed wedi eu taenu'n llaith dros y tannau tywyll. Cropiais i gadair fawr, plygu fy hunan lan fel mae ci bach yn ei wneud, a mynd i gysgu.

Dihunais yn hwyrach yn y nos. Wyddwn i ddim a oedd unrhyw un arall adre. Ond roeddwn i'n teimlo presenoldeb. Rwy'n gwybod fel mae hynny'n swnio. Nid ysbryd rwy'n sôn amdano. Ond rhywbeth gwahanol, rhywbeth pwerus, tu hwnt i beth oeddwn i'n gallu ei weld neu ei ddeall, heblaw fy mod i'n gallu ei deimlo fe. Curai fy nghalon fel ratl ac roeddwn i'n chwys drosof. Clywais – rwy'n siŵr o hyn, er mor anhygoel mae'n swnio – clywais lais yn sibrwd rhywbeth. Nid llais person. Llais peth. Y geiriau yn amhosib ac yn annealladwy. Alla i ddim egluro'n well na hynna.

Mewn hanner twymyn, llusgais fy hun at y delyn, bron fel pe bai rhyw rym yn fy nhynnu i tuag ati. Er bod cramenni gwlyb ar flaenau fy mysedd ac er bod pob cyhyr yn fy nghorff yn llosgi, eisteddais yn swp ar y stôl fach a dechrau canu'r delyn eto. Roedd y lliwiau yn gorwynt o'm cwmpas i, yn fy mhwnio i bron, a throdd y sibrwd yn hisian ofnadwy a oedd yn turio i mewn i'm clustiau i. Roeddwn i yn fy nagrau ond yn parhau i dynnu'r tannau, yn fwy ac yn fwy gwallgof. Roedd y gerddoriaeth yn plethu gyda'r lliwiau a'r lleisiau annynol.

Yn y niwl hwnnw fe oeddwn i'n gweld siapiau – dim ond am eiliad, ond allwn i weld dwylo, llygaid, wynebau, rwy'n dweud wrthoch chi. Wynebau beth? Dydw i ddim yn gwybod. Ond rwy'n cofio'r delweddau hyn yn gwthio eu hunain i mewn i fy meddwl, er bod fy llygaid wedi eu cau yn dynn, ac roedd fy mysedd i'n tylino'r tannau, er mwyn creu miwsig – unrhyw fiwsig – i geisio gwthio'r wynebau mas, a dwi'n taeru wrthach chi na dyna pam o'n i'n chwara drw'r nos er mwyn eu cadw nhw allan er mwyn yn amddiffyn yn hun er mwyn eich amddiffyn chi gyd a'r diawl gymero Meistres Prys am honni fel arall—

Beth oeddwn i'n ddweud? O ie. Fe wnaeth fy nghariad fy narganfod i yn ddiymadferth ar y carped yn y bore. Roedd e'n llawn pryder. Fe es i i'r ysbyty ar gyfer fy mysedd ac roedd angen sawl pwyth yn y ddwy law.

Ceisiodd fy nghariad i werthu'r delyn, ond dwedais i wrtho am beidio. Plediais i. Ildiodd e yn y pen draw. Allwn i ddim canu'r delyn tra roedd bandejys ar fy nwylo, ond mi eisteddwn i yno yn syllu ar y offeryn du â'r staeniau gwaed dros y tannau.

Bob nos byddai'r lliwiau a'r lleisiau yn dod yn ôl. Doeddwn i ddim yn gallu cysgu. Ym mhobman, hyd yn oed yn y tywyllwch, roeddwn i'n gweld siapiau a drychiolaethau, ac roedd sibrwd fel *tinnitus* yn fy nghlustiau bob awr o'r dydd a'r nos. Dechreuais i golli fy nhymer yn hawdd ac am ddim rheswm. Collais fy swydd. Collais fy nghariad.

Roedd y delyn gen i o hyd. Pan wellodd fy mysedd, ceisiais ei chanu hi eto. Y tro cyntaf i mi ailgyffwrdd y tannau gyda fy mysedd tyner, dolurus, roedd e'n brofiad gwefreiddiol. Am ychydig funudau, ciliodd y lliwiau a gallwn ddal fy ngwynt. Ond yna, yn fuan, roedden nhw yn ôl. Ac yn waeth.

Allwn i ddim stopio canu'r delyn. Am awr ar ôl awr roedd yr alawon cythryblus yn diasbedain drwy'r tŷ. Teimlwn, yn fwy nag erioed, y dwylo eraill ar ben fy rhai i, er na welwn i ddim byd – a dyna pryd sylweddolais i mod i'n canu gyda fy llais fy hun ar yr un pryd â chanu'r delyn: geiriau ac alawon angof yn llithro'n drwsgl mas o fy ngwefusau crebachlyd. Does dim syniad gyda fi beth oeddwn i'n ei ganu. Doeddwn i ddim yn adnabod y dôn na'r geiriau ar y pryd – ac alla i ddim eu cofio nhw nawr. Ond roedd y geiriau'n dod yn barablus mas ohonof i tra roedd fy nwylo'n pwnio'r miwsig o'r delyn, ac roedd hyn fel pe bai'n gwylltio'r lliwiau a'r lleisiau. Fe welwn i fflachiau amryliw o wynebau a dwylo a llygaid yn chwyrlïo'n gandryll o'm cwmpas. Chwaraeais i yn ddwfn i'r nos heb fecso am y boen a'r blinder achos ma raid i mi chwara yndoes ma raid i rywun chwara bob tro chwara ac o ia iesu mi wn i be maen nhw'n ddeud am y Weddw Elin yn ei bwthyn bob dydd a nos yn canu fatha dynas wallgo a nodau'r delyn ddiawl yn ddi-baid yn ddi-baid yn ddi-baid yn—

Mae'n ddrwg gen i. Mae hyn yn digwydd weithiau. Mae'n well i mi orffen fy hanes.

Cynyddodd dicter y lliwiau cynddeiriog, gan fy hyrddio i o gwmpas fel pe bawn i y tu i mewn i long fechan yng nghanol drycin. Roedd y gân a ddeuai o fy ngheg yn gwau ei hun gyda'r nodau a ddeuai o'r delyn, fel rhyw gerdd dant arswydus o ddechrau amser, ond doedd dim rheolaeth gen i bellach dros beth roeddwn i'n ei wneud. Roedd y dwylo eraill a'r gwefusau eraill wedi cymryd drosodd, rwy'n dweud wrthoch chi, ac roedd fel pe bawn i mewn breuddwyd, yn ymwybodol o beth oedd yn digwydd, ond yn swrth ac yn methu gwneud dim byd i newid pethau. Teimlwn fel petawn i'n cael fy nhynnu yn bellach ac yn bellach i lawr i ddyfnderoedd y môr, y tywyllwch yn dirdynnu o'm cwmpas i fel enfys chwerw, y dwylo lliwgar yn ymestyn amdanaf i a'r delyn – ond dyma'r gerddoriaeth yn ei gwthio ymaith mewn uchafbwynt aflafar, a'r miwsig yn stopio yn sydyn mewn ffrwydrad a sgrech a phoen.

Mae'r meddygon yn dweud na fydda i'n gallu defnyddio fy nwylo eto. Ddim am amser hir, hir, ta p'un. Chi'n gweld, pan gawson nhw hyd i mi – ddiwrnodau yn ddiweddarach, mae'n siŵr – roeddwn i yn waed ac yn gyfog i gyd ar lawr y parlwr, ac roedd fy nwylo i wedi eu torri'n ysgyrion, y cnawd wedi ei rwygo ymaith a'r esgyrn wedi torri. Roedd y delyn mewn mil o ddarnau o'm cwmpas ar y carped.

Er i mi rannu fy stori gyda nhw fel rwy wedi ei hadrodd wrthoch chi, mae'r meddygon yn amlwg yn amheus. Maen nhw wedi fy anfon i am ragor o ymchwiliadau – gan gynnwys rhywbeth i wneud â fy meddwl, am ryw reswm, ond rwy'n siŵr mai bod yn *ofalus* maen nhw. Rwy'n gobeithio y *bydd* fy mysedd yn gwella, gyda blynyddoedd o therapi, wrth gwrs, ac y bydda i'n gallu chwarae eto.

Chi'n deall, efallai bod y delyn ddu wedi chwalu ond mae offerynnau eraill i gael mas yna, ac rwy eisiau eu darganfod nhw, eu chwarae nhw, achos dyna'r unig ffordd fedra i gadw'r llenni ar gau oddi wrth yr arswyd o cyn y Dilyw sydd yn gwthio ei ffordd drwodd Beli Mawr Beli Mawr y fo sy'n dŵad y fo sydd o hyd yn dŵad dwi'n deud wrthach chi coeliwch fi does dim modd i roi stop arno fo heblaw trw dannau'r delyn ddu dwi'n ymbil arnoch chi syr dach chi ddim yn dallt na peidiwch â chymryd y delyn oddi wrtha i syr na na na ddim y grocbren peidiwch dwi'n ddieuog dwi'n ddieuog fy nhelyn i ydi hi am oes oesoedd am oes oesoedd dach chi'n meddwl y bydd angau yn fy stopio i rhag cadw'r hen rymoedd rhag croesi'r rhiniog i'r diawl â chi melltith arnoch chi melltith y Weddw Elin arnoch chi ARNOCH CHI I GYD——

Ar Allor Mathonwy

Mi orffennodd eisteddfod y pentref cyn hanner nos, drwy ryw wyrth, oedd yn rhoi digon o amser i mi fynd i ladd y Tad Gilfaethwy cyn y wawr.

Roedd yntau hefyd wedi bod yn yr eisteddfod, wrth gwrs, fel y bu nifer o Frodyr a Chwiorydd eraill yr Urdd Goch. Roedden nhw'n mynd i'r eisteddfod yn ddi-amod bob tro, yn rhannol am eu bod nhw eisiau cefnogi diwylliant lleol, am wn i, ond hefyd er mwyn cadw llygad ar bethau.

Eisteddais i yng nghefn y neuadd o hanner dydd ymlaen, yn y gornel yn y cysgodion, tra roedd y Tad Gilfaethwy, yn ôl ei arfer, yn eistedd yn braf mewn sedd arbennig tua'r blaen. Wnaeth o mo fy nabod i, na hyd yn oed taro golwg arnaf i yn y cyntedd – dwi wedi torri a lliwio fy ngwallt ers iddo fy ngweld i ddiwethaf, ac roedd gen i gap yn isel dros fy mhen – ac felly roeddwn i'n medru ei wylio drwy'r dydd.

Roeddwn i wedi gobeithio y byddwn i'n cael cyfle i'w ladd yn ystod y prynhawn rywbryd, efallai pan âi am ei ginio neu rywbeth felly, ond wrth i'r oriau dipian heibio mi sylweddolais mai ffolineb fyddai cael gwared arno yma, tra bo pawb yn gwylio. Doedd gen i ddim awydd cael fy nal yn ddiangen. Na. Penderfynais ei ddilyn i'w gartref a'i ddifa yn ei ffau ei hun.

Roedd hi'n noson oer, sych a niwlog. Gwelw oedd golau'r lleuad drwy'r llwydni. Gwyliais, o bell, y Tad Gilfaethwy yn sgwrsio am gwpwl o funudau gyda dyn a dynes – y ddau ohonyn nhw'n rhan o'r Urdd Goch, meddyliais, er mod i ddim yn gant-y-cant – ac yna dywedodd nos da wrthyn nhw a throi ar ei sawdl, y ddau arall yn mynd am eu ceir.

Dydy cartref y Tad Gilfaethwy ddim ond rhyw stryd a hanner i ffwrdd o'r neuadd: rownd y gornel ac i fyny'r bryn, y tu ôl i res o goed derw. Dyna pam nad oedd o wedi gyrru. Roedd hi'n haws i mi ei ddilyn felly, gan fy mod innau yn cerdded hefyd, ond roeddwn i'n teimlo'n ddiamddiffyn braidd ar y stryd wag, dawel – dim ond fi a'r Tad Gilfaethwy, minnau rhyw ganllath y tu ôl iddo, yn gwisgo dillad tywyll ac yn cadw'n y cysgodion, fy esgidiau meddal yn gwneud dim sŵn wrth i mi stelcian ymlaen.

Roeddwn i'n byseddu'r gyllell oedd ym mhoced gudd fy nghôt hir. Wnaf i ddim gwadu nad oeddwn i'n teimlo ofn yn ystod y tro byr hwnnw. Mae'r Tad Gilfaethwy yn bwerus ac yn gyfrwys ac yn ddidrugaredd. Byddai angen i mi weithredu'n gyflym a heb oedi pan y deuai'r foment dyngedfennol.

Nid 'Gilfaethwy' ydy ei enw iawn, wrth gwrs. Fyddech chi byth yn clywed neb yn defnyddio'r enw hwnnw arno yn gyhoeddus. Mae'n enw cyfrinachol, enw unigryw, fel pob enw mae aelodau'r Urdd Goch yn dewis iddyn nhw eu hunain. Mae fel enw barddol neu ffugenw, ond yn hyd yn oed yn fwy cyfrin: enw sydd ddim ond yn cael ei sibrwd neu ei lafarganu mewn stafelloedd cudd neu siambrau sanctaidd...

Mae ei enw go iawn yn llawer mwy cyffredin.

Wrth i mi ei ddilyn ar hyd y palmant drwy'r nos dywyll, niwlog, mi allwn i weld ei ysgwyddau llydan yn codi a gostwng yn rhythmig o dan ei siaced wrth iddo gerdded, a gwelwn gymylau gwyn ei anadl yn codi ohono gyda phob cam, fel llosgfynydd sy'n hepian. Roedd clec ei esgidiau capel yn swnllyd ar y palmant, gan atsain o waliau'r adeiladau cwsg cyfagos. Pan basiai Gilfaethwy o dan lampau'r stryd roedd ei gysgod hir yn troelli'n frawychus o'i gwmpas am eiliad, fel llaw fawr yn chwilio amdanaf drwy'r tywyllwch.

Roedd Gilfaethwy yn byw ar ei ben ei hun, wrth ymyl rhes o hen dderi tal, fel y dywedais i, a thu ôl i waliau uchel. Mae'n dŷ crand, hardd a gafodd ei adeiladu tua chyfnod Siôr y Trydydd, gyda ffenestri mawr, colofnau gosgeiddig a tho cambren anarferol. Tŷ sydd yn llawer rhy fawr i un dyn, ond yn rhy fach, efallai, i rywun o bwys mor fawr â Gilfaethwy.

Agorodd yntau y giât haearn a oedd yn y wal flaen. Gwichiodd y giât wrth iddi agor. Aeth Gilfaethwy drwyddi a'i chloi y tu ôl iddo. Roedd hynny'n iawn: doedd gen i ddim bwriad mynd drwyddi beth bynnag. Wrth i mi glywed crensian ei esgidiau ar y graean yn y dreif wrth iddo groesi tua'i ddrws ffrynt, symudais innau yn gyflym a distaw at un o'r coed. Dringais honno yn rhwydd, gangen wrth gangen, heb chwysu dim, nes cyrraedd gyferbyn â phen y wal. O'r goeden at y mur roedd hi'n naid o ryw bedair troedfedd – hawdd, er bod pigau ar dop y wal – ac mewn chwinciad glaniais yn ddestlus ar y graean yr ochr arall.

Es i lawr ar fy nghwrcwd. Roedd cysgod y wal yn fy nghuddio. Syllais ar flaen y tŷ. Suddodd fy nghalon.

Doedd y Tad Gilfaethwy ddim ar ei ben ei hun.

Gallwn ei weld drwy'r ffenest – neu weld ei gysgod yn symud tu ôl i'r llenni, beth bynnag – ac roedd pobl eraill yno gydag o. Gwelais dri ffigwr, efallai pedwar, arall; roedd hi'n anodd bod yn sicr. Roedd y ffenestri'n rhy drwchus i mi glywed unrhyw beth roedden nhw'n ei ddweud, ond roedd hi'n amlwg eu bod nhw'n siarad – a hynny'n go gynhyrfus.

Rhegais o dan fy ngwynt. Roedd hyn yn broblem. Er bod

gen i alluoedd na allech chi eu dychmygu o edrych arnaf i, dydw i ddim yn ddigon cryf i allu wynebu pum person ar unwaith. Roeddwn i'n fodlon defnyddio fy nghyllell ar unrhyw un a safai rhyngof i a Gilfaethwy, ond mi fydden nhw – pwy bynnag oedden nhw – yn alluog hefyd, achos doedd gen i ddim amheuaeth eu bod hwythau yn aelodau o'r Urdd Goch, fel roedd Gilfaethwy.

Dim ond un Tad neu Fam sydd i bob cangen o'r Urdd Goch (a Tadau ydyn nhw yn amlach na pheidio, fel y gallech chi ddyfalu), a'r person hwnnw neu honno ydy be fyddai'r Groegiaid ers talwm yn eu galw'n hieroffant neu brif offeiriad y mudiad. Mae nifer o Frodyr neu Chwiorydd sydd yn gwasanaethu'r arweinydd, yn ufuddhau i'w holl orchmynion, waeth pa mor ysgeler. Wn i ddim sawl aelod sydd yn Urdd Goch yr ardal hon erbyn hyn – rhyw ddwsin, efallai, o acolitiaid: pobl ffyddlon a selog sydd yn haeddiannol o wisgo'r clogyn a'r cwfl ysgarlad. Mae gan yr Urdd Goch nifer fawr o ddilynwyr cyfrinachol yn y gymuned, wrth gwrs – y rhai sydd yn gwybod am fodolaeth y mudiad ac sydd yn gweithredu ar eu rhan, ond ddim yn rhan o'r cylch mewnol. Dyna fel maen nhw wedi bod yn gweithredu ers canrifoedd. Mwy na chanrifoedd.

Dyfalais mai acolitiaid oedd y bobl oedd yn siarad â'r Tad Gilfaethwy ar hyn o bryd. Fyddai o ddim yn cael cyfarfod yng nghanol y nos i wneud â'i swydd ddyddiol. Ac felly roedd gen i her. Does dim dwywaith y byddai pob un acolit yn fodlon colli gwaed ar gyfer eu Tad.

Dwi'n gwybod hynny, achos acolit oeddwn i unwaith.

Dwi'n cofio'r noson y melltithiodd y Tad Gilfaethwy fi, gan fy niarddel o'r Urdd Goch. Roeddwn i'n falch o hynny, ar un llaw: roeddwn i wedi fy nadrithio'n llwyr gyda'u ffyrdd nhw, ac roedd y cen wedi syrthio o'm llygaid. Torrodd fy nghalon, ond yn y pen draw mi ailadeiladais i'r galon honno yn gryfach ac yn llawn cynddaredd a dialedd.

'Y Chwaer Gwenhwyfar' oeddwn i, cyn iddyn nhw stripio hwnnw oddi wrthyf i a'm gadael i'n un o'r Dienw. Er gwaethaf yr holl bethau oeddwn i wedi eu gwneud i'r Urdd Goch i amddiffyn a meithrin y pethau roedden nhw'n gofyn i ni eu harddel, doedd gen i ddim lle yn eu mysg bellach, meddai'r Tad Gilfaethwy. Cefais fy alltudio. Os y camwn i ar bridd Cymru unwaith eto byddai hynny'n ddiwedd arnaf i, medden nhw. Felly am flynyddoedd mi deithiais y byd, gan fynd o wlad i wlad, yn dysgu mwy am y grymoedd sy'n bodoli tu hwnt i ffabrig tila realiti – ac yn dechrau deall mwy am ffolineb yr Urdd Goch a mudiadau tebyg.

Yn y diwedd, mi ddois i'n ôl. Wedi i mi hyfforddi a gwella fy hun – teimlais wedi fy nadeni – mi deithiais y llwybr hir, hir yn ôl i fro fy mebyd. Roeddwn i wedi dysgu sut i guddio yn ddigon da, sut i addasu fy edrychiad nes bod aelodau'r Urdd Goch ddim yn gallu fy adnabod, nes fy mod i'n medru byw yn eu plith, yn gwylio, yn aros am fy nghyfle.

Mi ddylen nhw fod wedi fy lladd i, yn lle fy alltudio i. Eu camgymeriad nhw oedd hynny.

Tynnais y gyllell yn araf o fy nghôt. Roedd y llafn yn hir ac yn grom; roedd symbolau cyntefig wedi eu naddu ar y metel ac roedd y carn wedi ei wneud o ddeunydd allwch chi ddim cael gafael arno bellach. Pan welai'r Tad Gilfaethwy y gyllell hon yn plymio tuag ato, byddai'n ei hadnabod hi. Pwy fyddai ddim yn adnabod ei arf ei hun?

Dyna ddial melys a digonol, dybiwn i.

Roeddwn i wedi bod yng nghartref Gilfaethwy lawer gwaith. Yn fwy perthnasol, roeddwn i hefyd wedi bod *o dan* gartref Gilfaethwy lawer gwaith, a olygai fy mod i'n gwybod ffordd amgen i mewn i'r siambr honno.

Mae drws wedi ei guddio wrth ochr y tŷ: ffordd i ddod ag aelodau'r cylch canol i mewn ac allan pan fo seremonïau pwysig yn digwydd, ond heb i neb o'r stryd weld. Mae giât gudd yn y wal nepell o'r drws hwnnw hefyd, sydd yn agor allan ar y comin ar gyrion y pentref, ond mae'r glwyd honno wedi ei chloi mewn ffordd na fedraf i ei hagor. Mae angen hud arbennig i agor y drws cyfrinachol i mewn i'r tŷ – ond roedd gen i ffordd o ddelio â hynny...

Symudais mor sydyn ag y gallwn ar hyd y wal tuag at ochr y tŷ, gan gadw'n isel. Er mwyn gweld y drws mae angen edrych arno o'r union ongl iawn; fel arall mae'n edrych fel dim ond brics. Cefais hyd i'r drws yn weddol sydyn: er ei bod hi, beth, yn wyth mlynedd a saith mis ers i mi fod yn y llecyn hwn ddiwethaf, doedd dim wedi newid, heblaw efallai bod yr iorwg ychydig yn dewach.

Estynnais gledrau fy nwylo at bren y drws yn araf, gan ganolbwyntio. Teimlwn gryfder yr hud oedd wedi cloi'r drws yn gwthio'n ôl tuag ataf, fel gwres o bopty, er bod y nos yn iasol oer erbyn hyn. Cododd y blew bach ar fy nghroen yn unionsyth ac mi deimlwn fy nghalon yn curo'n gynt ac yn gynt. Roedd angen i mi wneud cysylltiad â'r hen egni oedd wedi ei blethu o amgylch y drws hwn. I wneud hyn, defnyddiais y lledrith roedd y blynyddoedd fel aelod o gwlt Gilfaethwy wedi caniatáu i mi ei ddysgu. Roedd yn gas gen i orfod defnyddio'r galluoedd hynny, achos roeddwn i'n gwybod be allai ddigwydd i'r sawl oedd yn eu defnyddio ormod, ond doedd gen i ddim dewis.

Diferodd chwys yn araf ac oer i lawr fy nghefn. Nid agor y drws oedd yr her: agor y drws heb i'r Tad Gilfaethwy sylweddoli hynny; dyna oedd ei angen.

Sibrydais y geiriau; tri gair a ddysgodd Gilfaethwy ei hun i mi amser maith yn ôl, pan roedd ganddo fwy o feddwl ohonof i; geiriau o gyn cof, geiriau pwerus. Wrth i fy ngwefusau furmur y sillafau, dechreuodd pren y drws sgleinio fel lamp drwy bapur lliw. Yna teimlais yr egni'n llifo fel llanw oddi wrthyf i, yr hud wedi ei ddiosg – am y tro. Byddai'n adfer ei hun mewn rhyw awr, gan gloi'r drws yn lledrithiol unwaith eto, ond erbyn hynny byddwn wedi gorffen.

Camais dros y trothwy. Caeodd y drws heb sŵn y tu ôl i mi.

Roeddwn i mewn siambr eang o garreg, un roeddwn i'n ei hadnabod yn dda. Roedd ffaglau bychain yn llosgi'n isel o amgylch y waliau, gan ddangos y colofnau a ddaliai'r nenfwd gerfiedig. Roedd y colofnau mewn cylch, ac yng nghanol y cylch roedd llecyn agored gyda theils coch tywyll yn llawr iddo.

Yn union yng nghanol y cylch roedd pedestal o farmor. Doedd dim un siâp iddo: roedd ganddo onglau igam-ogam anghyfforddus, annaturiol, ac ar hyd ei arwyneb rhedai cerfiadau rwnig ocwlt yn groesymgroes. Nid darn o farmor oedd o mewn gwirionedd, meddai'r Tad Gilfaethwy wrthyf i unwaith, ond maen gwahanol a ddaeth 'o'r tu hwnt'; esboniodd o ddim ymhellach. 'Yr allor' oedd ein henw amdano. Mae'r allor hon yn un o'r pethau sy'n codi'r arswyd mwyaf arnaf i o holl wrthrychau'r byd – oherwydd dwi'n gwybod beth ydy ei grym hi.

Mae ynni cyntefig goruwchnaturiol yn pefrio'n ffiaidd ohoni. Mae hyd yn oed ei chyffwrdd yn ddigon i ddinistrio rhywun sydd ddim yn gwybod beth mae'n ei wneud – ac weithiau dydy dealltwriaeth ddim hyd yn oed yn ddigon i'ch achub chi. Meddai'r Tad Gilfaethwy mewn seremoni unwaith bod 'grymoedd eraill' yn corddi trwy'r allor, ei bod hi'n 'allwedd i'r pwerau mwyaf sy'n bodoli' – a bod ei gwir natur y tu hwnt i amgyffred dynion. A dyma'r ffaith fwyaf echrydus amdani: does dim ots faint o waed sy'n cael ei dasgu ar yr allor hon, mi fydd hi'n lân a di-staen y bore wedyn...

Allor i'r endid a elwir Mathonwy ydy hi. Mathonwy ydy uwchganolbwynt yr Urdd Goch – ei gwreiddiau, ei heddiw, ei dyfodol, am byth bythoedd.

Rhwygais fy sylw oddi wrth yr allor. Roedd angen i mi weithredu'n gyflym a doedd dim amser i hel meddyliau. Os oeddwn i'n nabod Gilfaethwy yn iawn – ac roedd o, er yn berson deallus, yn gallu bod yn hynod o ragweladwy – byddai'n dod i lawr yma maes o law er mwyn myfyrio. Dyna fyddai o'n arfer ei wneud ar ddiwedd dydd, yn enwedig os oedd o wedi bod yn ymddiddan gydag aelodau eraill yr Urdd Goch. Y cyfan roedd angen i mi ei wneud oedd aros yn y cysgodion wrth draed y grisiau oedd yn arwain i lawr o'r tŷ uwchben – yna llamu â'm cyllell yn fflachio.

Ond roedd angen gwneud rhywbeth yn gyntaf. O becyn ar fy ngwregys tynnais ddarn o frethyn oedd wedi ei rowlio'n dynn. Roedd ei liw yn goch, er ei fod wedi pylu a'i wisgo mewn mannau.

Fy hen glogyn.

Gwisgais o'n gyflym, gan brofi cyffro sydyn ac annisgwyl wrth deimlo'r deunydd ar fy ysgwyddau unwaith eto. Roeddwn i wedi bod yn cadw'r clogyn hwn ers blynyddoedd, heb ei wisgo, yn ei gadw tan deuai'r amser iawn. Tynnais y cwfl dros fy mhen. Teimlai'n gysurus – yn rhy gysurus. Yna, gan wthio fy ofn i ddyfnderoedd fy stumog a gadael i'r adrenalin lifo trwof i, cuddiais, y llafn yn fy llaw.

Disgwyliais.

Llusgodd munudau heibio. Hogais bob un o fy synhwyrau, er mwyn bod yn gwbl effro pan y deuai Gilfaethwy i lawr y grisiau. Gwelais y cysgodion yn nadreddu ar hyd y muriau yng ngolau'r ffaglau; aroglais leithder yr hen feini a'r drewdod sur oedd yn tarthu o'r stafell hon; clywais grafu rhyw lygod y tu ôl i'r waliau a gwegian yr hen dŷ o'm cwmpas; blasais yr ofn fel bustl yn fy ngheg.

Disgwyliais.

Yna – sŵn traed.

Deuai atsain y camau yn araf a chyson i lawr y grisiau carreg. Camau un person. Roedd sŵn trwm ond gosgeiddig y traed yn sain roeddwn i wedi ei glywed ganwaith: doedd dim amheuaeth gen i mai'r Tad Gilfaethwy oedd ar ei ffordd i lawr. Gallwn ei weld yn llygad fy meddwl, wedi ei wisgo yn ei fantell goch â'r rhimyn gwyn – i ddangos ei statws fel y Tad – ei ddwylo wedi eu plethu o'i flaen, ei ben yn gwyro wrth feddwl yn ddwys.

Cam... cam... cam...

Cyfrais i dri.

Yna neidiais yn fy mlaen – fy nghyllell yn torri drwy'r cysgodion tuag at y gwddw gwyn a welwn yn cyrraedd gris gwaelod y grisiau – fy ngwefusau'n tynnu'n ôl dros fy nannedd a'm cyhyrau'n tynhau – fy llaw yn gafael yn y clogyn coch â'r rhimyn gwyn a'i dynnu tuag ataf –

Ond chyrhaeddodd y llafn mo gnawd y Tad Gilfaethwy. Teimlais ddwylo cryfion yn gafael ynof i'n sydyn o'r tu ôl i mi gan fy stopio i'n stond – chwipiodd blaen y gyllell hanner modfedd o'r wyneb caled a oedd yn syllu yn fy nghyfeiriad. Cydiodd rhywun yn fy ngarddwrn dde a'i droi yn boenus, gan beri i'r gyllell grom ddisgyn o'm bysedd i'r llawr yn swnllyd.

Gwaeddais mewn rhwystredigaeth a chasineb – ceisiais

dynnu fy hun yn rhydd, ond yna teimlais bwynt miniog llafn stileto o dan fy ngên. Rhewais.

Safai'r Tad Gilfaethwy o fy mlaen i. Edrychai'n union fel roeddwn i wedi ei ddychmygu y byddai o: yn ei lifrau seremonïol, ei gwfl am ei ben, ei ddwylo'n bleth o'i flaen. Syllodd heb ffwdan arnaf i, fel pe bai o ddim ond wedi gweld rhywun roedd o'n ei hanner nabod ar gornel stryd, nid fel pe bai o bron newydd gael ei lofruddio.

Daeth ffigwr arall yn frysiog i lawr y grisiau ar ei ôl. Dyn arall mewn clogyn coch. Edrychodd hwnnw arnaf i gydag atgasedd ar ei wyneb. Roeddwn i'n ei nabod fel y Brawd Cedifor, oedd yn acolit a ymunodd â'r Urdd Goch tua'r un pryd â fi. Roedd o wedi tewychu ers i mi ei weld o ddiwethaf; roedd ei fochau'n salw. Roedd dau berson arall yn gafael ynof i, hefyd yn eu lifrau coch. Rhyw ddyn ifanc nad oeddwn i'n ei nabod oedd ar fy chwith, ac ar fy nde oedd menyw o'r enw'r Chwaer Esyllt, ei gwefus yn denau a'i llygaid gwelwlas yn fflachio'n filain arnaf i. Hi oedd yn dal y stileto yn erbyn fy ngwddw. Teimlais afonig o waed yn dechrau llifo i lawr y croen o dan fy ngên.

Cerddodd Gilfaethwy yn ei flaen yn bwyllog, heb dynnu ei sylw oddi arnaf, cyn sefyll â'i gefn at un o'r colofnau. Gostyngodd ei lygaid i edrych ar y gyllell grom oedd yn gorwedd ar y llawr rhyngon ni. Gwenodd fymryn.

Roedd y Tad Gilfaethwy yn ddyn mawr. Nid mawr o ran bloneg nac o ran cyhyrau, fel y cyfryw, ond mawr fel pe bai esgyrn dwys ganddo, mawr fel pe bai o wedi cael ei gerfio o wenithfaen. Roedd yn dal ac yn llydan ac roedd ei ddwylo'n braff fel rhai labrwr ond eto yn fedrus fel rhai arlunydd. Roedd ei wyneb fel cerflun o dduw neu ymerawdwr o'r hen ddyddiau – yn rhannol am ei fod wedi steilio ei fwstás a'i wallt ag olew i roi'r union argraff honno – ac roedd ei lygaid, o dan y ddwy ael fawr drwchus, yn pefrio'n wyrdd ac yn beryglus. Gallech edrych i mewn i'r llygaid hynny a gweld gobaith ac angau ynddyn nhw ar yr un pryd. Dyna oedd ei grefft.

'Wel,' meddai o'r diwedd. 'Mi ddaethost ti yn dy ôl. Dienw.' Daeth y gair olaf fel ergyd. Doeddwn i ddim, o'i safbwynt o, yn haeddu enw bellach – ddim hyd yn oed fy enw geni; yn sicr ddim yr enw 'Gwenhwyfar' – ac er mod i'n gwybod hynny eisoes, roedd y teimlad o golli fy enw a cholli fy hunaniaeth yn gwneud i fy stumog droi.

Ddwedais i ddim byd. Gwthiodd Esyllt y dagr yn erbyn fy ngwddw, ac mi ysgyrnygais wrth deimlo'r boen.

'Oeddet ti'n meddwl dy fod ti am lwyddo?' meddai'r Tad Gilfaethwy, ei lais fel melfed: llais a garwn unwaith, ond a oedd bellach yn chwerw i mi. 'Oeddet ti'n meddwl dy fod ti wedi bod yn gyfrwys, Ddienw?'

Atebais i ddim.

'Doedd dim modd cuddio rhagddon ni,' aeth Gilfaethwy yn ei flaen. 'Mae'n ddrwg gen i ddweud hynny wrthot ti. Ond mi oeddwn i'n gwybod y buaset ti'n dod yma heno. Mi welon ni ti yn yr eisteddfod, wrth gwrs – a sawl gwaith cyn hynny. Mae fy nilynwyr wedi bod yn cadw llygad arnat ti ers misoedd, ers i ti ddychwelyd i Gymru. Mi wyt ti'n gwneud penderfyniadau mor amlwg. Mae'n drist, mewn gwirionedd.'

Feiddiwn i ddim symud. Roedd fy ngobeithion i gyd yn dymchwel – roeddwn i wedi twyllo fy hun i feddwl mai fi oedd yr un clyfar. Caeais fy llygaid mewn ofn a digalondid. Sylweddolais y byddwn i'n marw yn y siambr laith hon heno, ac y byddai'r Tad Gilfaethwy yn parhau i fyw. Roedd fy ymdrechion wedi bod yn ddiwerth.

Amneidiodd Gilfaethwy ar y ddau oedd yn gafael ynof i i'm hebrwng y tu hwnt i'r colofnau ac i'r cylch canolog. Ceisiais eu hymladd ond roedd dagr y Chwaer Esyllt yn fy nal i'n garcharor. Taflon nhw fi ar y teils coch oer; syrthiais yn glep ar fy ngliniau.

Roedd Gilfaethwy erbyn hyn yn sefyll ger yr allor. Brysiodd y Brawd Cedifor ato a rhoi rhywbeth yn daeogaidd yn ei ddwylo. Y gyllell grom.

Syllodd y Tad Gilfaethwy ar y gyllell am gyfnod, fel pe bai'n hel atgofion. 'Mi roddodd y Tad Gwrthefyr hon i mi amser maith yn ôl,' meddai yn dawel, 'pan oeddwn i'n ifanc. Mi oedd o'n hen ddyn, hyd yn oed bryd hynny, ond mi fuodd o fyw am dri degawd arall ar ôl i mi ei gyfarfod o.' Edrychodd arnaf i â llygaid llachar. 'Dyna i chi ddyn. Mi oedd Gwrthefyr yn dallt yr hen ffyrdd. Drwy ei law gadarn o, datblygodd yr Urdd Goch yn gryf ac yn ddiwyro yn yr ardal hon. Mi oedd o'n gredwr mawr ym mhwysigrwydd straeon er mwyn cadw pawb ar y trywydd cywir.'

Codais fy llygaid i edrych ar y Tad Gilfaethwy: roedd fel twr diysgog o oes mytholeg.

'Mae straeon yn bwysig,' meddai Gilfaethwy, yn annerch y tri arall yn y siambr gymaint â fi. 'Mae pob stori yn ffurf ar y gwirionedd. Ein cyndadau ni greodd y straeon cyntaf. Am ganrifoedd, dim ond ar lafar oedd y straeon yma'n cael eu pasio ymlaen. Ryw ben, dyma rywun yn penderfynu eu rhoi nhw ar bapur. Erbyn hynny roedd y gwirionedd gwreiddiol wedi ei feddalu.

'Dyna ydy chwedloniaeth. Ffordd o gofio'r gorffennol heb orfod delio efo'r gwir. Straeon ar ben straeon ar ben straeon. Mae'r gwirionedd, wrth gwrs, yn llawer mwy hynod na mae pobl arferol yn ymwybodol ohono fo. Ond dydy ymennydd bod dynol ddim yn gallu ymdopi â'r gwirionedd. Heblaw am ymenyddiau'r dethol rai.

'Mi wyt ti a fi, Ddienw, wedi gweld y gwirionedd, wedi cyffwrdd â'r Grym ei hun, wedi derbyn ei Fendith o. Mi wnes i ddysgu cymaint i ti. Ond doedd hynny ddim yn ddigon i ti, mae'n ymddangos.' Roedd trueni yn ei lygaid. 'Mae Mathonwy yn anfeidrol, yn fwy na straeon, yn fwy na chwedloniaeth, yn fwy na ti, na fi, na phawb. Mathonwy, tu hwnt i'r byd a thu hwnt i amser, *ydy'r* gwirionedd. Pam na fedri di ddallt hynny?

'Mi oedd yn amlwg bod raid i ti adael yr Urdd Goch pan est ti ar gyfeiliorn. Mae angen purdeb ymysg ein haelodau. Mi oeddet ti'n bur unwaith. Ond wedyn mi ddechreuaist ti dreulio dy amser yng nghwmni pobl na ddylet ti fod, efo pobl sydd ddim yn perthyn. Mi oedd popeth wedi dechrau llacio gen ti. Ac wedyn dyna'r hogan 'na wnest ti ei chyflwyno i mi... Doeddet ti'n amlwg ddim yn dallt y math o bobl sy'n haeddiannol i fod yn un ohonon ni. Mi oedd hi'n amlwg i mi nad oeddet ti'n ddigon triw. Mi siaradodd Mathonwy efo fi ac mi oedd yr ateb yn glir.'

Chwarddais – a synnu ar fy ymateb fy hun.

'Ti'n iawn am un peth,' meddwn, fy llais yn floesg ond yn llawn atgasedd, 'mae Mathonwy yn fwy na chdi. Ti'n meddwl bod chdi'n dallt, ond dwyt ti ddim. Mae o'n iwsio chdi – fel wnest ti iwsio fi.'

Clywais ebychiad sydyn o sioc oddi wrth un o'r acolitiaid y tu ôl i mi. Tywyllodd wyneb Gilfaethwy, fel storm ar fôr.

'Wnest ti ddŵad â ni i mewn i dy gorlan di,' es i yn fy mlaen, 'a gaddo pwerau a phethau anhygoel i ni. A do, mi gawson ni bwerau. Ond mi gawson ni boen hefyd.

'Ti'n sôn am be wnest ti ddysgu i ni – ond be am y pethau wnest ti *ddim* dysgu i ni? Dy holl straeon am sut bod ni 'di cael ein bendithio efo'r un lledrith oedd gan ddewiniaid fel Taliesin a Gwydion ac Arianrhod ers talwm. Ti'n sôn amdanyn nhw fel arwyr. Ond mi ddysgais i'r gwirionedd, yn do? Dwi'n gwybod rŵan be wnaeth Gwydion go iawn. Dwi'n gwybod sut wnaeth o fradychu y bobl oedd wedi ymddiried ynddo fo, y rhai oedd yma cyn unrhyw un arall, a'r felltith uffernol roddodd o arnyn nhw. Dyna be mae undod efo Mathonwy yn ei wneud. Mi yrrodd o Gwydion yn wallgof.'

Oedodd y Tad Gilfaethwy am ennyd. Llyfodd ei weflau. 'Mi wnaeth Gwydion be oedd angen iddo fo ei wneud er mwyn trechu'r gelyn,' meddai. 'Roedd ei ymroddiad i Fathonwy yn absoliwt. Mi dalodd o bris yn y diwedd am fod mor driw. Nid cosb gafodd o, ond iachawdwriaeth. Byth ers hynny, mae'r Urdd Goch yn parhau i weithio tuag at yr un amcanion ag oedd ganddo fo.'

Byseddodd Gilfaethwy rimyn ei glogyn yn anniddig. Roedd o'n ceisio cadw ei dymer, ond roeddwn i yn amlwg wedi mynd o dan ei groen. 'Mae cymaint wedi ei golli. Dim ond drwy'r traddodiad llafar ydyn ni'n dal i wybod sut i siarad efo Mathonwy. Mae'r rhan fwyaf o almanaciau a "gramadegau" yr Urdd Goch wedi hen ddiflannu – pwy a ŵyr pa gyfrinachau a swyngyfareddion gorfoleddus oedd y tudalennau hynny'n eu disgrifio? Ffyrdd o gysylltu â chyndeidiau ein cyndeidiau – ar goll am byth! Ein dyletswydd ni yn yr Urdd Goch ydy cofio beth sydd ar ôl i'w gofio – i amddiffyn rhag y rhai sydd eisiau llygru ein treftadaeth ni. Maen nhw'n dod o bob cyfeiriad, ond mi wnawn ni eu sathru nhw. Ni sydd yn y winllan ac yn ei gwarchod rhag y moch. Ac, oes, weithiau mae angen colli gwaed i wireddu hynny.

'Mae cymaint yn sefyll yn ein herbyn ni.' Roedd Gilfaethwy yn dechrau cynhyrfu, ei wefus yn crynu a'i lais yn mynd yn uwch ac yn uwch. 'Mae'r Tylwyth ym mhobman, yn cuddio ac yn disgwyl eu tro, eu hil fastardaidd nhw yn maeddu'r hen lendid. Ac wedyn mae dilynwyr Llŷr' — poerodd yr enw hwnnw – 'a'r pum Teulu yn gweithio'n ddi-baid er mwyn ceisio breuo'r llen sydd rhwng pethau – er mwyn datgloi'r drws sydd wedi bod ar gau cyhyd. Maen nhw'n chwilio am yr hen lawysgrifau coll – y Llyfr Glas yn bennaf oll – achos yno mae'r geiriau mwyaf cyntefig, lle mae'r straeon yn dal digon o'r gwirionedd iddyn nhw ei ddefnyddio yn ein herbyn ni...'

Roedd Gilfaethwy mewn hwyl cythryblus erbyn hyn, bron yn llafarganu. 'O, mi wn i, mae yna rai ymhlith hyd yn oed yr Urdd hon sydd yn meddwl y byddai dychwelyd yr Arglwydd Llachar – o ba bynnag gell mae o ynddi – yn ddigon i sefyll yn erbyn Pencampwr y Tylwyth, neu fod angen ailddarganfod Padell Gwydion neu Ogof Arthur er mwyn trechu ein gelynion. Ond mae gennyn ni eisoes yr unig arf sydd ei angen: Mathonwy Fawr!'

'Ti 'di gweld be mae pŵer Mathonwy yn medru ei wneud,' meddwn, fy mysedd yn cau yn ddyrnau. 'Mae o'n cymryd be bynnag mae rhywun yn ei roi iddo fo. Ti 'di gweld y meddyliau mae o 'di eu chwalu'n racs.'

Gostyngodd Gilfaethwy ei wyneb nes ei fod ychydig fodfeddi o fy un i. Gallwn arogli chwerwder o'i geg. 'Mi agorais i dy lygaid di, Ddienw,' meddai.

'Mi ddifethaist ti 'mywyd i,' poerais innau. Yna mi alwais o gerfydd ei enw go iawn.

Fel petawn i wedi rhoi slap iddo, rhythodd y Tad Gilfaethwy arna fi yn gegrwth am eiliad, yna safodd. Cododd ei ysgwyddau yn swta, fel nad oedd dim arall i'w ddweud.

'Mae pethau'n dechrau symud yn gyflym erbyn hyn,' meddai maes o law. 'Fedrwn ni ddim eistedd yn segur. Mae angen ailddatgan ein teyrngarwch ni i Fathonwy.' Gwenodd yn oer. 'Gwaed ydy'r offrwm mae o'n ei ofyn amdano. Mi fedri di helpu efo hynny.'

Yn sydyn teimlais ddwylo anweledig yn fy nghodi o'r llawr ac yn fy ngwthio at yr allor. Gwaeddais a cheisio ymladd – ond doedd dim byd heblaw aer o'm cwmpas. Nid dwylo'r acolitiaid oedd wedi fy symud, ond grymoedd Gilfaethwy a hud y siambr hon. Pefriai'r allor ei nerth ofnadwy tuag ataf a gallwn deimlo fy hun yn cael fy nal yn ei herbyn fel haearn wrth fagned. Roedd pob cyhyr yn fy nghorff yn llosgi wrth i mi geisio symud, ond roeddwn i wedi fy rhewi i'r unfan, ar fy nghefn ar yr allor, yn ddiymadferth ond yn gwbl effro.

Safodd y Tad Gilfaethwy uwch fy mhen, ei gysgod yn disgyn drosof fi. Gafaelodd yn y gyllell grom yn ei ddwy law enfawr. Dechreuodd lafarganu, y tri gair hyll cyntefig yn llifo'n ddigywair ac ailadroddus o du mewn i'w gwfl, yn cael eu hategu wrth i'r tri acolit arall ychwanegu eu lleisiau i'r corws. Dyblasant y canu, yn uwch ac yn gynt y tro hwn. Roedd fy mhen yn troi ac roedd tonnau'n chwyrlïo drwy awyr y siambr. Roedd hi fel petaen ni yng nghanol rhyw drobwll o ynni elfennol o ddechrau amser, a hwnnw yn rhaeadru drwy gyrff y pump ohonon ni.

Roedd y Tad Gilfaethwy yn agosáu at ddiwedd ei ddefosiwn, y gân arswydus yn cyrraedd ei hanterth. Ar ddiwedd y gân gwyddwn y byddai'n dod â'i gyllell i lawr i dorri fy nghalon ac i dasgu fy ngwaed ar yr allor. Roeddwn i wedi gweld Gilfaethwy yn aberthu llawer o bobl yn y gorffennol – fel y nhw, byddai grymoedd aruthrol Mathonwy yn rhwygo fy nghorff yn ddarnau, yn fy atomeiddio mewn un offrwm gogoneddus erchyll...

Yn yr eiliadau olaf hynny, saethodd fy meddwl i bob

cyfeiriad, fy synapsau yn ffrwydro mewn storm o atgofion a phryderon, wrth i'r diwedd ddod. Ac yna – meddyliais amdani *hi*.

Yr hogan 'na – dyna sut oedd o wedi ei disgrifio hi. Mi gofiais ei gwallt coch, ei gwên chwareus, y ffordd oedd hi'n gwneud i mi deimlo uwchlaw unrhyw un arall... Cofiais ei llygaid dagreuol hi yn y diwedd – ei gyllell *o* yn cymryd ei heinioes – y gyllell y gwnes i ei dwyn ganddo cyn rhedeg, rhedeg...

Mae galluoedd gen i. Y Tad Gilfaethwy a'm dysgodd sut i'w defnyddio nhw; o Fathonwy y daethon nhw. Ac er gwaethaf yr hud oedd yn fy nglynu i at yr allor, roedd gen i eto bŵer ar ôl.

Gan weiddi'r gair olaf o'i gân ofnadwy, trywanodd Gilfaethwy y gyllell grom i lawr at fy mron mewn un symudiad sydyn, pendant, terfynol. Ond, ar yr un pryd, gan sgrechian a chan deimlo'r hen hud yn gwefru yn fy holl gelloedd, torrais y lledrith oedd yn fy ngharcharu, a symudais fy nghorff ddwy fodfedd i'r dde.

Plymiodd y llafn i mewn i gnawd fy ysgwydd ac i mewn i'r cyhyr. Bloeddiais eto, mewn poen y tro hwn, ond drwy'r artaith mi estynnais i fyny â'm dwylo, i mewn i'r gwagle o dan y cwfl ysgarlad oedd yn gwyro o fy mlaen, a gwthio fy modiau i mewn i ddwy soced y llygaid gwyrddion.

Bloeddiodd Gilfaethwy mewn gewyr a phoen, a gollyngodd ei afael ar y gyllell oedd yn sownd yn fy ysgwydd. Sgrialodd ei ddwylo i geisio symud fy mysedd i ffwrdd o'i wyneb. Ond roeddwn i eisoes yn gwthio, gwthio, gwthio fy ewinedd i mewn i beli meddal gwlyb ei lygaid ac yn rhwygo'r cnawd a'r gwythiennau gyda'r cryfder hudol oedd yn fy mysedd i yn yr ennyd honno. Aeth sgrech Gilfaethwy yn aflafar – ac roeddwn i'n gweiddi hefyd, ond bod gwallgofrwydd candryll yn fy sgrechian i wrth i mi ei ddallu. Chwystrellodd gwaed yn llachar o'r tyllau yn ei wyneb a phistyllu i lawr fy mreichiau, gan dasgu ar yr allor oddi tanaf.

Ar yr un pryd diferodd gwaed o'm hysgwydd i ar y garreg wen. Ar *union* yr un pryd.

Ffrwydrodd y byd o'm cwmpas fel pe bawn i tu mewn i belen o fellt. Diflannodd y siambr.

Roeddwn i yn saethu drwy awyr danbaid oedd yn enfys o liwiau amhosib, yn gwibio yn gynt na golau wrth i ddeunydd bodolaeth fyrlymu'n wallgof o'm cwmpas i. Ceisiais sgrechian ond doeddwn i ddim yn fy nghorff fy hun – ddim mewn unrhyw gorff o gwbl. Yn hytrach roeddwn i'n ynni a thân a phoen a gorfoledd a phŵer i gyd ar yr un pryd. Doedd dim ohonof *i* ar ôl yn y bydysawd hwn, ac eto roedd gen i ymwybyddiaeth – teimlad o enaid yn tanio, yn geni, yn esblygu, yn marw, drosodd a drosodd. Profais nifer aneirif o fersiynau ohonof yn cyd-fyw yn yr un nano-eiliad, bywydau o bob realiti posib yn plethu i'w gilydd mewn un corwynt o ynni. Fi *oedd* y golau a fi *oedd* y trydan. Crëwyd biliwn o fydysawdau mewn tân gwyllt o ffrwydradau, cyn iddyn nhw i gyd serio mewn uwchnofa daranllyd. Doedd dim amser yma, dim bodolaeth, dim disgyrchiant, dim byd – heblaw *fi*.

Yna roeddwn i rywle arall. Mewn fflach o arian roeddwn i ar frig clogwyn garw, gyda môr porffor o stormydd serol oddi tanaf yn ymestyn i anfeidroldeb a chreigiau uchel dieflig yn fy amgylchynu fel cleddyfau du. Rhuai gwynt ym mhobman o'm cwmpas fel miloedd o chwipiau – ac yng nghanol y gwynt clywais yr hyn a swniai fel melodïau croch utgyrn lloerig a drymiau yn taranu'n ingol.

Deuthum yn ymwybodol o siâp o fy mlaen ar glogwyn arall, filltiroedd i ffwrdd drwy'r corwynt ond eto mor agos i mi allu ei gyffwrdd bron. Sylweddolais mai y Tad Gilfaethwy oedd y siâp hwn, neu rhyw argraff ohono. Roedd ffurf iddo fel bwgan coch echrydus, ac o dan ei gwfl o ether llosgai dwy lygad yn fflamau chwilboeth lloerig. Roedden nhw'n syllu arnaf i ac roedd y ddrychiolaeth yn crynu ac yn ymestyn dwylo rhuddgoch tuag ataf i drwy'r maelstrom.

Yna cododd rhywbeth yn gysgod rhyngon ni. Nid yn unig rhyngon ni, ond o gwmpas ac uwchben a thu mewn i ni hefyd. Roedd ym mhobman. Sgrechiodd y cyrn arallfydol yn fwy a mwy cynddeiriog; hyrddiodd y drymiau eu rhythm cythryblus nes bod pob atom yn crynu. Os oedd unrhyw siâp i'r *rhywbeth* newydd hwn, ei siâp oedd anhrefn. Roedd fflachiadau fioled ac ysgarlad yn tywynnu ohono ond roedd hefyd yn sugno pob electron tuag ato mewn drycin o ebargofiant. *Mathonwy.*

Teimlwn fy hun yn cael fy sugno yn agosach ac yn agosach at yr anhrefn cysefin hwn, gan synhwyro ffrwtian arteithiol Mathonwy yn diasbedain y tu mewn i mi. Ar yr un pryd, gwelwn siâp gwaetgoch Gilfaethwy yn cael ei atynnu tuag at Fathonwy hefyd, ei ffurf yn ymestyn yn erchyll a'i lygaid yn fflachio fel heuliau yn marw. Clywais siffrwd cynhyrfus o bob cyfeiriad – a sylweddolais mai lleisiau oedd yna, yn dod o wefusau anweledig. Roedd y geiriau roedden nhw'n eu parablu yn aflednais a phrimordaidd ac annealladwy, yn gynnwrf ffiaidd o gytseiniaid a llafariaid na all unrhyw geg ddynol eu cynhyrchu.

Eto, er na ddeallwn yr iaith, deallais ystyr yr hyn roedd Mathonwy yn ei ddweud wrthyf drwy'r lleisiau hyn. Roedd o'n cynnig pŵer i mi. Cynnig gwybodaeth. Cynnig iachawdwriaeth. Wrth i'r parablu gynyddu, gwelais dendriliau pinc o egni yn byseddu tuag ataf o grombil y duwdod, gan ddechrau ymdoddi i mewn i mi. Ffrydiai addewidion

Mathonwy yn afon o wres, gan roi blas i mi ar y gorfoledd y gallwn ei brofi pe bawn i ddim ond yn agor fy hun i'r gwirionedd cyfrin ac i fawredd gogoneddus Mathonwy – pe bawn i ond yn rhoi fy meddwl iddo am un eiliad fer, yna byddai'r greadigaeth yn moesymgrymu i mi...

Yna sylweddolais fod presenoldeb arall gyda ni yma yn y cofleidiad o drydan a grym – Gilfaethwy. Roedd ei ysbryd wedi diosg ei glogyn coch bellach a doedd dim ar ôl heblaw dwy fflam ynfyd ei lygaid mewn cwmwl o egni ansefydlog. Roedd tendriliau ffiaidd Mathonwy yn cylchynu'r endid hwn a rhedai mellt fel nentydd rhwng y cwmwl a'r duw. Yn lle ymladd yn ei erbyn, roedd Gilfaethwy yn ymroi ei hun yn gyfan gwbl i Fathonwy, yn derbyn ei fendith ac yn offrwm ei einioes hyd yn oed wrth i Fathonwy fwyta pob atom o'i orffennol, presennol a dyfodol. Ffrwydrodd y clwstwr o ynni a fu y Tad Gilfaethwy unwaith mewn un ewfforia olaf a theimlais gryndod drwy bopeth.

Doedd gen i ddim ymateb emosiynol i hyn. Beth bynnag oeddwn i yn yr ennyd anfeidrol honno, roeddwn i wedi mynd tu hwnt i emosiwn. Llenwai Mathonwy bob modfedd o'r pydew stormus roeddwn i ynddo, a'i rym yn dirdynnu popeth – ac eto, roedd gen i frith ymwybyddiaeth fod rhywbeth arall yno hefyd: rhyw bresenoldeb mwy eithafol, mwy annichonadwy, oedd yn anweledig ond y gallwn i ei deimlo – fel curiad calon bodolaeth...

Rŵan roedd Mathonwy yn dyblu ei gynigion i mi, yn ymbil arnaf i dderbyn yr haelioni a oedd wedi dyrchafu Gilfaethwy i fod yn un â'r cosmos diderfyn. Lapiodd ei fysedd o'm cwmpas i. Teimlwn fy hun yn ymdoddi i mewn i fellt porffor ei fynwes—

Yna – *yna* – teimlais fy hun yn arafu. Roedd fel pe bawn

i'n ymladd yn erbyn fy hun: un rhan ohonof i'n ceisio rhwygo'r llall ymhell o ffwrnais yr anhrefn, a'r rhan arall yn ceisio tynnu yn ôl tuag at Fathonwy. Daeth fflachiadau i fy ymwybyddiaeth o gysyniadau fel atgofion a galar a llawenydd a hiraeth a gobaith – a sylweddolais fod ambell foleciwl yn dal ar ôl o enaid y fenyw a alwai ei hunan unwaith yn Chwaer Gwenhwyfar. Glynodd y moleciwlau hyn at ei gilydd un wrth un, gan ffiwsio yn ddau a phedwar ac wyth a mwy a mwy o ronynnau o'r hyn oedd yn fy ngwneud i'n *fi* – a dechreuodd y rhan ohonof oedd yn tynnu yn erbyn Mathonwy ennill tir. Tynnais, atom wrth atom, ymhellach oddi wrtho, gan wrthod ei gynigion.

Roeddwn i'n gallu teimlo cynddaredd ingol Mathonwy, yr anhrefn cynoesol hwn, yn bloeddio i gyfeiliant yr utgyrn a'r drymiau, yn fy nghablu, ei dendriliau ysgeler yn dechrau fy ngwasgu er mwyn fy rhwygo yn gyrbibion. Dyma'r moleciwlau y tu mewn i mi yn cronni gan ffurfio niwclews o einioes, gan dynnu cortynnau fy mhwyll at ei gilydd – yna gwthiais yn erbyn Mathonwy mewn un ergyd eithafol ac mewn un gair – *na*.

Ac yna roeddwn i ar lawr teils y siambr unwaith eto.

Yn swrth, codais fy mhen ac edrych o'm cwmpas.

Gorweddai corff y Tad Gilfaethwy wrth fy ochr, yn hollol farw, ei wyneb wedi llosgi ymaith gan adael dim ond agendor o siarcol a gwaed yn nhwll ei gwfl.

Roedd yr allor wedi ei dinistrio – roedd darnau ohoni yn deilchion ar hyd y llawr. Roedd y nerth ffiaidd oedd yn arfer pefrio ohoni wedi diflannu. Teimlai'r siambr yn llai ac yn wacach.

Gwelais y tri acolit yn sefyll â'u cegau ar agor. Roedden nhw'n rhythu arnaf i fel pe bawn i'r peth mwyaf dychrynllyd iddyn nhw ei weld erioed. Roedd y Brawd Cedifor yn wylo – nid mewn galar, ond mewn ofn catatonig.

Codais yn araf ar fy nhraed. Tynnais fy nghlogyn yn ofalus – roedd ei odrau wedi eu llosgi'n ddu, fel petaswn i wedi cerdded drwy goelcerth – a gadael iddo ddisgyn yn swp i'r llawr. Yna estynnais fy llaw a phwyntio at bob un o'r tri aelod o'r Urdd Goch yn araf yn eu tro.

'Tynnwch nhw,' meddwn yn floesg. 'Tynnwch y clogynnau a gadewch y lle 'ma am byth.'

Taflodd y dyn nad oeddwn i'n gwybod ei enw ei wisg i'r llawr yn syth; rhedodd nerth ei draed allan o'r siambr ac i fyny'r grisiau, heb edrych yn ei ôl na dweud dim. Gan grynu, datododd Cedifor ei fantell a'i thynnu'n drist, cyn ei gollwng wrth fy nhraed. Yna daeth ochenaid fawr ddirdynnol yn sydyn o'i geg: un sain hir a thorcalonnus, fel pe bai ei feddwl yn cael ei ddatglymu. Baglodd tua'r allanfa gan riddfan yn aflafar, ei weiddi yn atseinio wrth iddo fynd o'r golwg.

Arhosodd y Chwaer Esyllt am gyfnod, heb symud. Roedd ein llygaid wedi eu cloi gyda'i gilydd. Yna cymrodd hithau anadl ddofn, poerodd yn fy wyneb, a cherddodd allan o'r siambr yn bwrpasol, yn dal i wisgo ei chlogyn coch.

Pan, yn y diwedd, y gadewais y stafell danddaearol honno a mynd allan i'r nos, roedd y niwl wedi codi a'r wawr yn dechrau torri ar orwel y dwyrain, gan oleuo ymylon tai y pentref mewn oren ac aur. Roedd tylluan yn canu ffarwel i'r lleuad oddi ar frigyn un o'r deri. Ag ysgafnder yn fy nghamau nad oeddwn i wedi ei brofi ers oes, cerddais i lawr y bryn.

Drwy Waelod
y Llyn Dienw

Ar waelod y llyn mae drws sydd yn arwain at Annwfn, ac mi fuaswn i'n rhannu'r wybodaeth am y darganfyddiad anhygoel hwn gyda'r byd – pe na bawn i'n sicr na ddylai'r un person arall weld beth welais i pan es i drwy'r drws hwnnw.

Wnaf i ddim dweud lle mae'r llyn felly, nac enwi neb yn fy adroddiad, oherwydd mae'n hollbwysig bod rhai pethau'n aros yn gyfrinachol. Ond mae angen i mi gofnodi'r hyn rydw i wedi ei weld a'i brofi, ac rydw i'n erfyn ar unrhyw un sydd yn darganfod yr adroddiad hwn i'w gyhoeddi a'i rannu. Mae'n debygol ei bod hi'n rhy hwyr i mi, ond efallai y bydd pwy bynnag sydd yn darllen hwn yn gallu achub eu hunain rhag fy ffawd i.

Bu diddordeb gen i yn yr hen chwedlau Cymreig ers pan oeddwn i'n blentyn. Datblygodd y chwilfrydedd hwnnw yn alwedigaeth academaidd pan dyfais i'n oedolyn. Cefais swydd mewn prifysgol lle roeddwn i'n gallu – pan oedd yr amser yn caniatáu – ymchwilio i straeon cynnar a barddoniaeth gyntefig Prydain a chael mynediad at lawysgrifau unigryw yn yr archifau. Treuliais nosweithiau dirifedi yno, ymhell ar ôl i bawb arall fynd adref, yn pori drwy'r tudalennau hynafol, yn ceisio datrys drysfeydd y gorffennol.

Roeddwn i wedi ymchwilio am flynyddoedd i Annwfn,

Arallfyd mytholeg Cymru, ac wedi cyhoeddi'n eang ar y pwnc. Mae Annwfn yn ymddangos yn y rhyddiaith a'r farddoniaeth Gymraeg gynharaf sydd yn goroesi, ond mae'r dehongliad ohono yn y testunau yn adlewyrchu meddylfryd y Cristnogion llychlyd a oedd wedi mynd ati i gofnodi straeon hynafol. Does neb wedi darganfod ysgrifau gwirioneddol gyntefig ar Annwfn yn y traddodiad Cymreig, ac nid oes modd gwybod mewn gwirionedd beth oedd natur cred y Brythoniaid cynharaf yn yr hyn oedd tu hwnt i'w byd nhw.

Nid uffern Gristnogol yw Annwfn yn y chwedlau, ond yn hytrach Arallfyd – teyrnas ynddi ei hun y gall rhai pobl gamu iddi, sydd yn bodoli'n gyfochrog â'n realiti ni. Mae'r gerdd 'Preiddiau Annwfn' – ei bardd yn anhysbys, wrth gwrs – yn disgrifio sut yr aeth Arthur a'i farchogion i wahanol gestyll Annwfn i ddwyn trysorau oddi yno. Yn 'Pwyll Pendefig Dyfed' mae Pwyll yn newid lle gydag Arawn, brenin Annwfn, ac yn treulio blwyddyn yno cyn dychwelyd i'w fyd ei hun; yn wir, Pwyll Pen Annwfn yw llysenw'r awdur arno. Mae'r chwedl am rywun yn treulio amser yng ngwlad y tylwyth teg, neu fyd arall, yn stori sydd i'w gweld yn aml yn chwedloniaeth y gwledydd Celtaidd, ac yn wir mae straeon o'r fath i'w darganfod ym mythau diwylliannau ar draws y byd. Mae'r rhelyw o ysgolheigion yn gweld y straeon hyn fel chwedlau oedd yn ceisio gwneud synnwyr o fyd garw, didrugaredd – straeon oedd yn perswadio gwrandawyr y gorffennol bod rhyw rymoedd yn bodoli y tu hwnt i'w hamgyffred nhw, yn eu cadw nhw'n ddiogel – p'run ai yn y bywyd hwn neu'r un nesaf.

Ond wrth i mi dreiddio'n ddyfnach i mewn i'r chwedlau, i'r hen lyfrau a'r hen ysgrifau, dechreuais deimlo nad ffuglen oedd y cyfan. Roedd rhai delweddau'n dod i'r wyneb eto ac eto mewn cyswllt ag Annwfn: coed, dŵr, hen feini. Pam yr un patrymau, os nad oedd rhyw sail ffeithiol i o leiaf rai o'r honiadau? Nid arallfydl lythrennol, wrth gwrs – gwallgofrwydd fyddai coelio peth felly – ond hwyrach bod rhyw ddiwylliant tanddaearol neu deml gudd yn wraidd i'r straeon am Annwfn, a'i fod yn dal i eistedd o dan bridd ynys Prydain, yn disgwyl i gael ei ailddarganfod.

Wrth i mi ddod yn fwy a mwy sicr ynof fy hun bod rhyw fath o wirionedd tu ôl i'r ffantasi, dechreuais ymchwilio yn fwy ffyrnig i mewn i'r mater. Pe bawn i ond yn gallu cracio'r côd yn yr hen ysgrifau, yna mi fyddwn i'n gallu adnabod y gwir Annwfn.

Er mwyn gwahardd unrhyw un arall rhag dilyn yr un trywydd â fi – ac felly er mwyn amddiffyn dynolryw rhag darganfod yr hyn na ddylid ei ddarganfod – wnaf i ddim esbonio'n union sut y cefais i hyd iddo, ond un noson, yn hwyr a'r gwynt yn rhuo y tu allan mewn storm a ysgydwai ffenestri'r llyfrgell, cefais hyd i'r hyn roeddwn i wedi bod yn hir chwilio amdano: y llyn.

Roedd yr adroddiad mewn llyfr cofnodion o'r unfed ganrif ar bymtheg, yn trafod materion cyfreithiol sych yn ymwneud â pherchen tir a ffiniau caeau. Ond yn niwedd un paragraff, ar waelod tudalen frau, felen, roedd yr awdur wedi ysgrifennu:

…& eithyr ni chynwysir y llyn hwnnw nad oes iddo enw, hwnnw sydd iw ganfod yn y cwm du ar gyrion caer o'r enw […], llyn na wŷr y neb a holes pwy ydoedd ei berchen ef, eithyr eu bod oll yn gytûn nad oeddynt hwy berchen arno, & pan sonies inne am y llyn hwyntwy a groesasant ei hunain & eraill a wnaethasant ystumie cabledig yn yr hên ddull. Meddent am y llyn bod ei ddyfredd ef yn farw, a'r dwfynder iddo y tu hwnt i gyfrifo dŷn eb hwynt, ac anifeiliaid ac adar ôll a osgoant ei lannau ef. Y mae chwedl leol yn dywedyd bod goleuade yn discleirio o waelodion y llyn hwnnw ar noson o leyad lawn (sef lampe tylwyth teg, cableddasant hwy) & y byddai unrhyw ddŷn neu anifail a aethai i mewn i'r dyfredd hynny yn diflanu o dir Duw Iôn & myned i dir anhysbus & na ddychwelent fyth wedyn. Ym marn yr awdur Cristonogol hwn nid oes gwirionedd i ffolineb cyffelip a hyn, eithyr serch hynny nid oes perchennog i'r llyn hwn a ŵyr yr awdur nac undyn arall amdano & ni roddir enw iddo mewn unrryw lyfer yr ydwyf wedi ei ddarllen ychwaith...

Rydw i wedi llosgi'r llyfr hwnnw bellach, ond mae'r geiriau wedi aros yn eglur ar fy nghof.

Nododd yr awdur nad oedd enw i'r llyn, ond, serch hynny, wedi hir ymchwilio mi gefais hyd iddo ar fap o gyfnod Fictoria, dogfen y darganfyddais hi yn nyfnderoedd archifdy'r brifysgol (wedi ei cham-gatalogio). Roedd ei leoliad yn anghysbell braidd, mewn cwm lle cuddiai llechweddau serth y llyn rhag pob lôn gyfagos. Doedd dim enw ar y llyn ar y map, dim ond y gair *lake* wrth ei ymyl. Soniai'r llyfr am gastell cyfagos, ac yn wir roedd croes ar y map yn nodi bod olion hen fryngaer Geltaidd i'w gweld ar grib ymhell uwchben y cwm. Doedd dim enw i'r gaer chwaith.

Cefais afael ar ffotograffau diweddar o'r ardal berthnasol a dynnwyd o'r awyr. Roedd y llyn yn dal yno, fel y dangosai'r hen fap: cylch bychan, tywyll, gyda'r mynyddoedd yn tyrru o'i gwmpas fel muriau cell, fel pe baent yn ceisio cadw'r byd allan. Neu gadw rhywbeth rhag y byd.

Siaradais â daearydd oedd yn gweithio mewn rhan arall o'r brifysgol, gan ddangos y lluniau iddi. Holais a oedd unrhyw astudiaethau gwyddonol, meintiol wedi cael eu gwneud o'r llyn, fel y gallwn i ddarganfod ei ddyfnder, y math o anifeiliaid a phlanhigion oedd yn byw o'i gwmpas ac ynddo, ac yn y blaen. Roedd y daearydd yn frwd yn ei ddiddordeb yn gyntaf, ac wedi rhyw wythnos daeth yn ôl ataf gan ddangos sawl dogfen i mi oedd yn crybwyll y llyn. Doedd yr un o'r dogfennau'n galonogol.

Ymddengys bod rhyw astudiaeth o ddaeareg y llyn wedi cael ei chwblhau yng nghanol yr ugeinfed ganrif, ond ei bod yn defnyddio methodoleg braidd yn lletchwith ac wedi cael ei gwneud gan ysgolhaig nad oedd yn adnabod yr ardal nac yn gyfarwydd â'i natur. Meddai'r astudiaeth bod dyfnder y llyn yn sylweddol, ond yn fesuradwy, a hynny'n fesuriad o bum cant a phedair o droedfeddi.

Cododd y daearydd ei haeliau wrth rannu'r wybodaeth hon â mi. 'Mae hynny'n annhebygol iawn,' meddai, 'ar gyfer llynnoedd yn y rhan yma o'r byd. Llyn Cowlyd ydy'r llyn dyfna yng Nghymru, a dydy hwnnw ddim mwy na dau gant a hanner o droedfeddi o ddyfnder. Mae 'na lynnoedd ym Mhrydain sydd yn ddyfnach, fel Loch Morar yn yr Alban sydd efo dyfnder o fil o droedfeddi mewn un man – ond fysan ni'n gwybod tasa 'na lyn mor ddwfn â hynny yng Nghymru. Mae'n rhaid bod yr awdur wedi dyfeisio data am ryw reswm. Neu ella mai gwall teipio ydy o?'

Ond, ym mêr fy esgyrn, roeddwn i wedi cyffroi, er nad oeddwn i am ddangos hynny yn rhy amlwg i'm cydweithwraig: roeddwn i'n sicr nad oedd awdur yr astudiaeth wedi drysu. Hwn oedd o – y llyn roeddwn i wedi bod yn chwilio amdano.

Y porth i gyrraedd Annwfn.

'Sut fuasai rhywun yn mynd i waelod llyn mor ddyfn â hynny?' gofynnais.

'Pum can troedfedd?' Meddyliodd y daearydd am funud.

'Mae'n ddyfn iawn i berson ddeifio. Mi fuaswn i'n disgwyl i rywun ddefnyddio drôn tanddwr, fel bo hwnnw'n nofio at y gwaelod i gymryd fideo ac i gasglu data. Fel arall, i berson allu mynd i lawr yno, mi fuasai angen *atmospheric diving suit* arnyn nhw. Neu sybmarîn bach.'

'Beth am git sgwba?'

'Y dyfna fedri di ddeifio efo tanc sgwba ydy rhyw gant a hanner o droedfeddi. Unrhyw beth dyfnach na hynny ac mi ei di'n sâl iawn. Chwil, dryslyd – wedyn mae 'di canu arna chdi. Na, os oes gan y llyn yma ddyfnder gymaint â phum cant, mi fysa angen tîm o ymchwilwyr, nifer o ddeifwyr profiadol iawn, lot o amser ac amynedd a lot o gyllid, er mwyn cael rhywun i lawr at y gwaelod. *Os* ydy o mor ddyfn ag mae'r papur yn ei ddeud.'

Er syndod i mi fy hun, teimlais fy nghalon yn suddo. Sylweddolais fy mod i wedi bod yn eiddgar i gael nofio i lawr yno, i weld gwaelod y llyn hwn, y dyfnaf yng Nghymru. Ond mi welwn i fy mod i'n barod yn mynd i ran o faes nad oeddwn i'n brofiadol ynddo, ac, yn fwy na hynny, er mwyn dysgu ychwaneg byddai angen cynnwys mwy o bobl yn y drafodaeth. Mwy o bobl fyddai'n gwybod am y darganfyddiad. Ond fy narganfyddiad i oedd o.

Ceisiais swnio'n ddi-hid gan ofyn: 'Oes 'na siwt atmosfferig gan y brifysgol?'

'Mae'r adran gwyddorau eigion yn llogi un weithiau. Does ganddyn nhw ddim un ar hyn o bryd. Pam?'

'Dim ond gofyn.'

Diolchais iddi, a dychwelyd i fy swyddfa gan ddal fy nogfennau a'm syniadau yn dynn at fy mrest.

Aeth rhai misoedd heibio, a finnau yn brysur oherwydd gofynion fy swydd, a'r baich dysgu, marcio a gweinyddu yn fy llethu. Ond bron yn ddi-baid roedd y llyn yn llenwi fy meddwl. Er nad oeddwn i wedi bod ato, ar len fy nychymyg roeddwn i'n gallu gweld y llyn yn glir: ei ddŵr eang, dwfn, du, a'r tonnau'n cronni mewn un cylch araf, tywyll.

Erbyn diwedd y tymor, a'r gwanwyn yn dechrau meddalu tuag at y Pasg, roeddwn wedi methu bron yn llwyr â chanolbwyntio ar fy ngwaith go iawn, ac yn dilyn ambell neges fymryn yn swta gan fy rheolwr, mi benderfynais gymryd wythnos o wyliau er mwyn, o'r diwedd, mynd i ymweld â'r llyn dienw. Gallwn ei gyrraedd mewn llai nag awr yn fy nghar, yn ôl fy map, ac felly mi allwn i fynd yno a dod adref cyn iddi nosi. Roedd y diwrnod a ddewisais yn un oer ond llachar, di-wynt, a'r awyr yn iach.

Er gwaethaf beth ddywedai'r map, mi gymrodd bron i ddwy awr i mi gael hyd i'r cwm lle gorweddai'r llyn, gan i mi fethu sawl troad a gyrru o gwmpas yn seithug, nes i mi sylwi ar lôn fechan nad oedd ar y map, yn arwain oddi ar y brif ffordd ac i lawr rhwng llethrau tywyll, cul. Ar ôl rhyw hanner milltir aeth y ffordd yn rhy arw i mi yrru rhagor, felly parciais fy nghar o dan ganghennau hen goeden farw, a cherddded yn fy mlaen.

Roedd llechweddau serth di-laswellt yn amgylchynu'r llyn, fel yn y llun a dynnwyd o'r awyr. Er gwaetha'r haul oedd weithiau yn dangos ei wyneb drwy'r cymylau, doedd golau dydd ddim fel petai'n cyrraedd y llecyn hwn. Taflai'r creigiau gysgodion pigog dros arwyneb y dŵr ac, wrth i mi ddod yn nes, dechreuodd rhyw ysictod gorddi ynof.

Roedd y llyn yn fach, yn llai na chan troedfedd ar ei draws, a doedd dim ffordd i anwybyddu pa mor dywyll a du roedd y dŵr yn edrych. Llyfai tonnau bychain sur ar y lan garegog. Heblaw am sisial anghynnes y tonnau hynny a chrensian fy esgidiau yn y graean, doedd dim sŵn arall i'w glywed. Crynais. Aeth yr haul o'r golwg yn gyfan gwbwl, gan fy ngadael mewn golau gwyll, er mai canol y prynhawn oedd hi.

Ar fy nghwrcwd, oedais ar lan y llyn a meiddio rhoi fy mys yn y dŵr. Doedd dim byd yn anarferol amdano – dim ond dŵr oer! Er na ddiflannodd fy mhetruster, cododd fy hwyliau rywfaint.

Eisteddais yno am beth amser yn myfyrio. Bwyteais frechdan ac yfais o fflasg o de, ond doedd fawr o flas arnyn nhw. Roedd bod yn y cwm hwn yn fy anesmwytho. Doedd dim byd i'w weld o dan wyneb y llyn – dim hyd yn oed pysgod na phryfed. Roedd y dŵr yn crychu mewn cylchoedd bychain yma ac acw ar yr wyneb, fel pe bai rhywbeth yn crynu'n ddwfn oddi tanodd...

Penderfynais adael cyn iddi nosi. Paciais y sbwriel yn fy mag a throi i fynd. Wrth i mi droi, gwelais drwy gornel fy llygaid rywbeth yn y llyn a'm hysgwydodd i – golau o dan y dŵr. Arhosais i edrych yn agosach. Gallwn daeru bod rhyw lampau neu oleuadau yn nofio yn y dyfnderoedd, heb siâp pendant iddynt, ond yn symud. Aeth fy ngheg yn sych. Ond wrth i mi sefyll yno'n syllu, pylodd y golau ac aeth y llyn yn dywyll unwaith eto.

Rhwbiais y chwys o'm talcen gyda fy llawes. Ai dim ond adlewyrchiad o'r machlud oeddwn i wedi ei weld? Neu rywbeth arall?

Rhuthrais adref. Chysgais i ddim winc y noson honno.

Penderfynais gymryd cyfnod i ffwrdd o'r gwaith yn y brifysgol. Dywedais fy mod i'n rhy sâl i weithio; chefais i ddim gwrthwynebiad gan fy rheolwr. Rhoddodd hyn yr amser i mi ganolbwyntio fy holl sylw ar ddirgelwch y llyn dienw.

Roeddwn i wedi penderfynu erbyn hyn bod angen archwilio o dan ddŵr y llyn i weld beth oedd ei ddyfnder, er mwyn cael esboniad o pam nad oedd anifeiliaid yn byw ynddo, ac i adnabod natur y goleuadau rhyfedd hynny. Treuliais sawl wythnos yn pori'n ddi-baid drwy hen lyfrau, papurau newydd ac ysgrifau, tra hefyd yn mynd ar y fy nghyfrifiadur yn ddiwyd yn chwilio am gyfeiriadau, unrhyw gyfeiriadau, at y llyn ei hun neu at gynrychioliadau o'r drws i Annwfn. Arweiniodd hyn ddim at lawer o bwys. Teimlais rwystredigaeth yn fy llethu. Stopiais dderbyn ymwelwyr nac ateb negeseuon gan ffrindiau a theulu.

Teimlwn y byddai popeth yn cael ei esbonio pe bawn i'n gallu mynd i mewn i'r llyn, ond er mwyn gwneud hynny roedd angen offer arbennig. Holais y daearydd cyfeillgar o'r brifysgol eto am argaeledd offer o'r fath, gan anwybyddu ei chwestiynau am fy lles ac iechyd, ond yn y pen draw roedd yn rhaid i mi stopio siarad â hi – roedd hi'n amlwg nad oedd hi, na neb arall, yn deall beth roeddwn i'n ceisio ei wneud. Sylweddolais ei bod hi'n well i mi gadw hyn i gyd yn gyfrinach i mi fy hun. Roedd hi'n bwysig i rywun adnabod beth oedd gwirionedd y llyn du hwnnw, ac os nad fi, yna pwy fyddai'n gwneud?

Gorffennais fy mharatoadau a theithio am yr ail dro i'r cwm lle gorweddai'r llyn. Y cyntaf o Fai oedd hi ac roedd blodau melyn a glas yn dotio'r caeau wrth i mi yrru heibio; chymerais i ddim sylw ohonyn nhw. Roedd hi'n fin nos ac roedd yr haul yn barod yn syrthio i'w orwel – roeddwn i'n fwriadol eisiau teithio yma pan nad oedd neb arall o gwmpas, rhag i neb fy ngweld. Doedd wybod pwy allai fy stopio neu, yn waeth, fy nilyn.

Roedd cymaint o offer yng nghefn fy nghar nes y cymrodd sawl tro yn ôl ac ymlaen rhwng y cerbyd a'r llyn i gael popeth yn barod ar y lan. Eisteddais i orffwys wedi i mi orffen symud popeth. Synfyfyriais ar y dasg a oedd o'm blaen.

Roedd y daearydd wedi dweud y byddai angen siwt arbennig er mwyn mynd cyn ddyfned â phum can troedfedd: doedd dim ffordd i mi gael gafael ar siwt o'r fath, nid ar fy mhen fy hun. Ond roeddwn i wedi llogi siwt ddeifio sgwba – dan ffugenw – o siop ddeifio ar Ynys Môn, ac roeddwn i wedi prynu lamp gryf a chamera tanddwr. Er na fyddwn i'n gallu mynd yn ddwfn yn y siwt heb risg – efallai hyd at gant a hanner o droedfeddi – roeddwn i'n sicr y byddwn i'n gallu darganfod rhywbeth. Os oedd yn rhaid, byddwn i'n cymryd mwy nag un trip i lawr; roedd gen i ddigon o fwyd am sawl diwrnod yng nghefn y car, yn ogystal â phabell fechan os oedd angen i mi orffwys. Unwaith y byddwn i'n teimlo mod i wedi cael hyd i gymaint ag oedd modd, mi fyddwn i'n dychwelyd adref a chynllunio'r cam nesaf. Pe bai'n rhaid i mi ddwyn siwt arbenigol er mwyn cyrraedd y gwaelod, yna teimlwn bod hynny'n werth yr ymdrech.

Ar ôl iddi nosi, roedd y cwm yn iasol. Doedd dim arlliw o olau'r lleuad yn treiddio at ei lethrau ac roedd wyneb y llyn fel gwydr du. Wrth edrych uwchben, roedd yr awyr yn dywyll hefyd, a'r unig beth y gallwn i ei weld oedd un seren fechan borffor, fel llygad yn rhythu arnaf.

Gosodais y lamp bwerus ar fwrdd plygu i roi golau i mi tra y gwisgwn i'r siwt ddeifio *neoprene*: byddai hon yn fy nghadw'n gynnes o dan y dŵr oer, er na fyddai'n fy nghadw'n sych.

Roeddwn i wedi llwyddo i brynu tanc ocsigen mawr oddi ar y We, oedd yng nghefn y car ac yn rhy drwm i'w gario at lan y llyn. Gallwn ail-lenwi fy nhanc aer bychan ar gyfer deifio hyd at bedair gwaith pe byddai angen. Strapiais y tanc bach ar fy nghefn, gwisgo'r masg plastig trwchus, rhoi'r ffiniau mawr am fy nhraed, ac yn olaf clymu gwregys trwm o gwmpas fy nghanol. Profais y bibell aer gwpwl o weithiau a gwirio'r pwysedd ar y deial fflwroleuol ar fy ngarddwrn dde. Hongiais y camera tanddwr o gwmpas fy ngwddw a'i glipio at strap y tanc ocsigen. Codais y lamp a'i thywynnu ar draws wyneb anghynnes y llyn, yna ei diffodd, gan adael y cwm mewn düwch. Roeddwn i'n barod.

Gallaf gofio pa mor galed oedd fy nghalon i'n curo ar y foment honno. Roeddwn i'n ymwybodol mai fi oedd yr unig beth byw yn y cwm. Roeddwn i hefyd yn dyfalu mai fi oedd y cyntaf i ddeifio i'r llyn yma ers blynyddoedd – canrifoedd, efallai. Wrth sefyll ar lan y llyn, fy nghyhyrau i gyd yn tynhau'n boenus mewn paratoad am y daith o'm blaen, ceisiais arafu fy anadlu a churiad fy nghalon.

O'r diwedd, roeddwn i wedi ymlacio ddigon. Cymerais gam i mewn i'r dŵr. Oedais. Yna cam arall. Cam arall.

Wrth i fy mhen fynd o dan yr wyneb, teimlwn fel petawn yn gadael y cwm ar fy ôl. Llyncodd y tywyllwch tanddwr fi a chefais y teimlad cyfarwydd arallfydol hwnnw o arnofio gyda dŵr o'm cwmpas, fel pe bawn i'n hedfan. Cynnais y lamp a saethodd pelydr o olau drwy'r dudew. Ciciais nes bod fy nghorff yn anelu am i lawr, yna dechreuais nofio.

Mae'r teimlad o anadlu o dan ddŵr yn anhygoel. Mae fel petasech chi'n mynd yn erbyn yr hyn ddylai pobl allu gwneud, yn herio esblygiad. Roeddwn i wedi dysgu deifio flynyddoedd ynghynt pan roeddwn i'n fyfyriwr: dwi'n cofio y tro cyntaf yr es i tanodd a chymryd y llwnc cyntaf o aer oer o'r bibell. Roedd yn rhaid i mi orfodi fy nghorff i gymryd y gwynt hwnnw, a fy ymennydd i'n ymladd yn erbyn y cyfarwyddyd, cyn ildio a gadael i'r gymysgedd felys o ocsigen, nitrogen, carbon deuocsid a nwyon eraill lenwi fy ysgyfaint fel cyffur. Y tro hwn roedd hi'n haws o lawer. Dim ond ychydig funudau gymerodd hi nes i mi deimlo'n fwy heddychlon a bodlon nag oeddwn i wedi gwneud ers oes, yn teimlo'r llyn yn fy anwesu er gwaetha'r oerfel.

Nofiais yn fy mlaen, gan fynd yn ddyfnach fesul eiliad. Ffrydiai swigod o'r bibell rhwng fy ngwefusau gan darfu ar linell wen y lamp. Welwn i ddim byd yn y dŵr heblaw am gymylau o lwch gwaddod. Roedd hi fel nofio drwy driog. Teimlwn ansicrwydd ac ofn yn dechrau cronni yn fy stumog, ond canolbwyntiais ar geisio sicrhau bod yr ocsigen yn llifo'n araf a chyson i mewn i fy ysgyfaint o'r tanc ar fy nghefn, er mwyn gwneud iddo bara cymaint â phosib.

Cefais gip ar fy medrydd dyfnder ac yna ar ddeial y mesurydd pwysedd. Roeddwn i'n iawn – doedd hi ddim yn rhy ddrwg eto. Roeddwn i saith-deg-pump troedfedd i lawr ac roedd y pwysedd yn foddhaol, yn ddim ond tyndra cynnes yn fy sinysau. Ond os awn i'n llawer dyfnach yna mi fyddai hi'n mynd yn anghyffordddus ac efallai yn beryglus. Byddai angen i mi gymryd gofal wrth fynd yn ôl i'r wyneb ar y diwedd, gan gadw digon o aer i mi gymryd seibiant bob yn hyn a hyn rhag ofn i mi gael y salwch hwnnw sy'n peri i nitrogen fyrlymu yn y gwythiennau a chloi'r cyhyrau yn boenus iawn. Nofiais yn fy mlaen.

Yn araf bach, teimlais yr awyrgylch yn newid. Allaf i ddim ei esbonio'n llawn, heblaw ei bod hi'n teimlo fel petai rhyw bresenoldeb yno, rhyw nerth oddi tanaf a oedd yn graddol dyfu wrth i mi fynd ymhellach i lawr i'r dyfnderoedd. Taflais olau fy lamp i'r chwith a'r dde, ond welwn i ddim byd.

Roedd y pwysedd yn fy mrest yn anghyfforddus erbyn hyn: roedd pob anadl yn cymryd ymdrech amlwg ac roedd poen crasboeth yn adeiladu y tu ôl i'm llygaid. Ceisiais lyncu fy mhoer er mwyn lleihau'r pwysedd, ond doedd hynny'n cael fawr o effaith. Caeais ac agorais fy llygaid sawl gwaith er mwyn ceisio ffocysu. Roedd hi'n anodd gweld ac roedd ymylon fy ngolwg yn dechrau mynd yn niwlog. Edrychais ar y medrydd dyfnder ar fy ngarddwrn.

Cefais syndod wrth weld pa mor ddwfn oeddwn i. Pedwar can troedfedd! Doeddwn i ddim yn ymwybodol fy mod i wedi mynd cyn ddyfned. Oedais am funud a chodi'r camera yn fy llaw dde. Gwasgais y botwm i ddechrau ffilmio – gan ddiawlio fy hun nad oeddwn i wedi dechrau gwneud hynny eisoes – ac yna cliciais sawl gwaith mewn gwahanol gyfeiriadau er mwyn cael lluniau llonydd o'r hyn oedd o'm cwmpas. Wedi'r cyfan, er na welwn i ddim ond tywyllwch lleidiog, efallai bod pethau yma nad oedd fy llygaid i'n gallu eu gweld. Roedd *shutter* y camera wedi ei ledaenu at ei eithaf er mwyn ceisio cymryd delweddau gweladwy.

Nawr roedd rhaid i mi wneud penderfyniad a oeddwn i'n mynd i ddychwelyd i'r wyneb neu fynd yn fy mlaen yn ddyfnach. Roedd fy oriawr yn dweud wrthyf i fod gen i ryw chwarter awr o aer ar ôl yn y tanc, pe bawn i'n lwcus. Roedd hynny yn hen ddigon i fynd yn ôl i'r wyneb ac i gymryd y seibiannau diogelwch angenrheidiol, felly sylweddolais mai dyma fy nghyfle i fynd cyn ddyfned ag y gallwn i. Ciciais yn galed a gwthio fy nghorff drwy'r boen a'r ymdrech a'r llosgi yn fy ysgyfaint – es i lawr, i lawr, i lawr...

Meddyliais i mi weld gwrid o olau euraidd yn treiddio

drwy'r llaid a'r gwaddod islaw. Cynhyrfais a diffoddais y lamp. Doeddwn i ddim wedi ei ddychmygu: dyna fo, y golau gwan, cynnes yn codi o rywle oddi tanaf – a ddim yn rhy bell oddi tanaf chwaith.

Crynodd fy llaw wrth i mi estyn am y camera i'w anelu at y golau. Aeth fy mys at y botwm ond roedd fy symudiadau yn lletchwith ac araf erbyn hyn oherwydd effaith y pwysedd, a llithrodd y camera o fy llaw. Syrthiodd i lawr a diflannu i'r dŵr allan o'r golwg. Mae'n rhaid fy mod i wedi ei ddatgysylltu o'r gwregys heb sylweddoli. Dwrdiais fy hun yn chwyrn, ond roedd meddwl yn anodd erbyn hyn ac roedd yn rhaid i mi ganolbwyntio ar y golau aur. Hwnnw oedd fy amcan i nawr – os y gallwn i ei gyrraedd a'i weld, yna gallwn ddychwelyd i'r wyneb yn deall digon.

Roedd y golau yn dod yn fwy amlwg erbyn hyn: roedd ar ffurf cylch, fel crater mawr neu lyn o fewn llyn. Doeddwn i ddim yn medru gweld yn eglur iawn oherwydd y pwysedd yn fy nghorff, ond roeddwn i'n sicr fy mod i wedi cyrraedd y gwaelod, neu'n agos at y gwaelod. Roedd hi'n anodd gwneud penderfyniadau neu feddwl yn gall yn yr ennyd honno, ond roedd hi'n amlwg i mi mai'r peth gorau oedd i mi nofio tuag at y golau. Ai hwn oedd y porth? Y drws i'r byd arall? Roeddwn i'n fwy a mwy pendant o hynny gyda phob cic. Roeddwn i hefyd yn siŵr bod rhyw fwmian a chanu yn dod o rywle, yn atsain fel clychau yn fy nghlustiau.

Yna clywais glec, fel cyfarthiad dryll. Ffrwydrodd swigod o flaen fy llygaid. Sylweddolais yn syth fy mod i wedi taro rhywbeth; carreg efallai. Rywsut roedd hyn wedi rhwygo'r bibell wynt o'm ceg. Ymatebodd fy nghorff yn y ffordd anghywir – agorais fy ngwefusau'n reddfol i waeddi mewn syndod, a dyma'r dŵr yn dechrau llifo i lawr fy ngwddw. Yn llawn panig, ymbalfalais yn swrth am y bibell, ond allwn i ddim cael hyd iddi. Roedd hi wedi nofio dros fy ysgwydd yn rhywle. Llosgodd poen fel artaith yn fy ysgyfaint a theimlais fy hun yn tagu. Roedd y golau euraid ym mhobman ac yn fy nghymryd i'w fynwes...

Deffrois gan boeri dŵr. Roedd pob darn o'm corff yn brifo. Cymerais anadl ddofn, ddofn, gan wneud sŵn fel hen wyntyll wrth i'r aer godidog fy llenwi. Roeddwn i'n fyw. Roeddwn i'n wlyb ac yn oer ac mewn poen, ond roeddwn i'n fyw.

Codais ar fy eistedd ac edrych o'm cwmpas. Doeddwn i ddim ar lan y llyn. Roeddwn i mewn rhyw fath o ogof. Roedd to caregog uwch fy mhen ac roedd y llawr yn faen llyfn oddi tanaf. Roedd lampau tân ar waliau garw'r ogof yn goleuo'r lle. Gadewais i fy llygaid arfer â'r stafell. Rhwbiais fy llawes ar draws fy wyneb. Roedd gen i waedlyn ac roedd rhyw anaf ar fy nhalcen, ond fel arall teimlwn yn annisgwyl o iach.

'Ble ddiawl ydw i?' meddwn i'n uchel wrthyf fy hun.

'Yr ydych wedi cyrraedd fy nghartref,' meddai llais.

Troais mewn sioc i weld rhywun yn sefyll ddim yn bell ohonof. Roedd yn ddyn mewn dillad syml ond hen ffasiwn, ac roedd ganddo glogyn gwyrdd tywyll am ei ysgwyddau a chwfl oedd yn gorchuddio ei ben. Roedd ei wyneb yn llonydd a di-emosiwn, ond roedd ei ddwy lygad arian yn pefrio'n llachar. Pwysai ar ffon hir – gwialen o aur cain.

'Croeso i chwi,' meddai eto. Roedd y llais yn rhyfedd, rywsut: yn adleisio ar draws waliau'r ogof ond hefyd yn atseinio yn fy mhen. Doedd o ddim yn llais anghynnes na chas – yn wir roedd llyfnder a chyfoeth iddo ac roeddwn i'n teimlo rhyw gynhesrwydd pleserus tu ôl i fy llygaid wrth i'r sain dreiddio drwy fy esgyrn – ond eto roedd rhywbeth anarferol amdano, fel nad oedd yr oslef yn gwbl iawn. Roedd arddull ei Gymraeg yn anghyfarwydd hefyd, er mai, heb os, Cymraeg oedd o yn ei siarad.

'Pwy ydach chi?' gofynnais yn betrus. Roedd fy llais yn swnio'n rhyfedd o fach yn yr ogof hon o'i gymharu â'i un o.

'Os nad ydych chwi yn gwybod,' meddai'r dyn yn ofalus, gan gymryd cam tuag ataf, 'yna chwi a gewch fy ngalw y Porthor. Myfi y sydd geidwad ar y drws hwn, enaid.'

Safais yn simsan. Syllais ar y Porthor. 'Y drws i le?' gofynnais.

Rhoddodd y Porthor ei ben ar ogwydd. 'Y mae sawl enw i'r deyrnas hon,' meddai yn bwyllog. 'Yn eich hiaith chwi, credaf mai eich enw amdani yw Annwfn.'

Roeddwn i eisiau llewygu, ond arhosais ar fy nhraed. Teimlwn yn siŵr bryd hynny fy mod i'n breuddwydio. Edrychais arno yn gegrwth.

Daeth rhywbeth yn agos i wên ar wefusau'r Porthor. 'Os na chredwch chwi eich bod ar ddi-hun, teimlwch y maen hwn i weled mor oer ydyw. Rhoddwch eich llaw ger y fflam hon i deimlo ei gwres hi. Anadlwch chwi a blaswch yr aer.'

Mi wnes i hynny. Roedd y Porthor yn iawn. Roedd popeth yn teimlo fe y dylai, yn eglur a sicr, nid fel breuddwyd. Rhedais law drwy fy ngwallt gwlyb. Allwn i ddim coelio'r peth. Annwfn!

'Dilynwch,' meddai'r Porthor gan ystumio gyda'i wialen tuag at ddrws yn y wal. Agorodd y Porthor y drws a mynd drwyddo. Dilynais o, gwahanol synhwyrau a syniadau yn ymladd yn flith-draphlith yn fy ymennydd.

Arweiniodd y Porthor fi drwy dwnnel syth a redai am ryw

ugain troedfedd drwy waliau trwchus yr ogof, cyn cyrraedd set o risiau a wnaed o ryw garreg wen fel marmor. Aeth y Porthor i fyny'r grisiau, heb edrych yn ei ôl nac arafu ei gamau. Prysurais ar ei ôl, gan geisio dygymod â'r byd newydd hwn roeddwn i wedi nofio iddo drwy waelod y llyn dienw. Ar ben y grisiau roedd drws arall. Daliais fy ngwynt mewn rhyfeddod wrth fynd drwyddo.

Roedden ni mewn neuadd anferthol – na, dydy 'neuadd' ddim yn ei ddisgrifio. Roedd yn ofod enfawr yn ymestyn i fyny ac i lawr cyn belled ag y gallwn weld. Roedd rhodfeydd yn troelli fel grisiau tua'r nenfwd – os oedd nenfwd – a thua'r gwaelod, lle gallwn weld, dros ochr canllaw arian, goleuadau aneirif ymhell i lawr.

'Mae'r lle yma mor fawr!' meddwn i, cyn sylweddoli pa mor hurt a dibwys oedd beth ddwedais i. Nid atebodd y Porthor, ond aeth yn ei flaen. Pan oedais i edrych yn fwy manwl ar beth oedd o'm cwmpas, ymgrymodd gyda'i law – roedd hi'n eglur, heb iddo ddweud hynny, bod angen i mi lynu'n agos ato yn y lle hwn. *Annwfn!*

Roedd fel petai'r adeilad yn ddiddiwedd. Rhedai coridorau a grisiau yma ac acw i bob cyfeiriad, gyda thyrau yn ymestyn yn uchel tu hwnt i'm golwg a seleri dyfnion yn ddwfn yng ngwaelodion y gaer ryfeddol hon. Gwelais sawl neuadd enfawr arall gyda tho uchel fel bwa gorchestol uwch fy mhen, heb golofnau yn dal y nenfwd i fyny, dim ond disgyrchiant a medrau'r pensaer, dychmygwn. Roedd y bensaernïaeth yn feistrolgar, gyda cherrig wedi eu siapio'n gyfartal a hardd, y cerfio yn syfrdanol o brydferth ar y colofnau a'r canllawiau. Roedd deunydd yr adeiladwaith yn edrych fel carreg a choed, ond nid unrhyw bren roeddwn i'n gyfarwydd ag o nac unrhyw faen i mi ei weld o'r blaen.

Dychmygais lygaid fy ffrind o ddaearydd wrth weld mwynau arallfydol Annwfn!

Wrth gerdded, mi basion ni nifer o drigolion eraill Annwfn. Roedden nhw'n bobl osgeiddig a phrydferth, bob un, wedi eu gwisgo mewn dillad sidan disglair, llyfn. Roedd eu gwisgoedd yn fy atgoffa o lys brenin canoloesol. Wrth i ni eu pasio, byddai'r gwŷr a'r gwragedd yn ymgrymu eu pennau yn gwrtais a gwenu arnaf. Roedd eu hwynebau yn groesawgar dros ben ac ni allwn beidio â gwenu yn ôl arnyn nhw. Ceisiais ddweud helô wrth ambell un, ond ches i ddim ateb yn ôl.

'Ni fyddant yn ymddiddan gyda chwi oni byddaf i yn caniatáu hynny,' esboniodd y Porthor. 'Cewch gyfarfod rhai o bobloedd Annwfn yn y man – yfory, efallai – ond nid eto.'

'Fedra i ddim coelio yr hyn dwi'n weld,' meddwn i wrtho. 'Maddeuwch i mi am ddweud hyn, ond rydych chi'n edrych yn union fel yn ein hen chwedlau.'

'Oni welwch-chwi yr hyn a ddisgwyliasoch? Wele, fel hyn y buom, fel hyn yr ydym ac fel hyn y byddwn.' Fflachiodd ei lygaid arian arnaf a theimlwn y gallwn weld balchder yn cronni ynddyn nhw.

Roedd murluniau a thapestrïau ar rai o'r waliau. Roedden nhw'n hardd dros ben: yn dangos delweddau o diroedd braf, caeau gwyrddion ac awyr las, o anifeiliaid yn heidio, o bobl yn byw yn llawen, yn bwyta, yn chwarae, yn hela, yn caru. Roedd y celf hwn yn gywrain iawn, wedi ei beintio neu ei bwytho gyda bysedd cain, cain, ac er ei fod yn cyfleu lluniau a gweithgareddau oedd yn edrych yn ganoloesol i mi, roedd ansawdd y paentio a'r pwytho fel pe bai'r gwaith wedi cael ei orffen ddoe. Roedd y bobl yn y delweddau yn union fel y bobl roedden ni wedi eu pasio yn y cynteddau ac ar y grisiau eisoes. Yswn am gael gweld tu allan i'r adeilad hwn, i syllu ar yr awyr a'r caeau roedd y lluniau hyn yn eu cyfleu, ac er mwyn gweld a oedd heddwch a harddwch Annwfn fel y dwedai'r hen straeon.

Y peth od oedd nad oeddwn i'n gallu gweld y tu allan o gwbl. Welais i yr un ffenest agored. Gwelais nifer o ffenestri wedi eu cau, a chaeadau drostyn nhw wedi eu cloi, ond er i mi geisio sbecian drwy grac mewn ambell un, ni allwn i weld beth oedd y tu hwnt. Roeddwn i'n tybio nad oedd y Porthor am i mi weld, ac fel gwestai cwrtais penderfynais beidio busnesa mwy. Byddai'n rhaid i mi reoli fy chwilfrydedd a disgwyl nes y byddai fy lletywr yn fy ngwahodd i i'r byd y tu allan.

Ar ein taith drwy'r gaer anferth hon, osgôdd y Porthor un llawr penodol gan basio heibio i'r fynedfa yn frysiog. Drwy'r porth agored gallwn weld rhesi o ddrysau du yn ymestyn i lawr cyntedd hir, hir. 'Celloedd ar gyfer carcharorion ydynt,' meddai'r Porthor wrth weld fy niddordeb.

'Pwy ydach chi angen eu carcharu?' gofynnais i.

Treiglodd golwg dywyll dros wyneb y Porthor. 'Nid oes hedd tragwyddol i drigolion Annwfn, ysywaeth. Y mae angen cadw rhai tramgwyddwyr o dan glo. Ac y mae un carcharor neilltuol yma mewn hualau er mwyn ei ddiogelwch ei hun: y mae ei Wayw – a'i ddilynwyr – yn rhy beryglus.'

Ddeallais i mo ystyr union ei eiriau, ond holais i ddim mwy. Oedais am gyfnod wrth geg y cyntedd. Tybiais i mi glywed, o ben draw'r coridor, atsain rhincian metel – cadwyni? – ac anadlu cryg, araf, rhythmig, isel. Teimlais yn oer yn sydyn. Ond cymhellodd y Porthor fi yn fy mlaen tuag at y llawr nesaf. Dilynais yn gyflym, wedi fy siglo.

Rywsut, er i mi geisio chwilio yn ddiweddarach, allwn i ddim cael hyd i'r cyntedd hwnnw eto.

Ar ôl yr hyn a deimlai fel oriau o gerdded drwy'r adeilad

rhyfeddol hwn, tywysodd y Porthor fi i stafell fechan. Roedd y stafell yn daclus a thawel. Roedd hi'n llawn golau melyn braf a ddeuai o lampau oedd â phersawr melys o flodau'r amranwen. Roedd gwely syml ond moethus yr olwg wedi ei osod yn erbyn y wal i'r chwith o'r drws; roedd desg o bren tywyll a chadair gyfforddus y naill ochr iddo. Roedd ffenest fach hirsgwar gyferbyn â throed y gwely, ond roedd wedi ei chau gyda chloriau pren a doedd dim modd gweld allan.

'Hon, enaid, fydd eich ystafell tra byddwch chwi yn westai yma,' meddai'r Porthor, ei lais melfedaidd yn llenwi'r stafell a fy mhen er mor dawel y siaradai. 'Yma y cewch orffwys a threulio eich diwrnodiau pan na fyddaf ar gael i'ch tywys o amgylch ein caer. Bydd llyfrau ac adloniannau eraill yn cael eu rhoi i chwi fel y mynnwch. Daw gweision â lluniaeth a llymaid i chwi bob tro y bydd syched neu eisiau bwyd arnoch. Os bydd eisiau arnoch adael yr ystafell a cherdded o amgylch y gaer, canwch y gloch hon' – ar hyn, dangosodd gloch law fechan arian oedd ar y ddesg – 'ac mi ddof i atoch, a chwi a gewch ryddid i rodio Annwfn, cyn belled â'ch bod yn fy nghwmni i. Fel ein gwestai, enaid, rydych yn bwysig i ni a'n dymuniad ni yw i chwi fod yn llawen ac yn gyfforddus yma, drwy gydol yr amser y byddwch chi'n aros yn Annwfn.

'Ond–' Oedodd y Porthor, yna pwyntiodd fys hir at y ffenest gaeedig oedd yn y wal gyferbyn â'r gwely. 'Un peth yn unig na chewch wneud yn yr ystafell. Peidiwch ag agor y ffenest hon.' Aeth ei lais yn fain am eiliad, fel gwynt yn gwthio o dan ddrws. 'Hyn yn unig a ofynnwn ni oddi wrthych.' Yna aeth ei lais yn llyfn a chynnes eto. 'Gwn y byddwch yn westai bodlon a llawen yn ein cwmni. Nawr, enaid, gorffwyswch chwithau.'

Wedi iddo adael a chau'r drws, eisteddais ar y gwely.

Doeddwn i ddim yn siŵr beth i'w feddwl. Ar un llaw, teimlwn fel carcharor, yn gaeth i'r stafell ac i reolau'r gaer amhosib hon. Ond, ar y llaw arall, cymaint oedd cwrteisi a chroeso y bobl roeddwn i wedi eu cyfarfod nes i mi deimlo'n hollol fodlon y tu mewn – yn heddychlon, rywsut. Syllais am ennyd ar gaeadau pren y ffenest oedd ar gau o fy mlaen, y caeadau hynny'n dynn ar draws yr agoriad ac wedi eu cysylltu â bachyn bach. Nid oedd yr un rhimyn o olau o'r tu allan yn treiddio rhwng y craciau. A wel, meddyliais. Mi gaf weld allan pan y caf i'r caniatâd i wneud hynny. Yna gorweddais lle'r oeddwn i a mynd i gysgu. Freuddwydiais i am ddim byd.

Roedd y diwrnodau nesaf yn unigryw ac yn anhygoel. Bob bore byddwn i'n deffro wedi ymlacio'n llwyr, gyda phryd o fwyd wedi ei adael i mi ar y bwrdd yn fy stafell. Roedd y bwyd yn edrych fel cig a llysiau, er nad oedden nhw'n gwbl gyfarwydd i mi, ond roedden nhw'n blasu yn well nag unrhyw fwyd i mi ei fwyta erioed. Roedd pob brathiad yn orfoledd. Roedd jwg o ddiod hefyd – diod felys, gynnes, fel medd neu win pwdin, ac er iddo wneud i mi deimlo yn egnïol a bodlon nid oedd yn ymddangos yn fy ngwneud i'n feddw. Llyfwn y plât yn lân a gwagiwn y jwg bob bore. Roedd set o ddillad glân, syml ond cyffordus wedi eu gosod allan i mi wisgo bob bore hefyd. Yna, fel pe bai'n gwybod fy mod i'n barod, byddai'r Porthor yn curo'n ysgafn ar y drws ac yn fy hebrwng allan i grwydro coridorau Annwfn.

Dyna fydden ni'n treulio'r diwrnod yn ei wneud: ni'n dau yn cerdded ac yntau'n esbonio pethau i mi rhwng ysbeidiau tawel myfyrgar. Byddai'n gofyn i mi nawr ac yn y man am fy myd i a sut oedd fy ngwlad bellach. Doedd o ddim wedi clywed yr enw *Cymru* o'r blaen; dangosai lawer o ddiddordeb, meddyliais, yn fy hanesion i amdani. Soniais am ei thirwedd a'i threfi, ei diwydiant a'i diwylliant, ei phobl a'i dyfodol. Er mai gŵr rhyfedd oedd y Porthor, roedd yn hawdd siarad ag o, ac er bod ei wyneb fel arfer yn ddi-emosiwn, teimlwn i mi allu gweld rhyw fflach yn ei lygaid neu wên fach ar ei wefus pan y byddwn i'n dweud rhywbeth oedd o ddiddordeb arbennig iddo.

Bydden ni'n cael cinio yn feunyddiol yn un o neuaddau gloddesta anferth Annwfn, gan fwyta mewn neuadd wahanol bob diwrnod, cymaint ohonyn nhw oedd ar gael! Roedd toeau'r neuaddau yn hyfryd, wedi eu paentio â murluniau cymhleth. Weithiau roeddwn i'n ymgolli ynddyn nhw wrth syllu i fyny, yn ceisio dehongli'r lluniau a'r hanesion roedd y lluniau'n eu portreadu.

Byddai pobl yn eistedd gyda ni, wrth gwrs. Roedd pobl Annwfn ychydig yn rhyfedd i mi ar y dechrau: doedden nhw ddim yn sgwrsio fel chi a fi, ddim yn cymryd yr un ciwiau i ymateb i beth ddwedai rhywun arall nac yn nodio na chwerthin ar jôcs – dim ond gwenu'n hudolus wrth wrando'n astud ar beth ddwedwn i wrthyn nhw. Yna mi fydden nhw'n gofyn cwestiwn arall, neu'n dweud rhywbeth cwbl anghysylltiedig â'r hyn roedden ni wedi bod yn ei drafod. Ond roedden nhw mor siriol, eu lleisiau mor felys a'u straeon – pan y bydden nhw'n eu hadrodd neu eu canu – mor ddiddorol nes i mi faddau unrhyw odrwydd amdanyn nhw. Wrth gwrs, fyddwn i ddim yn cofio'r cyfan am eu straeon y bore wedyn, dim ond adlais annelwig ohonyn nhw, ond dyna fel oedd bywyd yn y gaer hon, a derbyniais hynny.

Ar ôl cinio un dydd dyma ni'n mynd i uchderau'r adeilad

– er nad y pen uchaf un – a gwelais, ar draws atriwm eang, ddrws dwbl mawr aur godidog yr olwg. Roedd dau o bobl yn gwarchod y drws, gan afael mewn gwawyffyn hir – yr unig arfau i mi eu gweld yn Annwfn. Holais beth oedd y tu ôl i'r drysau.

'Yn yr ystafell hon – yna y cadwn ni ein trysorau mwyaf gwerthfawr,' esboniodd y Porthor. 'Amser maith yn ôl daeth gwŷr o'ch byd chwi i Annwfn a'i ysbeilio. Cymerasant ein trysorau – gwrthrychau a oedd yn annwyl iawn i ni. Yn y diwedd ni a'u cawsant yn ôl, ond yn awr yr ydym yn eu hamddiffyn fel na fydd neb yn eu cymryd eto.'

'Arthur!' ebychais yn sydyn, gan sylweddoli. 'Rydach chi'n sôn am pan ddaeth Arthur a'i filwyr i Annwfn! Mae hen gerdd gan y Cymry sydd yn disgrifio'r ymgyrch—' Stopiais, achos roedd wyneb y Porthor wedi mynd yn haearnaidd, a'i lygaid yn pefrio mewn emosiwn nad oeddwn i wedi ei weld ganddo o'r blaen.

'Yr *Ysbeiliwr*. Efe yw gelyn Annwfn,' meddai'r Porthor, ei lais yn diferu gwenwyn. 'Er gwaethaf ein holl haelioni, yr Ysbeiliwr a chwalodd bob cyfamod, gan arwain ei lu arfog drwy ein pyrth a difrodi ein dinasoedd. Caeasom ein drysau am byth ar ôl hynny, gan roddi diwedd i'r ymddiddan a fu rhwng pobloedd Annwfn a'ch pobloedd chwi. Nid oedd modd i ni ymddiried mewn Dyn wedi hynny.'

Gallwn weld fy mod wedi ei bechu. 'Maddeuwch i mi,' meddwn yn ddiymhongar, 'ro'n i'n fyrbwyll. Wedi cynhyrfu oeddwn i. Ond – maddeuwch eto – dydy dynion ddim i gyd fel hynny. *Dwi* ddim am eich ysbeilio, cofiwch!'

Ni chafodd fy ysgafnder effaith ar y Porthor. 'Os ydyw un dyn yn gallu gwneud hynny, yna paham nad dyn arall?'

Teimlais yn anghyfforddus – cefais yr argraff am ennyd ei

fod yn edrych i *mewn* i mi. Yna, diflannodd y teimlad. Nodiodd y Porthor ei ben yn foesgar. 'Ond ie,' meddai, 'yn wir, yr ydych chwithau yn westai ac yr ydym yn ddiolchgar o gael un o'ch pobloedd chwi yn ein neuaddau unwaith eto – i ni gael dysgu amdanoch a sut y mae'r byd wedi newid ers i ni fod yno ddiwethaf. Ond' – pwyntiodd gyda'i wialen aur at y drysau mawreddog – 'ni all neb heblaw trigolion Annwfn ei hun fyned i mewn drwy'r drysau hyn. Dyna ydyw ein cyfraith.'

'Wrth gwrs,' meddwn i. 'Wrth gwrs.'

Ambell ddydd mi fyddai'r Porthor yn dweud ei fod yn brysur ac nad oedd neb allai fy hebrwng y diwrnod hwnnw. Byddai rhywun yn dod â llyfrau i fy stafell, gan adael i mi ddarllen ar fy ngwely. Mae'n anodd disgrifio eu llyfrau – roedden nhw ar bapur ond roedd y papur mor llyfn â sidan a'r ysgrifen yn gywrain a pherffaith. Y broblem oedd nad oedd eu llyfrau mewn unrhyw iaith gyfoes, ond wedi eu hysgrifennu mewn Cymraeg cyntefig dros ben. Mae'n rhaid bod y llyfrau'n hen iawn: meddai'r Porthor un dydd fod y llyfrau wedi dod o fy myd i nifer o ganrifoedd yn ôl pan roedd perthynas well rhwng fy mhobl i ac Annwfn. Wrth gwrs, roedd fy addysg brifysgol wedi fy mharatoi at ddehongli testunau mewn iaith fel hyn, felly treuliais lawer i ddiwrnod bodlon yn gweithio'n araf drwy eu llyfrau.

Roedd yr ysgrifau yn ddiddorol o safbwynt ieithyddol – gan gadarnhau nifer o ddamcaniaethau am ramadeg hanesyddol yr ieithoedd Celtaidd roeddwn i wedi eu cynnig yn fy nghyhoeddiadau academaidd (hyd yn oed rhai a gafodd adolygiadau amheus) – ond o safbwynt eu cynnwys, roedden nhw yn llai diddorol. Testunau gweinyddol oedden nhw ar y cyfan, yn rhestru gwybodaeth am hen lysoedd a phenderfyniadau cyfreithiol o gyfnod aneglur yn hanes Prydain. Wrth gwrs, byddai hanesydd yn glafoerio wrth weld y fath dystiolaeth, ond roeddwn i eisiau darllen am bethau fel brwydrau, ymgyrchoedd, bradwriaethau a chynnen. Roeddwn i yn chwilio am fanylion am bethau mwy technegol fel lleoliadau'r gwahanol ddrysau rhwng Annwfn a fy myd i. Doedd dim fel hynny i'w weld yn yr un o'r llyfrau.

Gofynnais i'r Porthor un bore a allai esbonio pethau fel hyn i mi. Ysgwydodd ei ben, nid yn angharedig. 'Y mae'r ffyrdd y mae ein byd ni a'ch byd chwi yn gweithredu yn ddyrys a chyfrin. Ni allaf egluro i chwi yr hyn y gofynnwch amdano.'

'Ond,' atebais, yn betrus, 'beth am ddychwelyd i fy myd i? Alla i wneud hynny?'

Oedodd y Porthor am eiliad fer cyn ateb. 'Byddwch yn dychwelyd gartref yn y pen draw,' meddai yn ofalus, 'ond am y tro yr ydych yn westai yn Annwfn.'

'Beth am y tu allan?' holais. 'Mae'r lluniau dwi wedi eu gweld yn dangos pa mor ddel ydy'ch byd chi tu allan i'r adeilad 'ma. Pryd ga'i fynd allan o fama? Faswn i wrth fy modd yn gweld be sydd tu hwnt i'r waliau yma.'

'Maes o law cewch wneud hynny, efallai,' meddai'r Porthor, ychydig yn ochelgar.

Roedd yn ateb dryslyd. Digiais. Teimlais wres yn cronni yn fy ngwddw. 'Ydach chi'n fy rhwystro i rhag gadael?' gofynnais yn chwyrn.

'Ystafell y sydd gennych, nid cell. Nid carcharor ydych. Ond y mae ein rheolau yn bwysig i ni. Maent yn fwy na phwysig, enaid. Maent yn *anghenraid*. Cadwch chwi at y rheolau a chwi a fyddwch lawen yma.'

'Ond dydy hynny ddim yn *deg*,' meddwn i, bron â gweiddi. Roedd fy nwylo wedi eu cau'n ddyrnau. Gwelais fod y Porthor wedi cymryd cam yn ôl, yn dal ei wynt, ag emosiwn ar ei wyneb – a sylweddolais mai ofn oedd yr emosiwn hwnnw. Roeddwn i wedi ei ddychryn.

Daliais fy nwylo i fyny, gan ddangos fy nghledrau iddo mewn arwydd o heddwch. 'Mae'n ddrwg gen i. Ddylwn i ddim fod wedi dweud hynna. Mae gen i chwilfrydedd, dach chi'n gweld. Ond dwi mor ddiolchgar am bopeth dach chi wedi ei wneud i mi – ac am eich cwrteisi a'ch amynedd.'

Ymlaciodd y Porthor – neu dyna'r argraff gefais i. 'Dewch, enaid,' meddai, 'i ninnau gael swpera.' Dilynais o, ond gyda mwy o bellter rhyngon ni nag arfer.

Doeddwn i ddim yn hapus gydag esboniadau'r Porthor. Mewn gwirionedd, roeddwn i wedi dechrau teimlo'n anghyfforddus ers sawl diwrnod. Erbyn hyn roeddwn i wedi bod yn Annwfn ers bron i ddeufis, ond doedd pethau ddim wedi newid yn yr amser hwnnw: roeddwn i'n dal i gael fy hebrwng i bobman, doedd dim rhyddid gen i i weld beth hoffwn i, ac roedd mwy a mwy o fy nghwestiynau yn mynd heb gael eu hateb. Ar yr un pryd roedd pobl yn holi mwy gen i am fy myd i, hyd nes fy mod i'n dechrau syrffedu. Does gan neb ddiddordeb ynof fi, meddyliais, dim ond yn yr hyn rydw i'n ei wybod.

Wedi diflasu ar y llyfrau, gofynnais beth arall y gallwn i ei wneud. Rhoddwyd papur sidanaidd, cwilsen ac inc i mi. Medden nhw wrthyf i y buaswn i'n gallu ysgrifennu fy atgofion, er mwyn iddyn nhw gael eu darllen ond hefyd fel na fyddwn i'n anghofio. Codais fy ngwrychyn wrth glywed hynny, ond ddwedais i ddim byd. Roeddwn i'n gwerthfawrogi cael papur i ysgrifennu, gan y byddai'n caniatáu i mi ddechrau cadw cofnodion am Annwfn a'r hyn roeddwn i wedi ei brofi a'i weld yma.

Erbyn hynny roeddwn i wedi penderfynu fy mod angen gadael Annwfn. Taith ymchwil oedd hon i fod, wedi'r cyfan, ac roeddwn i'n teimlo fy mod i wedi dysgu digon am y tro. Roedd digonedd gen i i'w gofnodi ar gyfer ei gyflwyno i ysgolheigion eraill pan y dychwelwn i Gymru. Roedd ambell beth y gallwn i rybuddio pobl amdano hefyd. Doeddwn i ddim am ddweud wrth bobl sut i ddarganfod Annwfn, wrth gwrs – roedd hi'n amlwg nad oedd y Porthor a'i bobl eisiau llif o ymwelwyr fel y cyfryw – ond byddai modd i mi esbonio digon gan gadw elfen o'r gyfrinach.

Roedd y ffenest yn fy stafell yn fy ngwawdio. Roeddwn i wedi meddwl ei hagor sawl tro erbyn hyn, ond wedi atal fy hun oherwydd gorchymyn y Porthor. Rhedais fy mysedd dros bren cerfiedig y caeadau ambell waith, ond es i ddim mor bell â chodi'r glicied er mwyn gweld beth oedd y tu allan. Roedd rhywbeth yn dweud wrthyf i fod angen i mi ufuddhau i'r rheol hon.

Ond roedd y drysau aur yn parhau i bwyso ar fy meddwl, yn fwy hyd yn oed na'r demtasiwn o agor caeadau'r ffenest. Roedd rhywbeth ysblennydd y tu ôl i'r drysau hynny, rhywbeth chwedlonol efallai. Er na freuddwydiais i pan gyrhaeddais i Annwfn am yr ychydig nosweithiau cyntaf, roeddwn i erbyn hyn yn breuddwydio'n nosweithiol am y stafell breifat honno – a dim byd arall. Roedd y chwilfrydedd yn dechrau fy mwyta i, nes ei bod hi'n amlwg y byddai'n rhaid i mi fynd yn erbyn fy addewid i'r Porthor os roeddwn i eisiau cwblhau fy ymchwil. Fyddwn i ddim yn *cymryd* unrhyw beth – dim ond edrych.

Roedd rhaid i mi fod yn gyfrinachol ac yn gyfrwys, wrth gwrs. Hyd yn hyn doeddwn i ddim wedi cael bod heb gwmni heblaw pan roeddwn i yn fy stafell wely. Yr unig adegau roeddwn i wedi cael cyfarfod unrhyw un o bobl Annwfn oedd pan oeddwn i yng nghwmni'r Porthor. Roedden nhw'n rhoi'r argraff o ryddid i mi, ond roeddwn i'n teimlo fel petawn mewn cadwyni. Wel, ddim mwyach.

Penderfynais mai yn ystod y nos fyddai'r amser gorau i weithredu. Doedd gen i ddim syniad a oedd pobl Annwfn yn cysgu fel chi a fi, ond roedd rhaid i mi obeithio y byddai yno lai o bobl o gwmpas gyda'r nos. Roeddwn i'n cofio'r ffordd o fy stafell i at y llawr lle roedd y stafell breifat; hyderwn y gallwn wneud y siwrnai honno ar fy mhen fy hun.

Doedd drws fy stafell ddim wedi ei gloi chwaith. Roedd yn amlwg mai drwy onestrwydd yn bennaf roedden nhw'n fy nghadw i yn fy stafell. Teimlais bwl o euogrwydd wrth sylweddoli hynny, ond perswadiais fy hun bod angen gwrthryfela weithiau er mwyn cael at y gwirionedd.

Y noson gynt, dywedais nos da wrth y Porthor yn siriol. Cefais frith argraff fod golwg ddrwgdybus arno wrth iddo edrych i fy llygaid wrth gau'r drws, ond roeddwn i'n siŵr mai fy mharanoia oedd wrthi. Arhosais am ryw ddwy awr ar ôl i'r Porthor fy ngadael cyn sleifio allan o'r stafell wely. Doedd gen i ddim byd ond y dillad oedd amdanaf, ond roeddwn i wedi penderfynu mai gallu symud yn ddistaw ac yn gyflym oedd y peth pwysicaf. Os y gallwn i gyrraedd y stafell aur, cael hyd i ffordd i mewn, ac yna dychwelyd i fy stafell wely cyn i neb fy ngweld neu weld fy ngholli, yna byddai popeth yn iawn. Ceisiais beidio â dychmygu beth fyddai'n digwydd pe bai rhywun yn fy nal – doedd dim pwynt mynd o flaen gofid.

Caeais y drws yn dawel ar fy ôl. Roedd y cyntedd yn wag. Dechreuais symud drwy'r neuaddau. Welais i neb. Roedd fy nghalon yn curo pymtheg i'r dwsin a fy nhafod yn sych. Dringais y grisiau – cymaint o wahanol setiau o risiau nes i mi golli cyfrif – gan gadw fy nghlustiau a'm llygaid ar agor am unrhyw symudiadau.

Unwaith, meddyliais i mi glywed rhywun yn cerdded mewn cyntedd gerllaw. Roedd sŵn eu traed yn clecian ar hyd y meini. Rhewais am eiliad mewn braw ac yna sleifiais i gysgod colofn uchel. Allwn i ddim gweld neb ond roedd rhywun yn sicr yn pasio. Cadwais fy nghefn at y golofn a chau fy llygaid, gan weddïo na fyddwn i'n cael fy ngweld. Ond aeth y sŵn traed heibio ac, ar ôl sawl munud hir, ymlaciais, cyn ailgydio yn fy nghyrch.

Chlywais i neb arall ac mi gyrhaeddais i'r llawr cywir heb unrhyw anawsterau. Roedd y rhan hon o Annwfn yn teimlo'n oer yr adeg hon o'r dydd. Roedd y lampau yn rhoi golau gwahanol, rywsut, a'r cysgodion yn lletach a dyfnach. Wrth sbecian dros y canllaw, sylweddolais mor bell i lawr oedd y twll yng nghanol y grisiau troi yn mynd at y düwch llonydd islaw.

Yn rhyfeddol, doedd neb yn gwarchod y tu allan i'r stafell â'r drysau aur. Mae'n rhaid eu bod nhw'n gorffwys yn ystod y nos. Unwaith eto teimlais euogrwydd am yr hyn roeddwn i'n ei wneud – doedd dim arlliw o syniad gan bobl Annwfn y byddai neb yn ceisio tramgwyddo yn rhannau preifat eu hadeiladau, ond roeddwn i wedi dod yn rhy bell erbyn hyn i droi'n ôl.

Troediais yn gyflym ond gofalus at y drysau dwbl. Roedden

nhw'n ddeuddeg troedfedd o daldra o leiaf, gyda cherfiadau cywrain a rhyfedd ar draws y metel i gyd: sbiralau, symbolau rwnig anhysbys, seliau cyfrin plethedig, a siapiau eraill a wnâi i fy mhen i droi. Wyddwn i ddim pam i mi gael adwaith felly. Efallai bod rhyw hud yn y drws hwn – er mwyn cadw pobl fel fi allan? Cawn weld, meddyliais. Rhoddais fy llaw ar ganol y drws chwith, cyfrais i bump yn fy mhen, a gwthio yn araf.

Roedd y drws yn drwm, ond agorodd heb unrhyw sŵn o gwbl, gan ddatgelu'r stafell fawr a orweddai y tu hwnt. Roedd lampau ar y waliau a'r nenfwd yn goleuo pethau rhywfaint, er nad yn llachar. I weld yn well, camais yn llechwraidd i mewn.

Oedd, roedd trysorau yma. Gwrthrychau lu wedi eu gosod yn erbyn y waliau ac ar silffoedd uchel. Roedd un arteffact llawer mwy na'r lleill yng nghefn y stafell. Eu prif drysor, efallai: rhywbeth sgleiniog wedi ei ofannu o fetel llyfn tebyg i efydd, gyda siâp fel crochan anferthol ganddo.

Ond wnes i ddim talu fawr o sylw iddo, nac i unrhyw wrthrych arall oedd gerllaw. Roedd fy ngheg wedi syrthio ar agor ac roedd fy nghalon wedi colli curiad – achos doeddwn i ddim ar fy mhen fy hun. Gallwn gyfrif tri o bobl Annwfn yn sefyll ar ochr arall y stafell, gan gynnwys un a oedd yn gafael mewn gwialen aur.

Na – nid *pobl*.

Yn lle'r unigolion gosgeiddig a phrydferth yn eu dillad sidanaidd lliwgar, roedd... – ni allaf eu disgrifio'n llwyr, gan fod fy ymennydd wedi ymwrthod â gwirionedd yr hyn a welodd fy llygaid, ac mae ceisio cofio'r manylion yn achosi i'm dwylo grynu. Nid bodau dynol oedd y tri ffigwr a welais – roedden nhw'n dalach na chi a fi, yn *hirach* rywsut, gyda chyrff tenau a bysedd main, esgyrnog. Roedd o leiaf chwech o freichiau a choesau gan bob un, a'r rheiny'n amlgymalog a miniog, ac roedd beth edrychai fel cynffonau neu dentaclau yn ymestyn allan o'u hesgyrn cefn crwm. Er hynny, symudent yn osgeiddig, bron fel pe baen nhw'n hofran, ac roedden nhw wedi eu gwisgo mewn dillad oedd yn fy atgoffa o ddail crin neu wymon, a'r deunydd yn lliw nad yw'n bodoli ar sbectrwm golau fy myd i. Roedd eu croen yn welw a llwyd ond roedd eu llygaid yn fawr fel soseri ac yn llachar, llachar.

Roedden nhw'n gwneud synau – yn *siarad gyda'i gilydd?* – ond roedd hi'n ymddangos nad oedd ganddyn nhw organau lleferydd fel sydd gan bobl. Synau clicio a rhygnu oedd eu sillafau yn bennaf, rydw i'n meddwl, gydag ambell ynganiad lleisiol a swniai'n aflafar i'm clustiau i. Roedd eu breichiau yn ystumio arwyddion o ryw fath a olygai ddim byd i mi, ond a oedd yn amlwg yn ychwanegu i'r cyfathrebu.

Ond, er syllu arnyn nhw'n gwneud y synau hyn wrth ei gilydd am nifer o eiliadau, yr hyn sydd yn glynu'n erchyll o glir yn fy nghof yw eu gyddfau hirion yn cywasgu, yn gwingo, yn cordeddu wrth i'r seiniau estron rygnu allan…

Ni allaf ysgrifennu mwy am hyn. Mae defnyn o waed wedi staenio'r dudalen hon; mae fy nhrwyn wedi dechrau gwaedu wrth i fi geisio cofio. Mi af ymlaen. Rydw i bron â chyrraedd y diwedd.

Ni wn am ba mor hir yr arhosais yna, wedi fy mharlysu. Roedd gwaed yn corddi tu ôl i fy llygaid a fy stumog yn berwi. Er na ddaeth sŵn o fy ngwefusau roedd fy ymennydd yn sgrechian. Ysgydwodd pob cyhyr yn fy nghorff mewn gorffwyll.

Rywsut, llwyddais i droi a rhedeg drwy'r drws ac allan. Doeddwn i ddim yn poeni am fod yn ddistaw bellach – gadael y stafell arswydus honno oedd yr unig beth oedd o bwys. Cefais argraff aneglur bod y creaduriaid aflan wedi stopio siarad yn sydyn wrth i mi droi fy nghefn arnyn nhw – a oedden nhw wedi fy ngweld?

Rhuthrais yn wallgof drwy'r coridorau maith, i fyny'r grisiau di-ben-draw, a'r peth nesaf y sylwais oedd fy mod i'n ôl yn fy stafell, yn eistedd ar fy ngwely yn anadlu'n herciog. Teimlai fy mol yn wag a simsan ac roedd fy mhen yn troelli. Llifai chwys i lawr fy nghefn. Caeais fy llygaid yn dynn.

Teimlwn mor ffôl: roeddwn i wedi gwneud cam mawr wrth dorri rheolau'r Porthor a thresbasu ar y cyfarfod yn stafell y trysor. Roeddwn i wedi gwneud camgymeriad yn dod i Annwfn yn y lle cyntaf. Roedd dagrau yn powlio i lawr fy mochau ac roedd fy ewinedd yn gwthio mor galed i mewn i gledrau fy nwylo nes eu bod yn tynnu gwaed.

Agorais fy llygaid a, thrwy lenni dagrau, gwelais y ffenest.

Roedd hi ar agor.

Roedd golau yn dod drwodd, ond golau gwahanol i'r lampau: golau du-las, oeraidd a oedd yn ffrydio i'r stafell.

Doedd dim atgof gen i o agor y ffenest. A oeddwn i, yn fy ynfydrwydd, wedi codi'r glicied wrth ddod i mewn i'r stafell a gwthio'r caeadau ar agor? Neu ai rhywun arall oedd wedi ei hagor yn fy absenoldeb? *Neu oedd y ffenest wedi ei hagor ei hun?*

Yn sigledig, codais ar fy nhraed ac, yn cael fy swyno gan chwilfrydedd angheuol nad oedd modd i mi ei wrthsefyll bellach, mi gerddais i gam wrth gam draw at y ffenest ac edrych allan drwyddi.

Mae'n rhaid i mi orffen ysgrifennu nawr. Rydw i wedi penderfynu dianc o Annwfn, neu o leiaf ceisio gwneud hynny.

Bydd angen i mi gael hyd i fy ffordd yn ôl adref drwy nofio i fyny drwy waelod y llyn dienw du. Bydd fy nhaith yn anodd – yn un amhosib, efallai. Does gen i ddim yr offer deifio oedd gen i pan gyrhaeddais i yma, rydw i'n wan ac mae pob gobaith bron wedi fy ngadael. Ond gwneud y daith fydd rhaid, neu farw yma.

Er nad yw drws fy stafell wedi agor ers i mi edrych drwy'r ffenest honno, gallaf glywed synau y tu allan i'r drws erbyn hyn. Sŵn siffrwd, llithro, crafu, hisian, clician. Gwn fod y creaduriaid, pwy bynnag ydyn nhw, *beth bynnag* ydyn nhw, wedi penderfynu nad ydw i'n addas i fod yn westai iddyn nhw bellach. Mae cryfder amlwg iddyn nhw ac, os y dalian nhw fi yn eu bysedd heglog, gwn y gallan nhw rwygo fy nghorff bregus yn ddarnau pe bai'r awydd arnyn nhw.

Cofiaf yr hyn ddywedodd y Porthor wrthyf i pan gyrhaeddais i Annwfn: 'Oni welwch-chwi yr hyn a ddisgwyliasoch?' Ac yn awr rydw i'n deall beth oedd gwir ystyr y geiriau hynny, er i'r Porthor a'r gweddill geisio ei guddio rhagof i. Y teimladau od hynny o gynhesrwydd tu ôl i fy llygaid a'r sibrwd yng nghefn fy mhen. Roedd y creaduriaid yn defnyddio rhyw bwerau yn fy erbyn i heb i mi sylweddoli. Roedden nhw'n darllen fy meddwl, o'r eiliad gyntaf, yn synhwyro, os nad y manylion, yna naws a dyheadau fy ymennydd syml dynol, meidrol. Drwy hynny, gwnaethon nhw iddyn nhw eu hunain, a'r hyn a welai fy llygaid yn Annwfn, edrych fel roeddwn i eisiau iddyn nhw edrych – er mwyn gwneud i mi ymlacio a chydweithio â nhw. Er mwyn i mi fod yn fodlon esbonio iddyn nhw sut le yw fy Nghymru i heddiw. Pa wybodaeth a chyfrinachau canrifoedd ydw i wedi eu cynnig i drigolion Annwfn – yr enw a roddodd fy meddwl i ar y lle, wrth gwrs, ond nid eu henw nhw am eu teyrnas, mae'n siŵr – a pha ffawd ydw i wedi ei chreu ar gyfer fy myd i drwy arfogi gelynion hynaf dynolryw gyda'r wybodaeth a'r cyfrinachau hynny?

Roedd yn amlwg bod trigolion Annwfn wedi cuddio eu gwir gyrff oddi wrthyf drwy rith, efallai drwy gyfrin ffyrdd y Porthor â'i lygaid arian pefriog. Pwy a ŵyr faint o'r pethau eraill oeddwn i wedi eu gweld yn Annwfn oedd hefyd yn ddrychiolaethau? Ond pan oedden nhw yn stafell y trysorau doedden nhw ddim yn ymwybodol fy mod i'n eu gweld nhw, ac felly doedden nhw ddim yn gwisgo eu mygydau: gwelais nhw yn eu ffurfiau go iawn. Dyna'r un lledrith, mae'n siŵr, a ddefnyddion nhw pan wnaethon nhw gyfarfod pobl fy myd i am y tro cyntaf, filoedd o flynyddoedd yn ôl. Roedd y creaduriaid hyn yn gymaint mwy na ni mewn amryw ffyrdd – yn fwy clyfar, yn fwy gwydn, yn fwy cyfrwys, a does dim rhyfedd bod ein chwedloniaeth wedi eu cofio fel duwiau...

Bydd y ddogfen hon, ar ôl i mi gyrraedd gwaelod y dudalen bresennol, yn cael ei chuddio yn fy nghôt i'w chadw'n ddiogel, wedi ei phlygu yn ofalus ac wedi ei selio mewn cwyr. Mae angen i mi ddychwelyd i fy myd i a rhybuddio pobl – eu rhybuddio na ddylai neb fentro i chwilio am Annwfn, na mynd ar gyfyl y llyn dieflig yn y cwm di-haul hwnnw. Os na fyddaf i'n goroesi fy nhaith, yna gobeithio y bydd y ddogfen hon yn cael ei darganfod ar fy nghorff, fel y bydd yn esbonio i chi ddarllenydd beth a welais ar fy nhaith i'r Arallfyd – a pham na ddylech chi fyth gael eich hudo i fy nilyn i.

Mae rhai pethau nad yw meddwl bod dynol yn gallu eu prosesu, na hyd yn oed eu hamgyffred. Mae ffenomenau sy'n bodoli y tu draw i'r bywyd y gwyddoch chi amdano sydd yn gweithredu heb falio amdanoch chi a'ch math. Mae'r dewis nawr gennych chi p'run ai i'w hwynebu neu eu hanwybyddu.

Ac rydw i'n ymbilio arnoch chi: anwybyddwch nhw, ewch ymlaen â'ch bywydau cyfforddus, arferol, bodlon!

Rydw i wedi gweld pethau na allaf fyth eu hanghofio, sydd yn rhan ohonof bellach. Chwalwyd fy meddwl yn deilchion. A'r hyn sydd wedi ei serio ar fy nghof uwch popeth arall yw beth welais i drwy'r ffenest honno: tir estron echrydus o greigiau onglog amhosib a mynyddoedd o arian a chrisial tanllyd; môr gwyllt o donnau porffor anferthol a hyrddiai yn erbyn clogwyni o obsidian; a'n planed las a gwyrdd fechan ni yn troelli'n unig ymhell bell uwch fy mhen yng nghanol wybren anfeidrol o sêr.

Nodiadau gan yr awdur: Arswyd Cosmig ac etifeddiaeth H.P. Lovecraft

Mae'r straeon yn y gyfrol hon ar y cyfan yn y *genre* arswyd cosmig (*cosmic horror*). Mae'r *genre* hwn yn deillio o'r ffuglen *weird* a ddaeth yn boblogaidd yn hanner cyntaf yr ugeinfed ganrif yn America, yn bennaf. Er nad fo oedd yr awdur cyntaf i ysgrifennu straeon fel hyn o bell ffordd, y dyn sy'n cael ei weld fel patriarch y *genre* ydy Howard Phillips Lovecraft (1890-1937). Disgrifiodd Lovecraft arswyd cosmig fel 'the fundamental premise that common human laws and interests and emotions have no validity or significance in the vast cosmos-at-large'.[1] Hynny ydy, mae craidd nihilaidd i arswyd cosmig – neu arswyd *Lovecraftian*, fel mae'n tueddu i gael ei labelu heddiw. Mae'r braw a deimlwn fel darllenwyr yn dod o feddwl, er ein bod ni fodau dynol yn tueddu i weld ein hunain fel canolbwynt y bydysawd, bod pwerau eraill yn bodoli, p'run ai o blanedau eraill neu o'n planed ein hun, sydd nid

---

[1]   O lythyr gan H.P. Lovecraft at Farnsworth Wright, Gorffennaf 5ed, 1927.

yn unig yn gymaint cryfach na phobl, ond yn gweithredu eu cynllwynion er gwaethaf ymdrechion pobl. Mae hynny yn gallu peri chwithdod a braw cyffrous i ddarllenydd – nid yn unig ein bod ni'n ofni 'yr anhysbys', ond yn ofni rhywbeth na allwn ni fyth ei ddeall.

Mae dylanwad H.P. Lovecraft wedi para. Er nad oedd yn llwyddiannus iawn fel awdur yn ystod ei oes, gafaelodd ei ffuglen yn nychymyg darllenwyr *pulp* yn dilyn yr Ail Ryfel Byd. Fo oedd crëwr creaduriaid arallfydol (ac arallddimensiynol) fel Cthulhu, Yog-Sothoth a Nyarlathotep, ac mae ei ffuglen yn ei dro wedi bod yn ddylanwad ar, er enghraifft, nofelau Stephen King, dyluniad y *xenomorphs* yn y ffilmiau *Alien*, cerddoriaeth bandiau fel Metallica a Black Sabbath, a gemau fel *Dungeons & Dragons*. Lovecraft sydd (er gwell neu er gwaeth) yn gyfrifol i raddau helaeth am drôp gwallgofrwydd mewn ffuglen arswyd, sef y syniad bod rhai pethau mor ddychrynllyd ac annirnadwy nes eu bod yn gallu gwthio pobl dros ddibyn eu pwyll.

Ond mae ffuglen Lovecraft hefyd yn broblematig iawn. Yn nifer fawr o'i straeon mae bod ofn pethau annealladwy yn amlygu ei hun fel ofn y rhai sy'n dod o'r tu allan – ofn pethau a phobl sy'n 'wahanol'. Mae straeon Lovecraft yn llawn o hiliaeth a senoffobia oedd yn amlwg a nodedig hyd yn oed am ei gyfnod. Mae ei bortreadu o gymeriadau sydd ddim yn wyn – yn enwedig pobl Ddu – yn annerbyniol ac erchyll, ac mae'n anodd peidio gweld ei senoffobia personol yn asgwrn cefn i gymaint o'r fytholeg a ysgrifennodd o.

Sut felly mae rhywun yn ysgrifennu mewn modd Lovecraftaidd heddiw, heb syrthio i'r un pydew o drin 'yr arall' fel ei fod yr un peth ag 'y dychrynllyd'? Pam fyddai rhywun eisiau ysgrifennu – neu ddarllen – yn y *genre* hwn o gwbl?

I mi, yr ateb ydy bod ffuglen arswyd yn cyffwrdd ag

ofnau ac emosiynau mwyaf creiddiol a chyntefig pobl. Mae rhywbeth gwefreiddiol am gael eich dychryn lle bo hynny mewn amgylchedd hollol ddiogel. Mae arswyd cosmig yn mynd yn bellach na phrofi ffieidd-dra gwaed ac angenfilod – er bod rheiny'n aml i'w gweld hefyd! – gan ei fod yn herio'r sefydlogrwydd a deimlwn ni, os ydyn ni'n lwcus, yn ein bywydau dyddiol, drwy awgrymu bod popeth rydyn ni wedi coelio ynddo hyd yn hyn yn anghywir – a bod angen i ni ailddehongli popeth ydyn ni'n meddwl am y byd. I mi mae'r bygythiad o'r teimlad hwnnw yn un cynhyrfus, a dyna beth atynnodd fi at ddarllen straeon yn y *genre* hwn yn wreiddiol, ac yn hwyrach ymlaen i ysgrifennu ynddo. Mae chwedloniaeth Cymru hefyd yn orlawn o gymeriadau lliwgar a hanesion arallfydol a phethau arswydus ac anesboniadwy sydd yn drysorfa i awdur sydd eisiau dychryn darllenydd!

Wrth gwrs, mae rhywbeth oesol mewn pobl yn teimlo ansicrwydd amdanyn nhw eu hunain, am eu cymunedau, am eu treftadaeth, am eu byd yn gyffredinol. I lawer o bobl, yn anffodus, mae'r pryderon hyn yn esgor ar senoffobia, ar gasineb, ar blwyfoldeb, ar geisio dal gafael yn anad dim ar y gorffennol (neu'r gorffennol fel y dehonglan nhw o). Ond teimlaf fod cyfle drwy arswyd cosmig i gnoi cil ar bwy ydy'r 'bobl eraill' bondigrybwyll, pwy sydd yn dod o'r 'tu allan', a pham bod cymaint o ofnau pobl yn ein byd cyfoes yn deillio o'r syniad o amrywiaeth diwylliannol ac ethnig o fewn cymdeithas.

Roedd yr awduron arswyd cosmig cynnar yn wych am ysgrifennu ffuglen afaelgar, ddychmygus, frawychus, ond mae llawer o bethau am eu gwaith na ddylai neb eu hefelychu heddiw. Yn ffuglen Lovecraft, er enghraifft, hyd y gwn i does dim un prif gymeriad sydd yn fenyw, dim un prif gymeriad sydd yn LGBTQ+, dim un prif gymeriad sydd ddim yn wyn, dim un prif gymeriad sydd ddim yn dod o ddiwylliant a chefndir 'Anglo'. Credaf fod llawer o le a rheswm i ddechrau gwneud yn iawn heddiw am ffaeleddau hanesyddol fel hyn yn ein ffuglen.

Mae'n sicr fod gen i fy marn fy hun am y pethau uchod, ond nid damhegion neu alegorïau ydy'r straeon yn y cylch hwn. Nid pregethau ydyn nhw chwaith – ac mae'n berffaith bosib darllen pob un stori fel antur gyda thro yn y gynffon, a dim mwy. Serch hynny, fy ngobaith ydy bod darllenwyr yn medru gweld rhywbeth rywle ymysg y tudalennau hyn am Gymru neu Gymreictod neu'r nerth sy'n dod o amrywiaeth – a dwi'n fwriadol wedi ceisio creu ystod o wahanol gymeriadau sydd ddim ym mowld Lovecraft – ond nid un dehongliad yn unig sydd ar gyfer pob stori! Chi fel darllenydd ddylai ddehongli fel y mynnoch. Mae hunaniaeth a diwylliant yn bethau cymhleth, ac i mi mae straeon yn ffordd dda o ddatod clymau'r cymhlethdod hwnnw. Mae yna hefyd rywbeth i'w ddweud dros gyffro straeon brawychus am fwystfilod a drychiolaethau a synau yn y nos!

Holwch am bris argraffu!
www.ylolfa.com